TO：元叔.

又过了一年. 无论如何, 都要祝生日快乐.

这本书是最近在读的. 送给你

祝：生日快乐. 祝高分! 祝瘦!

阅知中考. Anyway 还是要坚持下去.

最后祝阅读愉快.

[illegible]

12.5.11

橘子街
Orange street

莎拉的钥匙

（法）塔季雅娜·德·罗斯奈 著　章于红 龙飞 译

Sarah's Key

新星出版社 NEW STAR PRESS

一九四二年七月，巴黎

女孩最先听到捶门声，她的房间离门厅最近。她睡意蒙眬，刚开始还以为是父亲从藏身的地窖上来了，忘了带钥匙。起初他轻轻地敲门，但没人听见，于是他变得不耐烦了。接着，门口的人说话了，寂静的夜里他的声音显得响亮、粗暴——根本不是父亲。“警察！开门！快！”

捶门声再次响起，这次更响了，在她骨髓中惊起阵阵战栗。睡在旁边床上的弟弟受到了惊吓。“警察！开门！开门！”现在才几点啊？她透过窗帘看看外面的天色，一片漆黑。

她有些害怕，想起了最近偶然听到的父母的悄声谈话，当时已是深夜，他们以为她睡着了。她蹑手蹑脚地走到起居室门前，偷听他们的谈话，还透过门上细小的裂缝往里看。父亲很紧张，声音有些发抖，母亲则一脸焦虑。两人说的是家乡话，女孩虽然说得不流利，但能听懂。父亲轻声说，今后的日子将更加难过，我们要勇敢，要非常小心。他的话中有一些奇怪的字眼，比如“营”、“搜捕，大搜捕”、“凌晨抓捕”，女孩不清楚这些词语的具体含义。父亲把声音压得很低，说只是男人们有危险，女人和孩子都没事，他每天晚上要藏到地窖里去。

早晨父亲向女孩解释了一番，说这段时间他睡楼下更安全些，直到“情势变安全为止”。现在具体是什么“情势”？女孩心想。什么是“安全”？情势能回到“安全”状态吗？好几次她都想问问父亲，“营”和“搜捕”是什么意思，但又不愿承认自己偷听了父母的谈话，所以没敢问。

“开门！警察！”

警察发现地窖里的父亲了吗，她心想，所以他们才会出现在这里？他们要把父亲带出城，带到那些遥远的、父母深夜谈话中提到的“营”里去吗？

女孩光着脚悄悄跑向门厅尽头母亲的房间。她的手刚碰到母亲的肩膀，母亲就醒了。

“妈妈，是警察，”女孩低声说，“他们在捶门。”

母亲掀开床单，起身下床，一边理了理额前的头发。她看上去太疲惫，太苍老了，根本不像才三十来岁的人，女孩心想。

“他们来抓爸爸吗？”女孩抓住母亲的手臂急切地问道，“他们是来抓他的吗？”

母亲没有回答。外面再次传来催促声。母亲在睡衣外面迅速套了一件晨衣，牵着女儿的手走向大门。她的手湿热湿热的，像婴儿的手，女孩心里想。

“谁呀？”母亲拉开门闩之前怯怯地问。

一个男人大声叫出了她的名字。

“是的，先生，是我。”她答道，口音很重，甚至有些刺耳。

“把门打开，快点，警察。”

母亲一手抚胸。女孩发觉她的脸色白得吓人，仿佛魂魄已经出窍，人被冻僵了一样，连脚也挪不动了。女孩从未见过母亲的脸上有如此惊恐的神色，她感觉痛苦不堪，口舌发干。

外面的人再次捶门，母亲笨拙地打开了门。女孩后退了几步，以为会看到青灰色的警察制服。

两个男人立在门前，一个是警察，身披齐膝长的深蓝色披肩，头戴高高的圆形军帽；另一个穿了件米色雨衣，手里拿着名单。他再一次叫了母亲的名字，然后又叫了父亲的名字，一口纯正的法语。哦，我们没事，女孩心想，如果他们是法国人，不是德国人，我们就不会有危险。如果他们是法国人，他们就不会伤害我们。

母亲把女儿紧紧地拉到身边。隔着母亲的晨衣，女孩能感觉到母亲剧烈的心跳。她想把母亲推开。她想让母亲把身体站直了，勇敢地看着他们，不要畏缩，心不要像吓坏了的动物一样怦怦乱跳。她希望母亲勇敢一些。

“我丈夫不……不在，”母亲有些结巴，“我不知道他在哪里，我不知道。”

穿米色雨衣的那个男人从她们身边挤进了屋。

“动作快点，女士，你们只有十分钟。多带点衣服，要去外面住一段时间。”

母亲没动，她看着那个警察。警察站在门前的台阶上，脸朝外，似乎事不关己，甚至觉得有些无聊。母亲拉着他深蓝色制服的袖子。

“先生，求求你……”她刚开口。

警察转身把她的手拨开，眼里是冷酷、漠然的神色。

“听见了吗？你们要跟我们走，还有你的女儿。赶紧照办。”

二〇〇二年五月，巴黎

跟往常一样，伯特兰又迟到了。我努力不去介意，但心里真的很不舒服。佐伊懒洋洋地倚墙而立，一副很无聊的样子。她跟她父亲长得很像，我常常为此喜不自禁，除了今天。我抬头打量起面前这幢古老、高大的房子。这是玛玫——伯特兰的祖母——以前住的地方，我们马上要搬过来。我们即将告别蒙帕纳斯宽阔的大街、嘈杂的交通，以及附近三家医院进进出出、呜呜乱叫的救护车，告别那里随处可见的咖啡屋和餐厅，来这个位于塞纳河右岸安静、狭窄的街道居住。

虽然我很欣赏玛蕾区古老、残破的韵味，但是我对这个区不大熟悉。这次搬家我开心吗？我不知道。伯特兰并没有真正征求过我的意见。事实上，这件事我们根本就没怎么商量过。他按照一贯作风，自己早已筹划好了整件事情，我就是个“局外人”。

“他来了，”佐伊说，“才迟到半个小时。”

我们看着伯特兰以其独特的大摇大摆的走路姿势，悠然地顺着街道走过来。他身材瘦削，皮肤黝黑，浑身透着性感，一个典型的法国男人。他在打电话，他有打不完的电话。跟在他身后的是他的业务合伙人——满脸胡须、面庞粉红的安东尼。他们的办公室设在F拱廊街，就在玛德琳广场后面。我们结婚以前，伯特兰在一家建筑公司工作了很多年，不过五年前，他与安东尼携手，开始创建他们自己的事业。

伯特兰朝我们挥挥手，又指指电话，一副愁眉紧锁、阴郁生气的样子。

“看来被对方缠住了，”佐伊不无嘲讽，“显然嘛。”

佐伊才十一岁，但有时候让人感觉已经是个青少年了。首先，她个子很高，比她所有的女性伙伴都高出一大截。还有，她的脚也大——她会一脸严肃地补充道。其次，她有颇为老到的洞察力，经常让我感到惊喜。她淡褐色眼眸中的深沉和托腮沉思的样子给人一种成熟的味道。她一直如此，即使小时候也这样——冷静、成熟，相对她的年龄而言，她有时候显得太过成熟了。

安东尼走过来跟我们打招呼，伯特兰则继续打着他的电话。他的声音很大，整条街都能听见，一只手不停地在空中挥舞，脸上的表情变化不定，还不时地转过身来，看我们是否在听他说的每一句话。

“跟另一位建筑师之间产生了一点问题。”安东尼解释时小心翼翼地笑了笑。

“是竞争对手吗？”佐伊问道。

“嗯，是的。”安东尼回答。

佐伊叹了一口气。

“那我们很可能要在这儿等上大半天了。”她说道。

我脑子里冒出一个主意。

“安东尼，你身上会不会正好有泰泽克太太公寓的钥匙？”

“我带着呢，朱莉娅。”他一脸笑容。安东尼总是用英语回答我的法语问题。我估计他这么做是为了表示友好，可我心里有些生气，感觉自己在法国生活了这么多年，但法语讲得还是很糟糕。

安东尼晃了晃手中的钥匙。我们决定进屋，就我们三个。佐伊在大门口熟练地输入了密码。我们穿过满是落叶、凉爽宜人的庭院，来到了电梯门口。

“我讨厌这部电梯，”佐伊说，“爸爸应该把它修整一下。”

“亲爱的，他只是要修整你曾祖母的住处，”我指出，“而不是整幢大楼。”

“不管怎么说，他应该修整一下电梯。”她说。

等电梯的时候，我的手机响起了达斯·维达①的主题曲。我扫了一眼屏幕上闪烁的号码——是我的老板乔舒亚。

我应道：“什么事？”

乔舒亚还是老样子，说话直奔主题。“需要你在三点前回来完成七月刊，完毕。”

“哇哦。”我唐突地冒出一句。我听到电话那头挂断前一阵哧哧的笑声。乔舒亚听我说“哇哦”时似乎总是很开心，或许这让他想起了自己年轻的时候。安东尼仿佛也觉得我的旧式美语挺有意思。我不禁想到，他要是把这些话记下来，然后用他的法国腔来说，那该是一种什么味道。

巴黎的电梯设计独特，乘坐间很小，有一扇手动控制的铁制小窗和两扇开启时经常碰到人脸的木门。在电梯上升的过程中，我被夹在佐伊和安东尼——他身上的香根草香水很浓——中间，无意间我瞥见了墙上镜子里自己的脸，一张已被岁月侵蚀得跟这部吱吱作

①达斯·维达（Darth Vader），是电影《星球大战》里最重要的角色之一。维达的主题音乐是《帝国进行曲》。

响的电梯一样的脸。来自马萨诸塞州波士顿市的那位面容清丽的美女身上都发生些了什么？镜子里盯着我看的女人已经到了四十五至五十岁这个恐怖的年龄段，眼袋下垂，皱纹渐渐显现，更年期也悄然而至。

“我讨厌这部电梯。”我冷冷说道。

佐伊露齿一笑，捏了捏我的脸颊：

“妈妈，就算是格温妮丝·帕特洛这样的美人，在那面镜子里也会丑得像个鬼。”

我不由得笑了，这就是典型的佐伊语言。

母亲抽噎了起来，开始时声音较小，后来渐渐地响了。女孩看着她，怔住了。出生至今的十年中，她从未见过母亲哭泣。看着泪水顺着母亲惨白脸上的皱纹往下滚落，她惊呆了。她想叫母亲不要哭了，看到母亲在这些陌生男人面前哭泣，她感到羞愧难当。那两个男人根本不理睬母亲的眼泪，只是催促她动作快点，已经没有时间可以浪费了。

卧室里，男孩还在睡梦中。

“你们要带我们去哪儿呀？”母亲恳求道，“我女儿是法国人，在巴黎出生，为什么也要带走她？你们到底要带我们去哪儿？”

两个男人没多说什么，只是步步逼近，阴险地看着她。母亲吓得脸色煞白，她回到自己的房间，一下子瘫坐在床上。过了一会儿，她直起身子，转身对着女孩，声音细若游丝，脸上的表情木然如面具。

“去叫弟弟起来，两个人都穿好衣服，再带上点衣服。现在就去！快点！快去！”

女孩的弟弟透过门缝看到了那两个男人，吓得不敢出声。他看到衣衫凌乱的母亲一边抽噎着一边收拾行李。他鼓起了一个四岁男孩身上全部的勇气，拒绝离开。女孩连哄带骗，可他完全不听。男孩双臂交叉抱在胸前，一动不动地站在原地。

女孩脱下睡衣，匆匆换上了棉质上衣和裙子，套上了鞋，男孩只是在一旁看着。他们听到母亲的房间里传来了哭声。

男孩轻声说："我要去我们的秘密基地。"

"不行！"她极力反对，"你得和我们一起走，一定要！"

她一把抓住他，但他身子一扭挣脱了，转身钻进了隐藏在他们房间墙后又长又深的橱柜。他们经常一起躲在里面玩捉迷藏，还把自己锁起来，就好像是他们自己的小屋。爸爸妈妈一直假装不知道有这样一个壁橱，他们会清晰、响亮地叫姐弟俩的名字。"孩子们躲哪儿去了呢？真奇怪，刚才还在这儿的！"她和弟弟则开心地咯咯直笑。

他们在"秘密基地"里放了一个手电筒、几个垫子、一些玩具、几本书和一大瓶水，妈妈每天都会把水瓶灌满。弟弟还不会看书，女孩就把《好一个小魔鬼》大声读给他听。他非常喜欢孤儿查尔斯和可怕的麦克米西太太之间的故事，查尔斯对残忍的麦克米西太太的报复让弟弟非常开心。女孩一遍又一遍地给弟弟读这个故事。

女孩感觉到弟弟在黑暗的藏身处看她。他紧紧地抱着自己心爱的泰迪熊，不再感到害怕了。不管怎么说，他藏在那里也许是安全的，而且有水喝，有手电筒用。他还可以看瑟居伯爵夫人作品中的插图。他最喜欢看的插图是查尔斯的复仇故事。或许她现在应该让他留在里面。那两个男人永远也找不到他。当天晚些时候他们就可以回来，到时候她再叫他出来。而且，如果爸爸——当时还藏在地窖里——出来，也知道弟弟藏在哪里。

"你在里面害怕吗？"她趁外面那两个男人大声催促时轻声问。

"不，"他答道，"我不害怕。把我锁起来，他们就找不到我了。"

她关上了橱柜门，男孩苍白的小脸消失在门后。她转动钥匙把门锁上，然后将钥匙塞进口袋。锁隐藏在一个貌似电灯开关的旋转装置下面，墙上镶着一块块的板子，根本看不出那里还有个壁橱。没错，他在里面会很安全的，她很肯定。

女孩将手掌贴在木质镶板上，嘴里轻声叫着弟弟的名字。

“过一会儿我就回来找你。我保证。”

我们走进那间公寓，摸索着寻找电灯开关，没有找到。安东尼打开了两扇百叶窗，阳光倾泻而入。房间里空无一物，到处是灰尘。因为没有家具，起居室显得很大。透过狭长、肮脏的窗玻璃，金色的阳光在深棕色的地板上印出一道道斑纹。

我环顾四周，一个个架子上空空如也，墙上曾悬挂过美丽油画的地方留下了暗淡的方形印迹。我记得在冬季里，火焰在大理石壁炉里跳跃，玛玫将她纤细、白嫩的手伸向炉火取暖。

我走到一扇窗户旁边，俯视宁静、绿意盎然的庭院。我很高兴玛玫离开前没有看到她空荡荡的公寓，否则她会跟我现在一样，感到非常难过。

"还有玛玫的气息，"佐伊说，"那种娇兰的一千零一夜香水的味道。"

我抽抽鼻子闻了闻。"还有讨厌的咪咪的气味。"咪咪是玛玫最后一只宠物，一只任性的暹罗猫。

安东尼瞥了我一眼，一脸诧异。

"'咪咪'是猫的名字。"我解释道。这次我说的是英语。我知道"咪咪"的法语"la chatte"有"母猫"的意思,但也有"阴道"的意思。我可不想因词义双关而被安东尼嘲笑。

安东尼用专业的眼光审视着公寓。

"供电系统太旧了，"他指着旧式的白色陶瓷保险盒说，"暖气设备也一样。”

超大的暖气设备积满了污垢，黑黑的如同一个长着鳞片的爬行动物。

“看了厨房和盥洗室后再下定论吧。”我说。

“浴缸有脚，”佐伊说，“我会想念那样的东西的。”

安东尼用手敲击墙面，检验墙壁的质量。

“估计你和伯特兰想彻底重新装修，对吗？”他看着我问。

我耸耸肩。

“我并不清楚他想怎么做。接下这个地方是他的主意，我不是很想来这里。我想要的是更……实用的房子，新房。”

安东尼露齿一笑。“等我们完工后它会变成新房的。”

“也许吧。但对我而言，它永远是玛玫的房子。”

虽然玛玫九个月前已搬去了疗养院，这里依旧有她的印迹。她是我丈夫的祖母，在这里住了多年。我还记得十六年前我们第一次见面的情形。古老的名画、大理石壁炉、华丽的银框中气派的家庭照、令人炫目的简单而优雅的家具、书架上不计其数的书、盖着红色天鹅绒的豪华钢琴，都给我留下了深刻的印象。阳光充足的起居室通向一个宁静的私家小院，庭院上方覆盖着厚实浓密的常春藤，一直蔓延到对面的墙壁。我和她第一次见面就在这里。当时我对我妹妹查拉所说的“法国亲吻礼”还不大习惯，只笨拙地向她伸出了手。

和巴黎女士见面，哪怕是初次见面，也不要和她握手，而应该在她左右脸颊上各吻一次。

但我当时还不知道这些。

穿米色雨衣的男人又看了一眼手中的名单。“等一等，”他说，“还有一个小孩，一个小男孩。”

他说出了小男孩的名字。

女孩的心咯噔一下。母亲瞟了女儿一眼，女孩迅速做了一个噤声的动作，那两个男人没有发现。

“小男孩在哪里？”那个男人质问道。

女孩绞着双手，上前一步。

“先生，我弟弟不在家。”她用一口纯正的法语说道，“月初的时候和朋友一起走了，去乡下了。”

穿雨衣的男人看了看她，若有所思，然后快速扭头朝向那个警察。

“进去搜一搜，赶紧，或许她父亲也在里面藏着呢！”

胖警察逐个房间搜查，笨拙地打开房门，查看床下和橱柜。

警察翻箱倒柜地搜查公寓时，另一个男人在房间里来回踱步。他背对母女时，女孩快速掏出钥匙给妈妈看，并用口型告诉她爸爸会上来找弟弟的，爸爸待会儿就来！母亲点点头，好像在说，好的，我知道他在哪里了。但她的眉头又皱了起来，她比画了一个钥匙的手势，好像在问，你要把钥匙放在哪里？你爸爸怎么能找到？那个男人突然转过身来，母亲噤若寒蝉，女孩也吓得发抖。

他盯着她们看了好一会儿，突然关上了窗户。

母亲说："请别关，屋里太热了。"那个男人笑了，女孩从没见过这么丑陋的笑容。他说："女士，我们还是关起来吧。今天早上有一个女人把自己的孩子从窗户里扔了出去，然后自己也跳了下去。我们不能让那样的事情再发生了。"

母亲没再说什么，她已经因恐惧而变得有些麻木了。女孩怒视着那个男人，她恨他，恨之入骨。她憎恨他红润的脸颊、油光光的嘴唇，憎恨他冰冷、呆板的眼神和他站在那里的姿势。他两腿叉开，头上的毛毡帽向前斜着，肥硕的双手反扣在背后。

她恨他恨到了极点，她从未这样恨过一个人。这种恨远远超过了她对学校里那个坏男孩丹尼尔的恨。丹尼尔曾低声在她耳旁说她父母的坏话，说他们的口音难听得要命。

她听见那个笨拙的警察还在搜查。他不会发现弟弟的。那个橱柜隐藏得太好了。小男孩会安全的。他们永远都不会发现他，永远不会。

那个警察回来了，耸耸肩，摇摇头说："里面没人。"

穿雨衣的男人推着母亲走出门口，向她索要公寓的钥匙。母亲静静地交了出去。他们沿着楼梯鱼贯而下。母亲扛着大包小包的东西，所以队伍行进缓慢。女孩脑子里飞速地转着：怎样才能把钥匙给父亲呢？她该把钥匙留在哪里？留给门房？这时候她醒了吗？

奇怪，门房已经醒了并等在门后。女孩发现她脸上有一种古里古怪、幸灾乐祸的表情。女孩很想知道，她为什么会有这种表情。为什么她只看那两个男人而不看她母亲和她，仿佛不想看见她们俩，仿佛从未见过她们俩，而她母亲对那个女人一直很好，还经常帮忙照看她的孩子小苏珊妮。小苏姗妮患有胃痛病，经常哭闹个不停，母亲很有耐心，总是不停地用家乡话唱歌给她听。小苏姗妮很爱听，听着听着就安静地睡着了。

“你知道这家的父亲和儿子去哪里了吗？”警察把钥匙交给门房时问道。

门房耸了耸肩，仍旧没有看女孩和她母亲。她麻利地把钥匙放入口袋，仿佛期盼已久。女孩看了心生厌恶。

她回答道：“没有。近来我很少见到这家的男人和小孩，也许他和小男孩藏了起来。你们可以去地下室或顶楼的收发室找找，我可以带你们去。”

婴儿床里的小孩开始呜咽，门房扭头去看。

穿雨衣的男人说：“我们没时间了，必须走了。如果有必要，我们会再回来的。”

门房走过去抱起号啕大哭的婴儿，把她搂在胸前。她说她知道隔壁楼里还有几家，还说出了他们的姓名。女孩觉得她说话的时候一脸厌恶，就像是在骂人，骂的还是那种不堪入耳的脏话。

伯特兰终于把电话放进了口袋，将注意力投向我，给了我一个令人无法抗拒的微笑。为什么我会有一个这么迷人的丈夫？我已想过无数次了。多年之前，我们在法国阿尔卑斯山脉的高雪维尔滑雪场初次相遇。那时的他瘦瘦的，只是个大男孩模样，而今，四十七岁的他胖了些，壮了些，浑身散发着男人味、"法国绅士味"和迷人气质，他的优雅和干练在时间的流逝中与日俱增。而我的青春，已流失在查尔斯河与塞纳河中间的某个地方，人到中年，韶华已逝。也许银发和皱纹更增添了伯特兰的神采，在我身上，却让我日渐黯淡。

"怎么样？"他问道。不顾同事安东尼和我们的女儿在场，他轻率而充满占有欲地抓了我臀部一把。"这房子不错吧？"

"真不错，"佐伊接了过去，"安东尼刚才告诉我们，所有的东西都需要重新修整，也就是说我们一年后才能搬进来。"

伯特兰哈哈一笑，笑声极富感染力，也有如土狼号叫般的穿透力，如萨克斯管般浑厚，这就是我丈夫身上的"毛病"——魅力十足，而且还喜欢全力释放。我不知道他这是从哪里继承来的。他的父母爱德华和科莱特吗？他们聪慧过人，举止优雅，学识渊博，但没什么魅力可言。他的妹妹赛茜尔和罗芮吗？她们受过良好的教育，聪颖，知书达理，但只在必要时才笑。我估计他是受了反叛、好斗的玛玫的影响。

“安东尼太悲观啦，”伯特兰笑道，“我们很快就能搬进来。是有不少活儿要干，但我们会请最棒的团队来做。”

我们跟着他走下长长的走廊——脚下的木板咯吱作响，去看那几间临街的卧室。

伯特兰指着一面墙说：“这堵墙得拆了。”安东尼点点头。“我们得缩短与厨房的距离，否则嘉蒙德女士会觉得它不‘实用’”。

他是用英语说的“实用”，还朝我调皮地眨了眨眼睛，用手指在空中比画了个引号。

“这套公寓真大，”安东尼评价道，“很气派。”

“现在是的，以前小多了，也简陋很多。”伯特兰说，“当年我祖父母生活很困难，祖父六十岁后才赚了点钱。后来他把对面的房子也买了下来，把两套并成了一套。”

“这么说曾祖父小时候就住在这个小小的地方吗？”佐伊问道。

“是的，”伯特兰回答，“就到这儿，那边是他父母的房间。他就睡在这里，当时小多了。”

安东尼用手轻轻叩击墙壁，若有所思。

“唉，我知道你在想什么。”伯特兰笑着说，“你想把这两个房间打通，对吗？”

“对！”安东尼承认。

“主意不错，但还得合计合计。这面墙有些棘手，以后我再指给你看。上面有厚厚的镶板，里面还有管道之类的东西，没有看起来那么容易。”

我看了看表，两点半了。

“我得走了，和乔舒亚约好的。”我说。

“那佐伊怎么办？”伯特兰问。

佐伊眼珠子滴溜一转，说：

“我可以，嗯，乘公交车回蒙帕纳斯。”

“不用去学校？”伯特兰问。

佐伊的眼珠又一转：

“爸爸！今天是星期三，星期三下午没课，忘了？”

伯特兰挠了挠头：

“我上学的时候……”

“是星期四，星期四不上课。”佐伊念叨着。

“法国的教育制度真荒唐，”我叹了口气，“而且，星期六上午居然要上课！”

安东尼表示赞同。他的儿子在一家私立学校上学，星期六上午不上课。而伯特兰——和他父母一样——是法国公立学校的忠实拥护者。我曾想让佐伊上双语学校，巴黎有好几所呢，可没有一所能入泰泽克家人的眼。佐伊是法国人，在法国出生，就该去法国学校念书。她现在就读于卢森堡花园附近的蒙田中学。泰泽克一家老是忘记佐伊的妈妈是美国人，幸运的是佐伊的英语很棒。我从来没有跟她用英语聊过，但她经常去波士顿看望我的父母，而且多数暑假是在长岛和我的妹妹查拉及其家人一起度过的。

伯特兰转过身，眼神锐利。我心里直发憷，这种眼神意味着他会说出要么风趣，要么残忍的话。安东尼显然有同样的感觉，突然仔细打量起自己的漆皮路夫鞋来。

“哦，就是，我们知道嘉蒙德女士如何看我们的学校，我们的医院，我们无休止的罢工，我们的长假，我们的排水系统，我们的邮政服务，我们的电视，我们的政治和我们人行道上的狗屎！”伯特兰说道，漂亮的牙齿在我面前闪闪发光，“我们听了很多遍，很多遍了，不是吗？‘我喜欢美国，那里的一切都很干净。在美国，人人都捡街道上的狗屎！’”

“爸爸，别说了，你太粗鲁了！”佐伊握住了我的手。

出了楼，女孩看见一位邻居穿着睡衣斜靠在窗台上。他是个好人，是位音乐教师，会拉小提琴，她很喜欢听他拉小提琴。他经常隔着院子为她和弟弟演奏，演奏《在亚维依桥上》和《空濛潋滟泉》之类的法国老歌以及她父母国家的歌曲。她父母经常伴着这些歌曲欢快地跳舞，她母亲跳得连拖鞋都滑到了房间的另一边。父亲带着母亲不停地旋转，转啊转，直到头晕了才停下来。

“你们干什么？你们要把他们带到哪里去？”他大声地喊道。

他的声音响彻整个院子，盖过了婴儿的哭声。穿雨衣的人没有应答。

“你们不能这么做，”那位邻居说，“他们都是诚实、善良的人！你们不能这么做！”

听到他的声音，一些人家的百叶窗开了，一张张脸从窗帘后面往外探视。

但是，女孩注意到没有人有其他行动，没有人吭声，他们只是看着。

母亲突然停了下来，抽泣着，背部剧烈地抖动着。那两个男人推着她向前走。

邻居们默默地看着，连音乐老师也沉默了。

母亲突然转过身，歇斯底里地大喊起来。她叫喊着丈夫的名字，连喊三次。

那些人抓住她的胳膊粗鲁地摇晃，她手中的包袱和袋子掉在了地上。女孩试图阻止他们，但被推到一边。

一位男子出现在楼道口，身材瘦削，衣服皱巴巴的，下巴上胡子拉碴，疲倦的眼睛里布满血丝。他挺直脊背，穿过院子来到那两个男人面前，告诉了他们自己的身份。他的口音和那个女人一样，也很重。

“把我和我的家人一起带走吧。”他说。

女孩和父亲十指交叉，握在一起。

这下安全了，她心想，有父母在，这下安全了。要不了多长时间的，面前这位是法国警察，不是德国警察，没有人会伤害他们。

他们很快就会回到公寓，妈妈要准备早餐，弟弟会从躲藏的地方出来，爸爸去马路尽头的货栈上班。他是工长，要领着他的工友做皮带、皮包和钱包。一切都会恢复以前的样子。生活会很快回到安全状态，很快。

走出院子，天色已亮，狭窄的街道上空无一人。女孩扭转头，再次看了看她家的那幢楼，看了看窗户里那些沉默的面孔和哄小苏珊妮的门房。

音乐教师抬起手，缓慢地朝她挥手告别。

她微笑着向他挥挥手。没事的，她会很快回来，他们都会很快回来。

但他似乎受到了很大打击。

他的脸上默默地流着泪水，无助和羞愧的泪水，但女孩还不明白为什么。

“粗鲁？但你母亲喜欢。”伯特兰哈哈笑着冲安东尼眨眨眼，“对吧，夫人？对吧，亲爱的？”

他在客厅里一边旋转，一边用响指打着《西城故事》的旋律。

安东尼在场，我感到有些尴尬，不知所措。为什么伯特兰那么喜欢让我难堪，让人感觉我这个美国人虚伪、高傲，对法国的东西吹毛求疵？我为什么还任由他说？以前我觉得这样很风趣。刚结婚的时候，我们还拿它当经典笑话，逗得法国和美国的朋友哄堂大笑。但那只是刚开始的时候。

像往常一样，我笑了笑，只不过今天的笑容有点僵。

“你最近去看玛玫了吗？”我问。

伯特兰已经开始在屋里丈量了。

“你说什么？”

“你祖母，”我耐心地又说了一遍，“我估计她很想见你，她想知道这个房子目前的状况。”

他扭头看我。

“我没时间，亲爱的，你去吧？”

他的眼神中充满了希冀。

“伯特兰，我每星期都去，你知道的。”

他叹了口气。

“她是你祖母。”我说。

“可她也爱你，爱你这个美国人。”他笑嘻嘻地说，“我也爱你，宝贝儿。”

他走过来在我唇上轻轻一吻。

唉，美国人。

“哦，你就是那个美国人。”多年以前，就在这所房子里，他的祖母就这样招呼我。她灰色的眼睛上下打量我，充满了慈祥。我留着层次分明的短发，脚穿旅游鞋，一张笑脸健康开朗，这就是他们在我身上看到的美国人形象。而这位七十五岁的老妇人也是一副典型的法国人形象：挺拔的脊背，高贵的鼻梁，一丝不苟的鬈发，精明的眼光。她的声音多由喉头发出，尖尖的，常常会吓人一跳，她的幽默有些偏冷，然而，我第一次见面就喜欢上了她。

不得不承认，就算是现在，我喜欢她胜过喜欢伯特兰的父母，他们让我觉得自己仍旧是一个“美国人”，尽管我在巴黎已经生活了二十五年，嫁给他们的儿子也有十五年了，还给他们生了佐伊，让他们当上了祖父祖母。

下楼的时候，我在电梯镜子里再次看到自己令人不快的模样，突然觉得自己对伯特兰的攻击容忍太长时间了，每次都大度地耸耸肩了事。

可今天，我第一次莫名地觉得受够了。

女孩紧紧跟在父母身旁。他们沿着她平常走的那条街道一直往前，穿米色雨衣的男子不断催促他们加快速度。她心想，这是去哪儿呀？干吗这样急匆匆的？他们被带进一个很大的汽车修理厂，女孩认得前面的那条路，离她家不远，离她父亲工作的地方也不远。

修理厂内，男人们身上的蓝色工装油迹斑斑。因长时间埋头修理发动机，他们的腰弯曲了。他们默默地看着女孩一行，没人说话。紧接着，女孩看见修理厂里已经站了一大群人，他们脚边堆放着各种各样的包袱和篮子。她注意到大多数人是妇女和儿童。其中几位她认识，但没有人敢挥手示意或打招呼。过了一会儿，来了两个警察点名。叫到她家的时候，父亲举手应答了。

女孩朝四周看了看，看到了同校的一个男孩里昂，他看上去又累又怕。女孩冲他笑笑，想告诉他一切都会好起来的，他们很快就能回家了。过不了多久，他们就可以回家了。里昂直直地看着她，似乎觉得她精神有些不正常。她低头看着自己的双脚，脸颊微红。也许她搞错了，她的心怦怦直跳，也许事情不像她想的那样。她觉得自己天真、愚蠢、幼稚。

父亲弯下腰，没刮胡子的下巴蹭得她耳朵直痒痒。他叫着女儿的名字，问她弟弟在哪儿。她掏出钥匙给父亲看，并小声地告诉他弟弟在秘密橱柜里躲着，很安全，心里还颇为自己感到自豪。

父亲的眼睛瞪大了，神情古怪，把她的胳膊抓得紧紧的。她说不要紧，他不会有事的。那个橱柜很深，里面有足够的空气可以呼吸，还有水、手电筒。他不会有事的，爸爸。你不懂，父亲说，你不懂。令她惊讶的是，她看见父亲的眼眶里有了泪水。

她拉了拉父亲的袖子，她受不了父亲在她面前哭。

“爸爸，”她问，“我们快回家了，对吗？他们点完名我们就可以回家了，是吗？”

父亲擦掉泪水，低头看着她。他悲伤、难过的眼神让小女孩不敢正视。

“不，”他说，“我们回不了家了。他们不会让我们回去的。”

恐怖的寒意慢慢爬遍了女孩全身。她又一次想起了无意中听到的父母的深夜交谈，想起了她从门后看到的父母的表情——害怕，痛苦。

“你是什么意思，爸爸？我们这是去哪儿？为什么回不了家了？你告诉我，你告诉我啊。”

后面的话她几乎是尖叫出来的。

父亲低头看着她，嘴里柔声叫着她的名字。他的眼睛还湿湿的，睫毛上挂着泪珠。他的手摩挲着女孩的颈背。

“勇敢些，宝贝儿。勇敢一点儿，拿出你所有的勇气。”

她没哭。她感到万分恐惧。吞噬一切的恐惧，如同巨大的吸尘器，把她其他的情感都吸走了。

“但是我向他保证会回去的，爸爸，我向他保证过的。”

女孩看到父亲的泪水又流出来了，他没有听她说话，只是沉浸在自己的哀伤和恐惧之中。

他们被赶到了修理厂外。街道上空无一人，人行道边上却停满了公交车。很普通的公交车，女孩和母亲、弟弟平时在市里乘的那种，绿白相间，车厢后端有个平台。

他们被命令上车，被推搡着，跌跌撞撞地上了车。女孩四处张望，寻找穿青灰色制服的人，竖起耳朵搜寻那简洁、喉音较重的语言，一种她已开始惧怕的语言，而这些代表的是警察，法国警察。

透过公交车满是灰尘的玻璃窗，她认出了其中一个，她放学回家时经常帮助她过马路的那个红头发的年轻警察。她拍打玻璃窗，想引起他的注意。他看到女孩时，却马上移开了视线。他似乎有些尴尬，有些生气，女孩不知道是什么原因。他们被赶上车时，一位男子表示了抗议,却遭到警察粗暴的推搡。一位警察还大声叫喊着，如果有人企图逃跑，他就开枪。

女孩木然地看着建筑物和树木从旁边晃过。她脑子里只有弟弟，藏在家里空荡荡的橱柜里的弟弟在等着她回去。她脑子里只有弟弟。汽车驶过了一座桥，她看见了波光粼粼的塞纳河。他们这是去哪里呀？父亲不知道。没人知道。每个人都惊恐不安。

一声惊雷突然炸响，大家被吓得心惊肉跳。大雨瓢泼而下，汽车不得不停下来。女孩听到雨点噼噼啪啪地敲打着车顶。雨很快停了，汽车重新上路，车轮轧在亮闪闪的鹅卵石上，吱吱作响。太阳也出来了。

汽车终于停了，大家扛着包、拎着皮箱，抱着哭哭啼啼的孩子下了车。女孩不认识这条街道，她没来过这里。在路的尽头，她看见了高高耸起的地铁站。

他们被带到了一幢巨大的灰色建筑物前，上面有黑色的大字，但她没认出来。她看到整条街上到处都是一家一家和她家一样的人，从公交车上下来，被警察呵斥着。仍旧是法国警察。

她紧抓着父亲的手，被推搡进一个有屋顶的巨大竞技场。场地中央这里一堆，那里一群，已聚集了不少人。看台上硬硬的铁质座位上也坐着人。总共有多少人？她不知道。成百上千吧，还在不断地拥进来。女孩抬头仰望巨大的圆形蓝色天窗，阳光无情地倾泻而入。

父亲给一家三口找了个地方坐。女孩看着涓涓人流注入进来，人群渐渐膨胀，嘈杂声越来越大。数千人的声音，小孩抽抽搭搭的呜咽，女人痛苦的抱怨汇成的嗡嗡的声浪不绝于耳。太阳越升越高，场地内热得让人受不了，同时也闷得让人喘不过气来。空间越来越少，大家彼此紧贴着挤在一起。她注视着眼前的男男女女和孩子，他们全是痛苦的表情、惊恐的眼神。

“爸爸，我们要在这里待多久？”她问。

“宝贝儿，我不知道。”

“我们为什么要来这儿？”

她摸着缝在衬衣胸前的黄色星星。

“因为这个，对吗？”她说，“这里的每个人都有。”

她父亲笑了，微笑中透出悲伤和可怜。

“是的，”他说，“就因为那个。”

女孩皱起眉头。

“这不公平，爸爸。”她轻声叫道，“这不公平。”

父亲把她搂进怀里，温柔地叫着她的名字。

“是的，亲爱的宝贝儿，你说得对，这不公平。”

女孩挨着父亲坐下，把脸颊贴在父亲胸前的星星上。

大约一个月前，母亲给她所有的衣服都缝上了星星，除了弟弟的，家里所有人的衣服上都缝了。在那之前，他们的身份证被印上了“犹太人”或者“犹太女”的字样。从那时起，突然之间很多事情都不允许他们做了——不准去公园里游玩，不准骑自行车，不准去看电影和看戏，不准去饭店，不准去游泳池游泳，不准去图书馆借书，等等。

她看到到处都有“犹太人禁止入内”的牌子。她父亲工作的厂房门上挂着一张大大的牌子，上面写着“犹太人公司”。妈妈下午四点以后才能去买东西，因为实行限量配给制，那段时间商店里几乎不剩什么了。乘坐地铁时他们只能坐最后一节车厢。他们必须在宵禁之前赶回家，天不亮不准出门。他们还能做点什么呢？没有了，什么也没有了，她心想。

不公平，太不公平了！为什么会这样？为什么他们要受到这样的待遇？这一切都是为什么？一时间，似乎没人能向她解释清楚。

乔舒亚已经坐在了会议室里，喝着他喜欢的淡咖啡。我急匆匆赶进来，在图片采制班贝尔和专题编辑亚利桑德拉中间坐了下来。

会议室窗外是马布夫大街，与香榭丽舍大道很近。巴黎的行政区中有我喜欢的，但我不喜欢这个区域。这儿太拥挤，太浮华俗气，可我还是习惯了每天来这里，习惯了在这里的大街小巷中穿行。无论什么季节，这里宽阔、满是尘土的人行道上时时刻刻都挤满了游客。

过去的六年间，我一直在为美国周刊《塞纳风情》撰稿。我们既发行纸质刊物，也有网络版。我写的通常是居住在巴黎的美国人感兴趣的话题，其中包括一些“当地特色”——社会、文化生活的各个方面，诸如演出、电影、饭店、书籍乃至即将进行的法国总统大选等都涵盖其中。

这份工作其实很辛苦，期限紧，乔舒亚又很专横。我喜欢他这个人，但他确实比较专横。他是那种不考虑职员私人生活、婚姻和孩子的老板。如果有人怀孕了，就会被扫地出门。如果某人的孩子病了需要照顾，就会遭受他的白眼。但是他有敏锐的眼光和超凡的编辑能力，善于把握时机，我们都很敬畏他。他一转身我们就开始抱怨，但只是抱怨而已。乔舒亚五十来岁，在纽约出生，十年前来到巴黎，外表平和，实则不然。他脸形偏长，眼皮下垂，但只要一开口讲话，就立刻成了主宰一切的人。旁人一般只有听的份儿，根本没有插话的机会。

班贝尔来自伦敦，三十岁不到，身高一米八二左右，戴一副紫色眼镜，喜欢尝试不同的身体穿刺饰物，头发染成了橘色。他极富英国人的幽默感，我很是喜欢，乔舒亚却不大能欣赏。我对他颇有好感。从同事的角度看，他为人慎重，办事效率高。乔舒亚心情不好冲我们发火时，他会坚定地站在我们这边，是一个非常棒的盟友。

亚利桑德拉的身上有部分意大利血统，皮肤光滑，雄心勃勃。她很漂亮，一头黑亮的鬈发，嘴唇丰满莹润，能迷倒一大片男士。我一直不清楚自己是否喜欢她。她的年龄只有我的一半，尽管周刊刊头上我的名字排在她前面，她的薪水却和我一样高。

乔舒亚从头到尾看了一遍最近的大事表。让-马利·勒庞在第一轮中的胜出颇受争议，总统选举变成了一个热门话题，看来要费不少笔墨。这样的话题我不是很感兴趣，所以听到分给亚利桑德拉做时我暗自窃喜。

"朱莉娅，"乔舒亚从眼镜上方看着我，"你们组负责这个，冬季赛车场圈押事件六十周年纪念。"

我清了清嗓子。他说什么？好像是什么赛场。

我脑子里一片空白。

亚利桑德拉扭头看着我，一副施舍的神情。

"一九四二年七月十六日？想起点什么了吗？"她说道。有时候我讨厌她那副自鸣得意、无所不知的样子，就像此时这样。

乔舒亚继续说：

"十五区冬季赛车场大圈押事件，简称'赛车场圈押事件'。那是一个有名的室内体育馆，以前经常举行自行车比赛。六十年前，数千个犹太人家庭在极端恶劣的条件下在那里被关押了好几天，然后被送到奥斯威辛集中营用毒气毒死。”

有点印象了，模模糊糊的印象。

“是的，”我看着乔舒亚，语气坚定，“好吧，接下来干什么？”

他耸耸肩：

“嗯，就从寻找圈押事件的幸存者或目击者开始吧，之后核实一下纪念活动的具体安排，由谁来组织，什么时候，什么地点，最后是事件真相——到底发生了什么。你知道的，这是个细致活儿。法国人不喜欢谈论维希政府和贝当的事，这不是些值得骄傲的事。”

“有个人对你有帮助，弗兰克·利维。”亚利桑德拉说，这一次施舍的意味没那么重，“他建立了一个很大的组织，帮助大屠杀之后的犹太人找寻家人。”

“听说过这个人。”我说，并把他的名字记在了本子上。我真的听说过。弗兰克·利维是位公众人物，他组织会议、写文章揭露一些骇人事实，如犹太人的财产被窃夺，犹太人被移送等。

乔舒亚又喝了一大口咖啡。

“不要耍花架子，”他说，“也不要多愁善感。用事实说话，拿出证据来，再配上……”他扫了班贝尔一眼，“针对性强的照片，还得看看以前的资料。你会发现这方面的资料不多，不过这个叫利维的人或许帮得上忙。”

“我先去冬季自行车赛场看看吧，从那里着手。”班贝尔说道，“去查查看。”

乔舒亚一脸苦笑：

“赛场没有了，一九五九年就拆掉了。”

“原址在哪儿？”我问道，暗自庆幸并非只有我一人对此知之甚少。

这次又是亚利桑德拉回答的："十五区，奈拉顿大街。"

"我们还是得去。"我看着班贝尔说道，"也许那里还有人记得发生过的事。"

乔舒亚又耸了耸肩。

"你们可以试试，"他说，"但我认为没有多少人愿意和你们谈论这件事。我说过了，法国人是很敏感的，而且这是个高度敏感的话题。别忘了，那些犹太人是法国警察抓捕的，不是纳粹分子。"

听了乔舒亚这番话，我意识到我对一九四二年七月发生在法国的事情几乎一无所知。在波士顿大学的课堂里我没学过这方面的知识。从二十五年前来法国到现在，我也没有读过这方面的信息。它就像一个秘密，过去埋下的秘密，无人提起的秘密。我希望马上坐到电脑前开始网上搜索。

会议一结束，我径直回到自己的小办公室，窗外就是熙熙攘攘的马布夫大街。我们的工作空间很窄，但我习以为常了。我不计较这个。家里没有我写作的地方。伯特兰答应在新家留出一个大房间做我的私人办公室。终于盼来这一天了，真难以置信。这样的奢侈需要一段时间才能适应。

我打开电脑，上网登录谷歌搜索。我输入了"十五区自行车赛场"，跳出来了无数条搜索结果，大多数是法语的，很多都记述得较为详细。

整个下午我都在阅读、存储信息，查找关于德国控制期和圈捕事件的书籍，别的什么也没干。我发现很多书已经不出版了。我揣度着其中的原因——没人想看有关这一事件的书了？没人关心这件事了？我打电话到一些书店，对方说这些书已经很难弄到了。"拜托你们试一试吧。”我说。

关掉电脑时，我感到极度疲倦，眼睛发疼，头脑昏沉，心情也因下午读到的东西而沉重。

赛车场内当时关押过四千多名犹太儿童，年龄从两岁到十二岁不等。很多都是在法国出生的，是法国人。

这些儿童没有一个活着从奥斯威辛集中营离开。

这一天过得很慢，无休无止，不堪忍受。女孩蜷缩在母亲身旁，看着周围的家庭渐渐失去平静。没有水喝，没有东西吃，又闷热得让人窒息。空气中弥漫着干燥的絮状粉尘，刺得女孩的眼睛和喉咙发痛。

赛场大门紧闭着，沿墙站着很多警察。他们脸色阴沉，手放在枪上，无声地散发着凶险。没地方可去，没有事情可做，只能枯坐原地，等着。等什么呢？什么样的事情将降临到他们身上？降临到她的家人和这一大群人身上？

一番辛苦之后，她和父亲在赛场的另一端找到了盥洗室。刚一走近，一股难以想象的恶臭扑鼻而来。厕所太少，不够这么多人用，这里很快就乱套了。女孩只得蹲在墙边解决。她用手捂着嘴，竭力抑制呕吐的冲动。人们一脸羞涩，或沮丧，或羞愧，藏头缩脑如动物般在附近随地大小便。她看到一位仪态高雅的老妇人躲在丈夫外套下面方便。另一个女人战战兢兢，胸口剧烈地起伏着，手紧紧地捂住嘴和鼻子，不住地摇头。

女孩跟着父亲穿过人群，向着母亲的方位走去。他们小心翼翼地在人群中穿行。赛场地上黑压压地挤满了人，地上到处是包袱、袋子、床垫和婴儿床。她心想，这有多少人啊，这儿到底有多少人啊？孩子们在过道上跑，浑身湿湿的，脏兮兮的，大声喊着要喝水。一位孕妇又热又渴，快要昏倒了，撕心裂肺地尖叫着要死了，她快要死了。一个老头突然栽倒在肮脏不堪的地面上，脸色发青，脸上的肌肉痛苦地抽搐着。没有人过去扶他一把。

女孩挨着母亲坐了下来。母亲已经平静下来，但基本不开口说话。女孩拿起她的手在自己的手里揉搓着，母亲没有任何反应。父亲起身向警察给妻子和女儿讨水喝。警察的回答很干脆，现在没有水。父亲说这样实在太可恶，不能像狗一样对待他们。警察转过身，不答理父亲了。

女孩又看见里昂了，那个她在修理厂里见到的男孩。他在人群中穿梭，不住地往大门那边看。她发现男孩的衣服上没有黄星星了，被扯掉了。她站了起来，朝他走去。他的脸很脏，左脸颊上有一块淤青，锁骨上也有一块。她不知道自己是否也一样，疲惫不堪，消瘦憔悴。

“我要从这儿溜出去，”他悄声说，“我父母告诉我的，就现在。”

“但是怎么出去？”她说，“警察不会让你出去的。”

男孩看看她。他和女孩一样大，十岁，但看上去成熟许多，脸上已经没有丁点的孩子气了。

“会有办法的，”他说，“我父母叫我想办法逃出去。他们把我的星星扯掉了，这是唯一的出路，否则就完蛋了。我们全都会完蛋。”

恐惧的寒意再次侵袭她。完蛋？真的吗？这次大家真的完了吗？

他定定地看着女孩，眼神里有一些不屑。

“你不相信我的话对吗？你应该跟我一起走。把星星扯掉，现在就跟我走。我们找个地方藏起来。我会照顾你的。我知道该做什么。”

她想到了壁橱里的弟弟，又摸了摸口袋里光滑的钥匙。她可以和这个伶俐、聪明的男孩一起走，可以救弟弟和她自己。

但是她又觉得自己太小，太脆弱，根本无法一个人完成这么大的事情。她太害怕了。而且，她的父母……她的母亲，她的父亲……他们将遭遇什么样的事情？男孩说的是真的吗？她能信任他吗？

男孩抓住了她的手臂，感觉到了她的勉强。

“跟我走吧。”男孩劝她。

“我不知道该怎么办。”她喃喃地说。

他退开了。

“我打定主意了。现在就走，再见。”

女孩看着他朝大门挤去。警察正在放更多的人进来——拄着拐棍、坐着轮椅的老人，无数呜呜哭泣的孩子和眼泪涟涟的妇女。她看见里昂挤过了人群，正在等待适当的时机。

此时，一个警察拎着他的衣领把他扔了回来。里昂轻盈、敏捷地站了起来，又一点一点朝大门挤去，就像游泳者灵巧地搏击着洋流。女孩被吸引住了，目不转睛地看着他的动作。

一群母亲拥向门口，愤怒地要求警察给孩子们弄些水喝。警察一时不知所措。女孩看见里昂轻而易举地溜出了混乱的人群，闪电般窜了出去，不见了踪影。

女孩回到了父母身边。夜色慢慢降临，跟随夜色一起来临的还有女孩的绝望，以及和她一起被关在这里的成千上万人的绝望，铺天盖地，难以抑制。她从心底生出一阵恐慌。

她想闭上眼睛，捂住鼻子，塞住耳朵，不去看那脏兮兮的场景，不去闻那臭烘烘的气味，不去听大人、小孩的哭泣、呻吟和痛苦的号叫。但是，这很难做到。

她只有眼巴巴地看着，无助地、默默地看着。距离天窗不远的高处看台上零散地坐了几小撮人，那里突然一阵骚动，紧接着一声痛彻心扉的喊叫，一团衣服从看台上快速坠落，砰的一声摔在赛场坚硬的地面上，接着她听到了人们抽气的声音。

“爸爸，怎么啦？”她问道。

父亲想扳过她的头不让她看。

“没什么，亲爱的，没什么。一些衣服从上面掉下来了。”

但女孩已经看到了，她知道发生了什么。是一个年轻妇女，和她母亲差不多年龄，还有一个小孩。那个女人紧紧抱着孩子从最高的栏杆处跳了下来。

从女孩坐着的地方看去，妇女的尸体一片狼藉，小孩的头颅血淋淋的，就像熟透的西红柿被切开了一样。

女孩低下头，失声痛哭。

还是小女孩的时候，我住在马萨诸塞州布鲁克林市的西斯罗普路四十九号，根本不会想到有一天会来法国生活，还嫁给了一个法国人。我原以为会一辈子待在美国。十一岁时我喜欢上了邻居家的男孩埃文·弗罗斯特。他长着雀斑，戴着牙套，很像诺曼·洛克威尔画作中的男孩。他有一条狗叫小黑，小黑喜欢跑到我父亲美丽的花园里嬉戏玩耍。

我父亲肖恩·嘉蒙德是麻省理工学院的一名教师，颇有点“神经质教授”的味道——头发乱糟糟的，戴一副猫头鹰眼似的眼镜。他很受欢迎，学生们都喜欢他。我的妈妈希瑟·卡特·嘉蒙德是迈阿密人，曾获得过网球冠军。她是那种体格健康，皮肤黝黑，身材苗条，似乎永不会变老的女性。她喜欢瑜伽和健康食品。

星期天，我父亲经常和邻居弗罗斯特先生隔着篱笆一声高过一声地叫嚷，因为他家的黑狗糟蹋了父亲的郁金香，我母亲则在厨房里边做麦麸蜂蜜杯形蛋糕边叹气。她讨厌吵架。我妹妹查拉对外面的纷争不闻不问，一个人在电视房里一边嚼红甘草片一边看电视剧《盖里甘的岛》或《极速赛车手》。我和好友凯蒂·莱西则躲在楼上，从窗帘后面偷看埃文·弗罗斯特与惹父亲生气的那条漆黑的拉布拉多犬嬉戏。

在父母的庇护下我度过了幸福的童年，没什么意外事件，也没多少情感宣泄。每天去朗科中学上学，享受平静的感恩节和温馨的圣诞节，在纳罕特岛上慵懒地享受漫长的暑假，任日子一周周、一月月平静流逝。五年级的时候，头发乱蓬蓬的西伯德小姐给我们读埃德加·爱伦·坡的《泄密的心》，这是唯一一次把我吓了个半死的事。拜她所赐，我做了多年的噩梦。

直到青春期，我才第一次对法国心生向往，而且这种向往随着时间的推移渐渐变成了一种痴迷。我为什么向往法国，向往巴黎？法语一直深深地吸引着我，我发现法语比德语、西班牙语和意大利语更柔和，更感性。我还曾非常逼真地模仿过电影《兔巴哥》中那只法国腔浓重的臭鼠的声音。在我内心深处，我知道我对巴黎与日俱增的痴爱跟普通美国人所追求的浪漫、雅致、性感有所不同，我喜爱巴黎的原因超越了这些。

对巴黎真正有所了解之后，我很快被它的强烈反差所吸引——它俗丽、粗糙的城区和华丽、宏伟的奥斯曼式建筑群一样让我着迷。我喜欢它的矛盾、神秘和惊奇。我用了整整二十五年才融入它，不过我做到了。我学会了容忍侍应生的不耐烦和出租车司机的粗鲁；驱车经过星形广场时，习惯了被怒气冲冲的巴士司机和亮闪闪的黑色迷你轿车——这更令人吃惊——里高贵、时髦的金发丽人呵斥；还学会了如何对付傲慢的门房、无礼的销售小姐、冷言冷语的接线员和自负的医生。我明白了巴黎人为何自认为高人一等，准确地说是“高”尼斯至南锡一带的人一等。他们尤其看不起巴黎郊区的居民。我知道其他地方的法国人戏称巴黎人为“狗眼看人低”。很显然，他们不怎么喜欢巴黎人。没有人比巴黎本地人更爱巴黎，巴黎本地人对自己城市的自豪感无人能比。巴黎人高傲、自大、自负却又魅力无穷，其他地方的人难以比肩。为什么我那么喜欢巴黎？我自己也在想。也许因为它从未向我低头。它在我头顶盘旋，似乎近在咫尺，却又若即若离。美国人，我永远是一个美国人。美国人。

到了佐伊现在的这个年龄，我知道自己想当一名记者。刚开始我为中学报纸写文章，之后就一直没有中断过练笔。波士顿大学英语专业毕业之后，我来到巴黎生活，那时刚二十出头，找到的第一份工作是在一家美国时尚杂志社做初级助理。没干多久我就离开了，我想写一些更有意思的东西，而不是讨论裙子的长短或者春季服装的流行色。

后来，我接受了最先降临的一份工作——替一家美国电视网改写新闻稿。薪酬并不是很高，但足够我维持生计。当时我住在十八区，跟一对同性恋法国小伙子赫维和克里斯托弗合租一套房子，他们成了我长期交往的好友。

那个星期我和他们约好一起去贝尔特大街吃饭，那是我遇见伯特兰之前住的地方。伯特兰很少陪我一起去。我时常想这个问题，伯特兰为什么不喜欢赫维和克里斯托弗。“因为你亲爱的丈夫跟大多数法国中产阶级富裕的绅士一样，喜欢大家闺秀，不喜欢同性恋和妓女！”我几乎可以听到我朋友伊莎贝拉懒洋洋的强调和她那狡黠的咯咯笑声。是的，她说得没错，伯特兰绝对只喜欢女人，而且是高层次的女人，查拉会补上一句。

赫维和克里斯托弗还住在我们合租的地方，只不过我的小卧室已经改成了宽敞的储藏室。克里斯托弗爱赶时髦，而且以此为傲。和他们一起吃饭是一件很愉快的事情，总能认识一些有趣的人，比如有名的模特或歌手、受争议的作家、帅气的同性恋邻居、美国或加拿大籍的记者，或者是某个刚出道的年轻编辑。赫维是一家国际公司的律师，克里斯托弗是一位瑜伽教练。

他们是我真正的朋友，亲密的朋友。我还有其他的朋友，如霍莉、苏珊娜和简等，都是些漂泊在外的美国人，我是通过那家杂志社还有一所美国人的大学——我经常去那里张贴广告找保姆——认识他们的。我甚至还有一两个像伊莎贝拉这样的法国密友。伊莎贝拉是我陪佐伊去普雷耶剧场上芭蕾课时认识的，但赫维和克里斯托弗是那种如果我和伯特兰闹了矛盾，会凌晨一点打电话去诉苦的人。如果听说佐伊从滑板上摔下来跌伤了脚踝，他们会来医院看望。他们从来不会忘记我的生日。他们有自己喜欢的电影和唱片，经常给大家准备愉快而精美的烛光晚餐。

我带了一瓶冰镇香槟过去，是赫维开门迎接的我，他说克里斯托弗还在洗澡。赫维四十五六岁，身材细长，蓄着大胡子，待人亲切。他是个烟囱，让他戒烟是不可能的，所以我们都放弃努力了。

“上衣很漂亮。”他评价道，一边放下烟去开香槟。

赫维和克里斯托弗总会注意到我装束上的变化：是否喷了新的香水，换了化妆品，或是做了新发型。和他们在一起时我从不觉得自己是个刻意想扮成巴黎人的美国人，我就是自己。我非常喜欢他们这一点。

“青绿色很适合你，和你的眼睛绝配。在哪儿买的？”赫维问。

“雷恩大街的 H&M。”

“看上去很不错。哦，你的房子弄得怎样了？”他一边说一边递给我一杯香槟和几片微热的带有粉红鱼子酱的吐司面包。

“还有很多东西要弄，”我叹气，“还得几个月吧。”

“可以想象，你那个建筑师丈夫一定非常兴奋吧？”

我一愣。

“你的意思是他会不厌其烦地装修。”

“啊哈，”赫维说，“而你会觉得很烦。”

“说对了。”我说着，啜了一口香槟。

赫维透过小巧的无框眼镜仔细审视着我。他的眼睛是淡灰色的，睫毛非同一般的长。

“嘿，茱茱，”他问，“你还好吧？”

我灿烂地笑着说：

“很好啊。”

但实际上，我感觉很不好。最近，随着对一九四二年七月事件的深入了解，我内心脆弱的一面被唤醒了，内心深处一些无可名状的东西被激活了，这些天来这种感觉一直困扰着我，成了我的负累。从开始调查冬季自行车赛场圈押事件那一刻起，这个负累一直压在我心头。

“这不像你。”他说，关切之情溢于言表。他走过来坐在我旁边，把他修长、白净的手放在我的膝盖上。“我知道你这种表情，朱莉娅，这是你难过时的表情。来，告诉我，发生什么事情了？”

不理睬身边场景的唯一方法就是把头埋进曲起的两个膝盖之间，再用手把耳朵捂住。她把脸贴在腿上，来回晃动着身子。想想一些美好的事情吧，想想自己喜欢的事情，想想那些让自己感到幸福的事情，想想那些特殊时刻、神奇时刻。想想母亲带她去剪头发的情景吧。每个人都对她一头浓密的蜜色头发赞不绝口。以后你会为自己的头发感到骄傲的，我的小乖乖。

想想父亲在货栈的皮革上舞动的双手吧，强壮而利索，令她赞叹不已。还有她十岁的生日礼物，那块新表。装表的蓝色盒子非常漂亮，表带是父亲亲手为她做的，散发出一股浓郁的醉人气味，还有手表规律的滴答声，让她兴奋不已。那时候她太自豪了。母亲不让她把表带去学校，怕把表摔坏或弄丢了。只有她的好友阿梅勒见过那块表，她羡慕万分。

阿梅勒现在在哪里？她家离得不远，两人上同一所学校。学校一放假阿梅勒就离开了这座城市，和父母去了南方某个地方。曾经给她来过一封信，然后就再无音信了。阿梅勒个子娇小，红头发，非常聪明。她会背乘法表，甚至连最复杂的语法也学得很好。

阿梅勒从不害怕，女孩对此很是钦佩。上课中途突然拉响的警报，尖厉如激怒的群狼在号叫，把班上的每个人都吓得跳了起来，但她镇定自若，毫不慌张，拉着女孩的手跑进学校阴暗发霉的地下室里，丝毫不受其他孩子惊慌失措的窃窃私语和迪克索小姐颤抖的指令的影响。他们挤在一起，肩并肩躲在潮湿的地下室里，一张张小脸在摇曳的烛光中苍白如纸。几个小时里，飞机在头顶轰鸣，迪克索小姐给大家读让·德·拉封丹或者莫里哀的作品，努力不让自己的手发抖。看着迪克索小姐的手，阿梅勒就会咯咯地笑着说："看，她害怕了，快读不下去了。"这时候女孩总会看着阿梅勒好奇地小声问："你不害怕吗？一点儿也不害怕？"她骄傲地摇摇亮亮的红色鬈发。"不，我不害怕，我不会害怕。"有时候，爆炸的震荡渗入地下，迪克索小姐的声音变得抖抖颤颤，不再往下读了。阿梅勒会紧紧抓住女孩的手臂。

她想念阿梅勒，希望阿梅勒现在就在旁边，抓住她的手告诉她不用害怕。她想念阿梅勒脸上的雀斑，想念她那双调皮的绿眼睛和她豪放的大笑。想想自己喜爱的事情吧，想想那些快乐的事情。

去年夏天——或者是两年前的夏天，她记不清了——父亲带着一家人去乡下一条小河边住了几天。她不太记得那条河叫什么名字了，但是河水柔柔滑滑地淌过她的肌肤，真是妙不可言。父亲试着教她学游泳，几天后，她可以用难看的狗刨式游泳了，惹得大家哈哈大笑。弟弟在河边嬉戏，也开心坏了。那时他还小，刚刚学会走路。他在河边泥泞里跑着、跌倒，女孩跟在他后面跑了一天。父亲和母亲看上去非常安详、年轻，母亲把头靠在父亲的肩膀上，爱意浓浓。她还记得河边的那家小旅馆。他们在凉爽的树荫底下享受简单、鲜嫩的菜肴。女店主人叫她到柜台后面帮忙，递咖啡给客人。她觉得自己长大了，很是自豪。后来她把咖啡杯掉到了别人的脚上，自豪感烟消云散，可女店主毫无责备之意。

女孩抬起头，看见母亲在和年轻女人伊娃交谈。伊娃住在她家附近，有四个调皮捣蛋的儿子，女孩不大喜欢他们。伊娃的脸色和母亲一样，又憔悴又苍老。她觉得奇怪，她们怎么会一夜之间老了这么多。伊娃也是波兰人，和母亲一样，她的法语说得也不是很好，她在波兰也有家人——她的父母、姑婶和叔伯。女孩还记得不久前一天的悲痛情形，伊娃收到了一封波兰来的信，然后泪流满面地来到她家，在母亲怀里放声大哭。母亲千方百计安慰着伊娃，但女孩看得出来，母亲也同样悲伤。没有人愿意告诉她到底发生了什么，但在仔细倾听了哭泣中断断续续的低声细语之后，女孩大概明白了是怎么回事。波兰发生了很可怕的事情，许多家庭都被杀害了，房屋被烧毁，只留下一片废墟。她曾经问过父亲，她的外祖父母是否还安全地活着。她母亲的父母，他们的黑白照片放在她家客厅的大理石壁炉架上。父亲说他不知道。坏消息不断从波兰传来，但他没有告诉女孩那些坏消息的具体内容。

女孩看着母亲和伊娃，心里想，父母什么事都不让她知道对吗，不应该让她知道那些令人揪心的坏消息吗？战争爆发以来，他们的生活发生了很大的变化，父母不向她做任何解释，这样做对吗？就比如伊娃的丈夫去年消失后再也没回来这样的事。他去哪儿了？没人愿意告诉她。没人愿意解释。她讨厌被看成小孩子，讨厌别人在她进屋时压低说话的声音。

要是他们告诉她，告诉她他们知道的事情，她现在是否就不会这么难过？

“我没事，只是有点儿累，仅此而已。嘿，今晚都有谁来？”赫维还没有来得及回答，克里斯托弗就进来了。他一身巴黎时尚装扮，衣服颜色以黄褐色和乳白色为主，还喷洒了昂贵的男士香水。克里斯托弗比赫维小一些，皮肤终年黝黑，人很瘦，总是把他椒盐色的头发扎成一个粗大的马尾，颇有点卡尔·拉格菲尔德[1]的味道。

此时，门铃响了。

“啊哈，”克里斯托弗说，一边向我抛了个飞吻，“一定是吉尧姆。”

他冲向前门。

“吉尧姆？”我用口形问赫维。

“我们的新朋友，搞广告的，离异，人很机灵，你会喜欢他的。他是我们今天唯一的客人，其他人都出城了，周末嘛。”

进来的男子个子很高，皮肤较黑，三十七八岁，手里拿着一包香味蜡烛和一束玫瑰。

“这位是朱莉娅·嘉蒙德，”克里斯托弗介绍道，“我们非常要好的记者朋友，我们很久前就认识了，当时我们都还是些愣头青。”

“那不就是昨天的事儿嘛。”吉尧姆低声接话，真正的法国绅

①卡尔·拉格菲尔德（Karl Lagerfeld，1933— ），是举世公认的最具领导潮流能力的设计师之一。

士派头。

我发觉赫维不时向我投来探询的目光，但我尽量保持着轻松的微笑。这种感觉很怪，因为我一般什么话都对赫维讲。要是在以前，我早就告诉了他过去一星期里我的奇怪感受，还有我和伯特兰之间的事。我一直都很迁就伯特兰的挑衅——有时那简直是粗俗的幽默。以前我从未感到过受伤或烦扰，我甚至还很欣赏他的诙谐、他的挖苦，觉得他那样更加可爱。

他的笑话能逗得大家哈哈大笑。人们甚至有点儿怕他。难以抗拒的笑声，闪烁的蓝灰色眼睛和迷人的微笑后面隐藏的是一个强硬、颐指气使的男人，一个习惯了呼风唤雨的男人。我迁就他是因为他每次意识到伤害了我时都会极力弥补，大把大把地送我礼物和鲜花，还有激情澎湃的性爱。我和伯特兰唯一能真正沟通的地方或许是床上，那是我们俩唯一一个完全平等的地方。我还记得查拉听了我丈夫对我的一番殷勤肉麻的表白之后问我："这个家伙对你好吗？"看到我脸红，她叹口气，拍着我的手说："天哪，明白了。枕边悄悄话。行动胜于语言啊。"为什么我今晚没向赫维吐露心声？是什么东西阻止了我，封住了我的嘴？

大家刚在八边形的大理石桌前坐下，吉尧姆就问我为哪家报纸工作。告诉他之后，他的表情依旧茫然。我并不惊讶，法国人都没听说过《塞纳风情》，它的读者是生活在法国的美国人，所以我并不难过，而且我对名气这种东西从不看重。尽管乔舒亚有些专断，但我对这份工作相当满意，因为薪酬颇丰，而且工作时间相对自由。

"最近你在写哪方面的东西？"吉尧姆一边把绿色的通心粉绕在叉子上一边礼貌地问我。

“赛车场圈押事件。”我说，“六十周年纪念日快到了。”

“你说的是二战中的那次圈押事件吗？”克里斯托弗问道，嘴里塞满了食物。

我刚要回答，却发现吉尧姆送往嘴里的叉子停在了半空。

“对，冬季自行车赛场的那次大圈押。”我说道。

“不是发生在巴黎城外的某个地方吗？”克里斯托弗边问边大口咀嚼着食物。

吉尧姆默默地放下了叉子。不经意间我们的目光碰在了一起。他的眼睛是黑色的，嘴形精致优美。

“我相信一定是纳粹分子干的。”赫维一边往酒杯里倒夏敦埃酒一边说。他们俩似乎都没有注意到吉尧姆的脸渐渐绷紧了。“德控期内他们把所有犹太人都抓了起来。”

“实际上，不是德国人……”我刚开口。

“是法国警察干的。”吉尧姆插了进来，“这件事就发生在巴黎市内一个以前举行著名自行车比赛的体育场内。”

“是吗？”赫维说，“我还以为是纳粹在巴黎城外干的呢。”

“上个星期我一直在搜索这方面的信息，”我说，“是德国人下的命令，但是法国警察执行的。你们上学时没学过吗？”

“我不记得了，好像没学过。”克里斯托弗坦言。

吉尧姆的视线又落到了我身上，像要从我脑子里挖取什么。他在探究我的心思，我感到颇不舒服。

“令人吃惊啊，”吉尧姆嘲讽地笑着说，“还有不少法国人至今仍不知道这件事。美国人呢？朱莉娅，你以前知道吗？”

我迎着他的目光。

“不，以前我不知道。七十年代在波士顿上学时没学到过，但我现在知道的东西可多得多了，而且，我所了解到的信息对我触动很大。”

赫维和克里斯托弗保持沉默，似乎不知道我们在说什么，也不知道该说些什么。最后还是吉尧姆开口了。

“一九九五年七月，雅克·希拉克谈到了德控期法国政府的角色问题，他是第一位关注此问题的法国总统。他提到了这次圈押事件。他的讲话成了各大报纸的头条，还记得起来吗？”

在最近的调查中我读过希拉克的讲话。他显然处于曲高和寡的境地。六年前我肯定在新闻中听到过这个讲话，但在办公室会议上没有想起来。而那两个大男孩——我忍不住这样称呼他们，我一直这样称呼他们——很明显没有看过，也记不起希拉克的讲话。他们看着吉尧姆，觉得有些尴尬。赫维不停地抽烟，克里斯托弗则咬起他的指甲来，感觉紧张或不自在的时候他就会咬指甲。

大家哑口无言。这个房间里居然会如此安静，真是怪事。这里曾举行过许多次快乐、热闹的聚会。人们笑声不断，笑话一个接着一个，音乐声震耳欲聋，游戏层出不穷，生日感言花样翻新，跳舞狂欢到凌晨，楼下的邻居则愤怒地用扫帚捅天花板。

这种沉默凝重得让人不堪忍受。吉尧姆再次开口讲话时，他的声音变了，脸色也变了。他脸色苍白，无法正眼看我们。他的眼睛直直地盯着盘子里没有动过的通心粉。

“圈押事件发生时，我祖母才十五岁。别人告诉她，她没被抓是因为他们只抓两到十二岁的儿童和他们的父母。她留下了。他们抓走了其他所有人，包括她的弟弟妹妹，她的父母亲、叔叔、婶婶以及她的祖父母。那是她与他们的永诀，没有人活着回来，一个也没有。”

可怕的夜色中，女孩的眼睛熠熠发光。凌晨时分，那位孕妇分娩了，生下了一个没有气息的早产儿。女孩听到了产妇痛苦的尖叫，看着她泪如泉涌。她看见了死婴的头，血糊糊地出现在女人的两腿之间。她知道应该转过头去的，却又忍不住想看，既害怕又好奇。她看见了那个死婴，蜡白蜡白的，像一个缩水的玩具娃娃。死婴很快被裹进了一条脏脏的床单里。那位产妇一直在号啕大哭，没有人能让她安静下来。

黎明时分，父亲从女孩的口袋里掏出了秘密壁橱的钥匙。他拿着钥匙向警察走去，挥舞着钥匙向警察解释具体的情形。女孩看得出，父亲极力保持着冷静，但他已到了崩溃的边缘。他告诉警察他必须回去把四岁的儿子接来。他会回来的，他发誓，接到儿子后直接回这里来。警察冲他大笑，不无挖苦地说："可怜的家伙，你以为我会相信你吗？"父亲让他跟着一起去，看着他去接。他就是去接儿子，马上就回来。警察命令他走开。父亲走了回来，肩膀耷拉着。他在哭。

女孩从父亲颤抖的手中拿过钥匙，放回了自己的口袋。她在估算弟弟能坚持多久。他一定在等她。弟弟信任她，绝对信任。

一想到弟弟在黑暗中等待她就心如刀割。他一定饿了，渴了。他的水可能已经喝光了，手电筒里的电池也可能没电了。但她觉得那儿的情况应该比这里好。任何地方都比这里好。这里简直就是地狱，臭气熏天，闷热无比，灰尘弥漫，大家都痛苦地尖叫着，死亡在慢慢靠近。

她看看母亲，她独自蜷缩在那儿，几个小时一言不发，就那么蜷缩在那儿。她再看看父亲，他脸色憔悴，眼神空洞。她又看了看周围的人，看了看伊娃和她筋疲力尽、可怜兮兮的儿子们，看了看那些她不认识的人。他们跟她一样，胸前戴着黄色星星。还有成千的孩童，他们到处乱跑，饿得发慌，渴得冒烟。年纪小一点的孩子还不知道是怎么回事，还以为是一种奇怪的游戏，只是这种游戏持续的时间太长了，他们想回家了，想他们的床了，想他们的泰迪熊了。

她把尖尖的下巴靠在膝盖上，她想休息一下。太阳越升越高，室内又开始热了。她不知道该怎么应付新的一天。她很虚弱，很疲惫，喉咙里焦干焦干的，胃也痛，胃里太空了。

过了一会儿，她迷迷糊糊地睡着了。她梦见回到了家中，回到了她的小屋，窗外就是街道；她家的客厅里，阳光透过窗户照射进来，在壁炉上和波兰籍外祖父母的照片上投下各种图案。小提琴老师在绿树成荫的小院对面弹奏。“在阿维尼翁桥上，人们在跳舞，人们在跳舞，在阿维尼翁桥上跳着圆圈舞。”母亲一边做饭，一边跟着琴声唱。“绅士们时而左转，时而右转。”弟弟在过道的尽头玩他的红色小火车，火车在黑色地板上发出咔嗒、咔嗒的声音。“淑女们时而左转，时而右转。”她能闻到她家的味道，有烛蜡的气味和各种调味料的香味，还有厨房里正在烹制的各种香喷喷的食物的香气。她还听到了父亲的声音，他在读东西给母亲听。他们一家很安全，很幸福。

她感到一只凉凉的手放在自己的前额上，睁开眼睛一看，是位年轻女性，她戴的蓝色口罩上有个十字。

她对女孩笑笑，递给她一杯水。女孩接过水一饮而尽。护士还给了她一块薄纸般的饼干和几块罐头鱼。

“你要勇敢些。”年轻的护士小声说。

但是，女孩看见她跟父亲一样，眼里含着泪水。

“我想出去。”女孩低声说。她想回到梦里，回到她刚才感受到的舒适和安全中去。

护士点点头笑了，笑得有些凄伤。

“我知道。但我帮不了你，很抱歉。”

她站了起来，朝另一家走去。女孩拽住了她的衣袖。

“请问，我们什么时候能离开这儿？”

护士摇摇头，轻柔地抚摩着女孩的脸颊。过了一会儿，她向另一家走去。

女孩觉得自己要疯了。她想大声尖叫，想踢人，想叫喊。她想离开这个可怕的、丑陋的地方。她想回家，想回到黄色星星出现之前的日子，回到警察来敲她家大门之前的日子。

为什么她的生活会变成这样？她做错了什么，还是她父母做错了什么，要受到这样的惩罚？犹太人就这么可恶吗？犹太人为什么要受到这样的对待？

她还记得第一天戴着星星去学校的情景。她一进到班里，每个人都盯着她看。她胸口的黄色星星有父亲手掌那么大。她看到班里的其他几个同学也戴着这样的星星，阿梅勒也有，这让她觉得好受了一些。

课间休息时，所有戴星星的女孩聚在一起。其他学生都对她们指指点点，那些学生以前都是她们的朋友。迪克索小姐强调过，星星不应该带来变化，所有同学，无论有星星的还是没有星星的，都应得到相同的对待。

但是，迪克索小姐的话没起任何作用。从那天起，大多数女孩都不和戴星星的女孩说话了，更糟糕的是，还用轻蔑的眼神看她们。这种轻蔑让她无法忍受。还有，那个叫丹尼尔的男孩在学校前面的大街上对她和阿梅勒小声说，扭曲的嘴角透着残忍："你们的父母是肮脏的犹太人，你们是肮脏的犹太人。"为什么肮脏？做犹太人很肮脏吗？这让她觉得羞耻和悲伤，差点哭了出来。阿梅勒什么也没有说，她紧咬双唇，咬得血都流出来了。那是她第一次看见阿梅勒害怕。

女孩想扯掉星星，她告诉父母不想戴着星星去上学了。但母亲说不行，说她应该感到骄傲，应该为自己的星星感到骄傲。弟弟还为此吵闹，他也想要星星。母亲耐心地解释，他还不到六岁，还得再等上几年，弟弟为此哭闹了一个下午。

她想起了黑暗中的弟弟，在深深的壁橱里的弟弟。她想把他滚烫的小身子抱在怀里，吻他金黄的鬈发，胖胖的脖子。她的手紧紧攥着口袋里的钥匙。

"我不管别人说什么，"她小声告诉自己，"我会想办法回去救他的。我要想办法出去。"

晚餐过后，赫维拿出冰镇意大利柠檬利口酒给大家喝。这种酒颜色黄黄的，很漂亮。吉尧姆慢慢啜饮。用餐时他的话不多，似乎有些压抑。我不敢再提赛场圈押事件的话题。但是，这次他先开口跟我说话，另外两个在一旁听着。

“我祖母现在年纪大了，”他说，“再也不提这些事了，但她告诉了我应该知道的一切。她告诉了我那天发生的事情。我觉得她最大的不幸就是失去了所有家人，只得孤苦伶仃地生活在这个世上。”

我想不出该说点什么，那两个大男孩也沉默不语。

“战争结束后，我的祖母每天都去斯帕伊大道的鲁特西亚酒店，”吉尧姆继续讲，“那是人们查找集中营生还者的地方。有一些组织在那里为人们服务，向人们提供生还者名单。她每天都去，等着亲人的消息。过了一段时间她不再去了，开始打听关于集中营的消息。渐渐地她明白了，他们都死了，全都回不来了。之前没有人知道这是否属实，后来有生还者陆续返回，从他们口中大家得知，她的亲人都死了。”

又一阵沉默。

“你们知道圈押事件最让我震惊的是什么吗？”吉尧姆问道，“它的代号。”

因为这些日子里我查阅了大量的材料，这一点我知道。

“春风行动。”我低声说。

“多么动听的名字，对吧，其背后却是那么可怕的事情。”他说，“盖世太保要求法国警察‘移送’一定数量的犹太人给他们，年龄在十六至五十岁之间。法国警察急于凑够数量的上限，就决定篡改指示，把所有的小孩子也抓了起来。他们都是在法国出生的，拥有法国国籍。”

“盖世太保没有下令抓儿童吗？”我问。

“没有。”他回答道，“起初没有。移送儿童就会泄露事实真相，大家就会明白，犹太人不是送去劳动，而是抓去处死。”

“那为什么有儿童被抓？”我问道。

吉尧姆喝了一口柠檬酒。

“警察可能认为那些犹太人的孩子即使出生在法国，也还是犹太人。结果，法国警察差不多抓了八万犹太人送往死亡集中营，只有几千人生还，儿童基本没有生还的。”

回家的路上，吉尧姆悲伤的黑眼睛在我脑海中挥之不去。他提出要给我看他祖母及其家人的照片，我把电话号码留给了他，他说会尽快打电话给我。

我进家门时伯特兰正在看电视。他平躺在沙发上，一只胳膊枕在头下。

“怎么样，”他问道，眼睛基本没离开电视屏幕，“那两个大男孩还好吗？品味还跟原来一样？”

我脱掉便鞋，在他旁边的沙发上坐下，从旁边看着他俊朗优美的轮廓。“晚餐很完美，还认识了一个有意思的人，吉尧姆。”

“啊哈，同性恋？”伯特兰饶有兴趣地看着我问。

“不，我觉得不是。我还没发现这方面的迹象。”

“那这个叫吉尧姆的家伙有什么意思？”

“他跟我们讲了他祖母的经历。老太太在一九四二年的冬季赛车场圈押事件中逃过了一劫。”

“哦。”他一边说一边用遥控器换着频道。

“伯特兰，你上学那会儿学过有关圈押事件的内容吗？”我问道。

“不记得了，亲爱的。”

“杂志社让我调查这个事件，六十周年纪念日快到了。”

伯特兰拿起我赤裸的脚，用他有力、温暖的手指给我按摩。

“你觉得你们的读者会对这次事件感兴趣吗？”他问道，“都是过去的事情了，不是大家想看的吧。”

“你的意思是法国人觉得很丢脸，”我问道，“所以我们应该像他们那样，把它掩藏起来不去理睬？”

他把我的脚从他膝盖上拿开，眼里精光又现。我暗暗为自己打气。

“天哪，天哪，”他邪恶地笑笑，“这又是一次好机会。你们可以向你们的同胞揭露我们法国佬的丑恶，为虎作伥，协助纳粹分子把那么多可怜的无辜家庭抓去送死。可爱的纳罕特小姐为大家揭开了事实真相！你打算做什么，小心肝，登高疾呼？没有人会在意的，大家很快就会遗忘的，写点其他的东西吧。写点有趣的、人们喜闻乐见的东西。你知道该怎么做，告诉乔舒亚报道这件事是一个错误的决定。没人会看，他们会打着哈欠翻看下一个专栏的。”

我腾地站了起来，怒不可遏。

“我认为你错了，”我热血沸腾，“我觉得人们对这件事了解得太少，连克里斯托弗都知之甚少，他还是个法国人。”

伯特兰嗤之以鼻。

“唉，克里斯托弗能识几个字，他就知道诸如古奇和普拉达之类的名牌。”

我无语，转身离开了房间，进浴室洗澡。我为什么没对他说“去你的吧”？为什么我一而再再而三地迁就他？因为迷恋他吗？从遇见他起，即使他专横、粗鲁、自私，但还是迷恋他？他聪明，英俊潇洒，还相当幽默，是一个绝佳的情人，不是吗？那些激情四射的夜晚，狂热的亲吻和爱抚，皱巴巴的床单，他漂亮的身体、温热的嘴唇和顽皮的微笑在脑海中掠过。伯特兰啊，那么让人着迷，让人无法抗拒，而且做事又那么卖力。这就是你迁就他的原因，不是吗？但是，要忍耐多久呢？我想起了前不久和伊莎贝拉的一番谈话。朱莉娅，你这么容忍伯特兰，是害怕失去他吗？当时我们坐在普雷耶剧场旁边的一家咖啡馆里，我们的女儿在上芭蕾课，伊莎贝拉又点着了一支烟，直直地看着我的眼睛问。不，我说，我爱他。我真的爱他。我喜欢他那个样子。她打了声唿哨，颇为感动，但不怎么相信我的话。哦，他真幸运，但是，看在上帝的分上，他要是太过火了就告诉他，得说出来让他知道。

躺在浴缸里，我想起了第一次见伯特兰时的情景。那是在高雪维尔的一家风格别致的迪斯科舞厅里。他和一群朋友已喝得东倒西歪，吵吵嚷嚷的满嘴酒话。我和当时的男朋友亨利在一起，他是两个月前在我工作的那家电视网络公司里认识的。我们之间的关系随意自在，互不受约束，不是爱得死去活来的那种。我们只是两个一起生活在法国的美国人。

伯特兰请我跳舞，他似乎根本不在意我和另一位男士坐在一起。我有些恼火，就拒绝了他，但他很坚持。“就跳一支舞，小姐，就一支，但肯定会是很棒的一支，我向你保证。”我看了看亨利，他耸耸肩说“去呗”，还冲我眨眨眼。于是我站了起来，和这个大胆的法国人跳舞。

当时我二十七岁，人长得相当漂亮。没错，我十七岁时当选过纳罕特小姐，水晶冠我至今还保留着，佐伊小的时候喜欢拿它玩耍。虽然我并不因为自己长得漂亮就沾沾自喜，但我发现，在巴黎生活的我比在大西洋彼岸更受人关注。我还发现，在调情方面法国人更大胆，更直白。我也知道这样的事实——尽管我没有巴黎人的那种精致——我个子太高，头发太黄，牙齿太凸，但我的新英格兰格调正好迎合了当时的时尚。来巴黎的前几个月里，法国男人——女士也如此——明目张胆地盯着人看让我感到非常惊讶。他们目不转睛地从头到脚审视人，打量你的身材、服装和饰物。我还记得来巴黎后的第一个春天，我和来自俄勒冈的苏珊娜以及来自弗吉尼亚的简一起走在圣麦克大街上的情形。我们没有化妆，穿着牛仔裤、T 恤衫和拖鞋就上街了。我们三个都是高个子，身体健硕，一头金发，典型的美国人长相。不断有人上前跟我们搭讪。“小姐们，你们好，你们是美国人吧，小姐？”有年轻男士、成熟男士，有学生，有生意人，数不胜数；有向我们要电话号码的，有请我们吃饭的，有请我们去酒吧的；有的言辞殷殷，有的半开玩笑；有的挺迷人，也有的不怎么样。这在国内是不可能发生的，美国男人不会在大街上追着女孩不放或表白他们的热情。我、简和苏珊娜当时咯咯地笑个不停，既感到受宠若惊，又有点手足无措。

伯特兰说他在高雪维尔的那家夜总会里和我跳第一支舞时就爱上了我，就在那个时间，那个地点。我不相信。我觉得他是后来爱上我的，也许是在第二天早晨他带我去滑雪时。真绝了，法国女孩不会像那样滑雪的，他喘着粗气说，看我的眼神中张狂地透露出的倾慕之情。怎样，我问。她们的速度连你的一半都不到，他大笑着说，然后热烈地吻了我。但是，我对他是一见倾心，后来被伯特兰揽着离开迪斯科舞厅的时候，我甚至都没有看可怜的亨利一眼。

很快，伯特兰提出要和我结婚，我却从未想过那么神速，当时我觉得做他的女朋友挺快乐的，但他的态度很坚决，而且他又那么迷人，那么多情。我最终答应了嫁给他。我相信他认为我会是一个贤妻良母的。我聪明，有涵养，受过良好教育，以优异成绩从波士顿大学毕业，举止端庄——“相对于美国人而言”，我几乎听见了他的心声。我健康强壮，没什么坏习惯。我不抽烟，基本不喝酒，信奉上帝。因此，一回到巴黎我就和泰泽克一家见了面。第一次去我自始至终很紧张。他们在学府道的住宅精致、古典，爱德华的蓝色眼睛冷冷的，笑容干巴巴的。科莱特的妆化得非常细致，服装搭配得完美无缺。她努力表现出友善，指甲修剪得非常精美的双手不停地递给我咖啡，给我加糖。他的两个妹妹也在。身材瘦削，金发，面色苍白的叫罗芮。另一位名叫赛茜尔，栗色头发，脸颊红润，性感妖娆。罗芮的未婚夫蒂埃里也在，他几乎没有和我讲话。姐妹俩饶有兴致地打量着我，似乎很是迷惑不解。她们的哥哥风流倜傥，有一大片巴黎女孩拜倒在他的脚下，最后却偏偏要和一个质朴的美国人结婚。

我知道伯特兰和他的家人希望我能尽快生三四个孩子，但婚后不久我就患了并发症，而且持续了很长时间，这是我们始料未及的。后来，我又接连遭遇了几次流产，差点精神错乱。

辛辛苦苦挨了六年之后，我终于生下了佐伊。伯特兰一直希望能有第二个孩子，我也如此，但是，我们没再谈过此事。

之后，艾米丽出现了。

但是，我今晚不想再为艾米丽费神了，我已为她费了太多精神了。

浴缸里的水变凉了，我哆嗦着出了浴缸。伯特兰还在看电视。通常情况下我会回到他身边，他会伸手抱住我，柔情地低声哼哼着亲吻我，而我会小女孩般地撅着嘴撒娇，嗲声嗲气地说他太粗鲁了，然后我们热烈亲吻，之后他抱我到卧室做爱。

但今晚我没去他身边，我溜上床，看了一些关于冬季赛车场事件中有关儿童的材料。

熄灯前我看到的最后一样东西，是吉尧姆讲述他祖母的故事时的神情。

他们来这里多长时间了？女孩不记得了。她变得迟钝、麻木了，分不清白天和黑夜了。有一阵子她病了，连胆汁都吐出来了，疼得直哼哼。她感到父亲把手放在她额头上，不停地安慰她。她满脑子都是弟弟，挡也挡不住。她从口袋里掏出钥匙，发疯似的亲吻着，就好像在亲吻弟弟那胖嘟嘟的小脸蛋和卷曲的头发。

过去的几天里已经死了好几个人，女孩一一看在眼里。她还看到男男女女被令人窒息的恶臭与闷热逼疯，被警察打倒并绑到担架上，还有人心脏病发作，有人自杀，有人发高烧。女孩目睹了尸体被清理出去的情形。她从未见过如此恐怖的景象。母亲变成了一个温驯的小动物，也不说话，只默默地淌眼泪和不停地祷告。

一天清晨，扬声器传出生硬的命令，让他们带好自己的物品到大门口集合。全场一片寂静。她摇摇晃晃地站了起来，头昏沉沉的，四肢酸软无力，几乎承载不了自己的体重。她帮着父亲把母亲搀扶起来，拿起他们的包裹，跟着人群慢慢向门口走去。女孩发现，每一个人都步履蹒跚，神情痛苦，小孩都跟老人似的，佝偻着背，耷拉着头。女孩心想，这是要去哪里啊？她想问父亲，但看到父亲消瘦的脸紧绷着，他此刻是不会回答的。他们终于可以回家了吗？结束了吗？她能回家把弟弟放出来了吗？

他们沿着狭窄的街道走着，警察不时地喝令大家动作快点。女孩看见陌生人从窗户里、阳台上、门口、人行道上盯着他们看。大多数人神色漠然，表情冷淡。他们袖手旁观，一言不发。他们并不在意，女孩心想，他们根本不在意我们这样的遭遇，不在意我们将被送往何方。有个男人还哈哈笑着朝他们指指点点。他怀里抱着一个小孩，小孩也在笑。为什么？女孩想，为什么呢？我们的样子很可笑吗，因为身上穿着臭烘烘皱巴巴的衣服？这是他们笑的理由吗？什么东西这么好笑？他们怎么笑得出来？他们怎么会这么冷酷？她想朝他们吐唾沫，想冲他们大叫。

一位中年妇女横穿街道，飞快地往她手里塞了点东西。是一块软软的面包。那位妇女被警察吼开了，女孩只看到她匆匆地回到了街道的另一边。她对女孩说："可怜的小姑娘，愿上帝慈悲吧。"女孩呆呆地想，上帝在做什么呢？上帝不要他们了吗？上帝在惩罚他们吗，因为某件她不知道的事情？她父母不信教，但女孩知道他们信上帝。在她的成长过程中父母没有为她举行传统的宗教仪式，阿梅勒的父母则不同，他们为她举行了所有仪式。这就是他们被惩罚的原因吗？女孩心想，因为他们不虔诚。

她把面包递给父亲，父亲让女儿吃。她一阵狼吞虎咽，速度飞快，差点被噎着。

上次的那些城市公交车把他们带到了一个火车站，火车站的旁边有一条河，她不知道这是什么站，以前她没来过这儿。十年里她基本没离开过巴黎。看见火车，她心里一阵恐慌。不行，她不能离开，她得留下，为了弟弟她得留下，她说好要回去救他的。她拉了拉父亲的衣袖，小声说了弟弟的名字。父亲低头看着她：

"我们什么也做不了，"他无助地下了定论，"什么也做不了。"

她想起了逃走的那个聪明男孩，溜出去的那个，心中不由得升起一团怒火，父亲怎么这么软弱，这么没胆量？难道他不在意儿子的死活吗？不在意他小儿子的命运吗？他为什么没有勇气逃跑？他为什么只会站在那里，像绵羊一样被赶上火车？怎么就站在那里而不逃跑？为什么不跑回家，跑回弟弟身边，奔向自由？他为什么就不能从她那里拿了钥匙跑掉？

父亲看着她，她知道父亲看出了她的心思。他镇定地告诉女儿他们三个处在极度危险之中，他不知道他们会被带到哪儿去，不知道会发生什么，但他知道如果现在企图逃跑，肯定会送命，会在她和她母亲的面前被当场击毙。如果那样，一家人真的就全完了，她和母亲就无依无靠了，他得跟她们在一起，他要保护她们。

女孩静静地听着，父亲还从来没有这样和她说过话，他此时的语气就是女孩以前无意间听到的那些焦虑的深夜密谈时的语气。她试着理解父亲，尽量不让内心的痛苦表现在脸上，但是弟弟……这都是她的错，是她让弟弟待在橱柜里的，都是她的错，不然的话他现在就和他们在一起了。要不是她的话，弟弟本可以在这儿的，抓着她的手，和他们在一起。

她哭了，滚烫的泪水漫出眼眶，滑落脸颊。

"当时我不知道啊，"她抽咽着说，"爸爸，当时我不知道。我以为我们很快就回去，我以为他藏在里面很安全。"她抬起头看着父亲，声音中充满了愤怒和痛苦，她用拳头捶打着父亲的胸膛，"你从来不告诉我，爸爸，从来不把情况说明给我听，从来不告诉我具体的危险，从来没有！为什么？你以为我还小，不懂是吧？你想保护我？你就是想保护我对吧？"

父亲的脸呢？她看不见父亲的脸了。他低下头，绝望、哀伤地看着女儿。女孩的眼里满是泪水，父亲的脸变得模糊了。她捂着脸，自顾自地放声大哭。父亲没有安慰她。在这孤独的几分钟里，她的情绪糟糕透顶，但她也明白了一个事实——她不再是一个幸福快乐的十岁小女孩了。她长大了许多。一切都变了，难以恢复到以前那样了，对她而言，对她家而言，对她弟弟而言，都是如此。

她再次爆发，疯狂地拉扯着父亲的胳膊，她还第一次这个样子。

“他会死的！他会死的！”

“我们都有危险，”他终于回答道，“你和我，你母亲，你弟弟，还有伊娃和她的儿子们，这里的所有人，这里的每一个人。我就在这里陪着你们。我们和你弟弟在一起，我们在心里为他祈祷。”

她还没来得及回答，他们就被推上了火车。车厢里没有座位，只是一个空车皮，是一辆带顶棚的运牲口的火车，里面一股恶臭。女孩站在门边，可以看到外面灰蒙蒙、脏兮兮的车站。

附近站台上有一家人——父亲、母亲和两个孩子——在等另外的火车。那位母亲很漂亮，发髻也盘得很别致。他们或许是去度假。一个孩子是女孩，和她一般大，穿着漂亮的淡紫色花裙子。她的头发很干净，皮鞋擦得锃亮。

两个女孩隔着站台彼此相望，那位发型精美的漂亮母亲看了过来。火车里的女孩知道自己泪迹斑斑的脸黑乎乎的，自己的头发也油腻腻的，但她没有羞愧地把头低下，而是站得直直的，下巴抬得高高的。她擦掉了脸上的泪水。

厚重的门关上，火车晃了一下后哐当哐当开动了。女孩透过金属门上的一条缝隙往外看，她一直在看那个小女孩，直到那淡紫色的身影完全消失。

或许是因为丑陋的现代建筑高耸林立，破坏了埃菲尔铁塔旁边的塞纳河河畔风景的缘故吧，我一直不喜欢巴黎的第十五区。虽然这些建筑物建造于我来巴黎之前的七十年代早期，但我一直没能习惯它们的存在。等我和班贝尔来到奈拉顿大街，冬季赛车场的原址所在地，我发觉自己更加讨厌巴黎的这个区域了。

“令人厌恶的街道。”班贝尔低声咕哝。他用相机拍了几张照片。

奈拉顿大街阴暗、寂静，很明显平时晒不到多少阳光。街道的一边是建于十九世纪末的中产阶级风格的石头建筑，另一边就是以前的冬季赛车场的所在地，现在是一幢典型的六十年代早期风格的褐色建筑，颜色和比例都让人不舒服。旋转玻璃门上方的标牌上写着“内政部”。

“也真够奇怪的，把政府办公楼建在这里，不觉得吗？”班贝尔发表着评论。

班贝尔只找到了寥寥几张冬季赛车场的照片。我拿起其中一张。照片上，建筑物灰白色正面的上方刻着大大的黑色文字“冬季赛车场”，巨大的门，一排公交车停在人行道边上，还有黑压压的一片人头，也许是圈押事件的当天早晨从街对面的一扇窗子里拍摄的。

我们四处查看，试图找到一块叙述这次事件的铭碑，但没有找到。

“我不相信这儿什么也没有。”我说。

终于，我们拐过街角，在格勒纳勒街道边找到了一块，很小的一块，相当简陋，我都不知道是否有人看到过。铭牌上写着：

> 一九四二年七月十六、十七日，一万三千一百五十二名犹太人在巴黎和郊区被逮捕并被送往奥斯威辛集中营，遭到杀害。此处以前是冬季赛车场，是维希政府的警察奉纳粹分子之令，在极度恶劣的状况下，羁押一千一百二十九名男子、两千九百一十六名妇女、四千一百一十五名儿童的地方。让我们铭记那些曾经努力营救他们的人。希望路人铭记这一事件。

“有意思，”班贝尔若有所思，“为什么妇女儿童占多数，男人却不多？”

“当时，大搜捕的传闻一直不断，”我向他解释，“而且此前已经有过几次抓捕行动了，尤其是在一九四一年八月，但逮捕的都是男人，而且规模没有这次大，安排上也没这么周密，所以这次行动最为臭名昭著。七月十六日晚，大多数男人都藏了起来，他们以为自己的女人和孩子很安全，但他们想错了。”

“这次行动计划了多长时间？”

“几个月吧。”我回答道，“从一九四二年四月起，法国政府就将主要精力放在了这件事情上，一直在准备要抓捕的犹太人的详细名单。大约六千名巴黎警察受命执行这次行动，起初决定在七月十四日执行，但那天是国庆日，所以就把时间推后了一些。”

我们朝地铁站走去。脚下的街道非常凄凉，凄凉中带着幽幽的哀伤。

“然后呢？”班贝尔问道，“那些家庭被带到哪里去了？”

“在冬季赛车场关押了数日，到最后才允许一些医生和护士进去探望。从医生和护士的描述中我们得知，里面混乱不堪，人们绝望透顶。然后，他们被送往奥斯德立兹车站，之后被转到巴黎附近的集中营里，最后被直接送往波兰。”

班贝尔的眉毛挑了起来。

“集中营？你是说法国的集中营？”

“这些集中营被看做是去奥斯威辛之前的中转站，德朗西是离巴黎最近的一个，还有皮蒂维耶和伯恩–拉–罗兰德两处。”

“我想知道这些地方现在是什么样子，”班贝尔说，“我们应该去看看。”

“我们会去的。”我说。

在奈拉顿大街的拐角处，我们停下来喝了杯咖啡。我瞄了一眼手表，我答应过今天去看望玛玫的，我知道来不及了，明天再去吧。我从来没把这事看做苦差事。她让我享受到了不曾享受的祖母的关爱。我的祖母和外祖母在我很小的时候就去世了。我只希望伯特兰能对她再好一些，老太太最疼他了。

班贝尔把我从思绪中拽回到了赛车场事件。

“幸好我不是法国人。”他说。

紧接着他想到了我的情况。

“哦，抱歉，你现在是法国人了，对吧？”

“是的，”我说，“婚姻的缘故。我现在是双重国籍。”

“我没别的意思。”他干咳了两声，看上去有点尴尬。

“别担心。”我笑着说，“知道吗，都过了这么多年，我的婆家人仍叫我美国人。”

班贝尔咧嘴笑了。

“你感觉不舒服？”

我耸耸肩。

“有时候会。我在这儿过了大半辈子了，我真的觉得自己属于这里。”

“你们结婚多久了？”

“马上就十六年了，而我在这儿生活了二十五年。”

“你们的婚礼是那种豪华的法国婚礼吗？”

我哈哈一笑。

“不是，我们的婚礼挺简单的。在勃艮第举行的，那里有我婆家的一幢房子，就在塞纳河边上。”

那天的情景在脑海中快速闪过。肖恩及希瑟·嘉蒙德与爱德华及科莱特·泰泽克之间没有太多的交流，法国这边的人似乎都忘记英语怎么说了，但我不介意，我当时太幸福了。明媚的阳光，安静的乡村教堂，我婆婆为我挑选的那身简单的乳白色婚纱，伯特兰穿着灰色的晨礼服，帅气十足。婚宴是在泰泽克家里举办的，很不错，有香槟、蜡烛和玫瑰花瓣。查拉用她蹩脚的法语致辞，内容风趣，但只有我一人笑了。罗芮和赛茜尔也笑了，只是不大自然。我母亲穿着浅绛红的套装，她在我耳边轻声说：“衷心祝愿你幸福，我的天使。”我父亲和僵硬的科莱特在跳华尔兹。这一切似乎都是很久以前的事了。

“你想念美国吗？”班贝尔问。

“不。我想念我妹妹，但不想念美国。”

一位年轻的侍应生给我们端来了咖啡。他看了一眼班贝尔火焰般的红头发，哧哧地笑了。接着，他看见了那一大堆的照相机和镜头。

“你们是游客吧？”他问，“想拍巴黎美景？”

“我们不是游客，但确实想拍几张好照片，关于冬季赛车场故址的。”班贝尔说的是法语，但语速较缓慢，还有点英国口音。

侍应生似乎吃了一惊。

“没什么人问起冬季赛车场。”他说，“问埃菲尔铁塔的人很多，但没人问起冬季赛车场。”

“我们是记者，”我说，“为一家美国杂志社工作。”

“在塞纳河边的纪念活动上的某次演说之后，有时候有犹太家庭来这里。”年轻人回忆道。

我突然闪出一个念头。

“你知不知道这儿的街坊中有谁了解那次圈押事件？我们想找他谈谈。”我问道。我们已经和几个生还者谈过了，他们中多数人都把他们的经历写成了书，但是我们缺乏目击证人，目睹了事件整个过程的巴黎人。

话一出口我就觉得自己很蠢，毕竟这个年轻人才二十岁左右，一九四二年他的父母可能还没出生。

“有，我认识一位。”他回答道，我感到很意外，“如果你们沿着这条街往回走，你们会在街道的左边看到一家买报纸的店铺，店长夏维尔先生会告诉你们一些东西。他母亲知道这件事，她一直住在这里。”

我们给了他一笔不错的小费。

离开一个小小的火车站后他们步行穿过了一个小镇。那是一段很长的距离，路上尘土飞扬，路两旁有许多人在观看，指指点点。她走得脚都疼了。他们现在去哪儿？还会发生什么事？这儿离巴黎远吗？火车的速度很快，载着他们飞奔了两三个小时。一直以来，她对弟弟的挂念从未中断。他们每前进一段距离，她的心就会下沉一分。她要怎样才能回家呢？她要怎样才做得到呢？一想到弟弟会以为她把他给忘了，她就觉得非常难过。被锁在黑漆漆的橱柜里，他会那样想的。他会认为姐姐把他抛弃了，不关心他了，不爱他了。他没有水，没有亮光，他会害怕的。她辜负了弟弟的信任。

他们现在在哪里？火车进站时她没来得及看清站名，但她注意到了城市孩子会注意的东西：绿树环绕的村庄，平坦的绿色草地，金色的田野，空气中新鲜醉人的夏日气息，大黄蜂的嗡嗡声，小鸟在天空中飞翔，蓝天上白云朵朵。过去的几天一直在恶臭、闷热中度过，眼前的一切让她感觉美好至极。往后的情形或许不会太糟。

她跟着父母进入了一道铁丝网大门，门口两边站着表情严厉的警卫，他们手里都拿着枪。接着，她看见了一排排长条状的黑色营帐，阴森森的，她的心一下子沉了下去。她畏畏缩缩地跟在母亲旁边。警察大声喝令，妇女和儿童进右边的营帐，男人进左边的营帐。她无助地紧紧抓住母亲的手，看着父亲和一群男人被推搡着走了。身边没了父亲，她很害怕，但她什么也做不了。她被枪吓坏了。母亲没有动弹，她的眼睛暗淡无光，死过去一般。她脸色苍白，病恹恹的。

她们被赶向营帐，女孩仍旧紧紧地抓着母亲的手。营帐里除了几块铺板和一些稻草外空无一物，而且污秽不堪，臭气熏天。茅厕在外面，其实只是一块凿了几个洞的厚木板而已。她们按照命令分组坐在一起，小便和大便都在众目睽睽之下进行，跟动物没什么区别。她义愤填膺，觉得不能那样去上厕所，她做不到。看到母亲叉开腿蹲在上面时，她羞愧地低下了头。可是，她最终还是服从了命令，上厕所时藏头缩尾，希望没人看她。

越过带刺的铁丝网，女孩看到了村庄，看到了教堂的黑色塔尖，一座水塔，房顶和烟囱，还有一排排树木。就是那边，她想，在附近的房舍里，人们有床、床单、毯子、食物和水，有干净的衣服，没有人会冲他们喊叫，没有人辱骂他们，没有人像牲口一样对待他们。他们就在那边，就在铁丝网的另一边。她还听到，从干净的小村庄里传来了悦耳的教堂钟声。

那儿有孩子们在享受假期，她想。孩子们在野餐，在捉迷藏。虽然在打仗，吃的东西比以前少了，也许他们的爸爸去参战了，但他们是幸福的。他们很幸福，有人疼爱，被看做宝贝。她想不出为什么她和他们之间有这么大的差别。她想不出为什么她和这里所有的人会遭遇这样的不幸。是谁决定的，有何缘由？

他们的饭食是温温的白菜汤，清汤寡水，沙子却不少，别的什么也没有。后来，她看到一排排女人脱得赤条条的，争抢着在生锈的铁盆上就着一股细细的水流洗身上的污垢。她觉得那些身体很丑陋，奇形怪状的。她讨厌那些身体，有软塌塌的，有瘦骨嶙峋的，有干瘪的，也有年轻的。她讨厌被迫看这些人的裸体。她不想看，却无法避开。

她依偎在母亲温暖的怀里，竭力不去想弟弟。她觉得皮肤发痒，头皮也痒。她想洗澡，想她的床，想弟弟，想吃晚餐。她觉得没有什么比过去这几天里的遭遇更坏的了。她想念她的朋友，想念学校里其他戴星星的女孩，多米尼克、索菲和艾格尼丝她们。她们怎么样了？有没有找地方藏起来，躲过了这场浩劫？阿梅勒和她的家人躲藏在一起吗？她还能见到阿梅勒吗？还能见到其他朋友吗？九月份她能回学校上学吗？

夜里，她睡不着，她要在父亲的安抚下才能入睡。她感到胃里一阵阵刺痛，痛得直收缩。她知道晚上是不允许出营帐的。她咬紧牙关，两手紧紧捂着肚子，但疼痛更加剧烈了。她慢慢地站起来，蹑手蹑脚地穿过一排排熟睡的女人和小孩，来到了门外面的厕所。

耀眼的探照灯扫射着营房。女孩畏缩着蹲在木板上。她朝洞里瞄了一眼，密密麻麻的白蛆在黑乎乎的粪便上蠕动。她怕瞭望塔上的警察看见她的屁股，便放下裙子把下身遮住。很快，她回到了营帐。

营帐里闷热，污浊。一些睡梦中的小孩发出了哼哼唧唧的声音，她还听到了女人的啜泣声。她转向母亲，细细看她那凹陷、苍白的脸。

那个幸福快乐、爱意绵绵的女人不见了，那个把她紧紧抱在怀里，低声用意第绪语[1]呼唤她昵称的母亲消失了，那个有着一头

①意第绪语，属于日耳曼语族。全球大约有三百万人在使用，大部分的使用者是犹太人。这个称呼本身可以来代表“犹太人”，或者“德国犹太人”。

光亮鉴人的蜜色头发，身姿妖娆，所有街坊、所有店铺老板都亲切地跟她打招呼的女人不见了。那是一个浑身散发着温暖、舒服、慈母般气息的女人，她做得一手好菜，会煲鲜美的汤，穿着干净的亚麻布衣服。她的笑声往往能感染他人。她说我们处在战争时期，但我们能挺过去，因为我们一家很坚强，很优秀，我们彼此关爱。

那个女人正在渐渐消失。她变得憔悴、苍白，没了笑容，没了笑声。她身上有股难闻的气味，有股怨恨的气息。她的头发变得干枯易断，还出现了缕缕白发。

女孩觉得她母亲已经死了。

老妇人黏糊、浑浊的眼睛看着我和班贝尔。她一定快一百岁了，我心想，笑的时候嘴里都看不到牙了，像婴儿一样。和她相比，玛玫只能算是年轻女孩。她儿子在奈拉顿大街上开了一间报刊店，她就住在儿子的店铺里。狭窄的公寓里堆着满是灰尘的家具、被虫蛀过的破布和枯萎的植物。老妇人坐在窗边凹陷的扶手椅里，看着我们进屋并向她作自我介绍。有不速之客到访，她显得蛮开心的。

“这么说你们是美国记者喽。”她颤悠悠地说道，上下打量着我们。

“一个美国人，一个英国人。”班贝尔纠正道。

“对冬季赛车场事件感兴趣的记者？”她问。

我拿出笔和一沓纸，平摊在膝盖上。

“您还记得圈押事件的一些情况吗，夫人？”我问，“您能给我们讲讲吗？哪怕是一点点也行。”

她咯咯笑了。

“年轻女士，你以为我记不得了？或者以为我已经忘记了？”

“嗯，”我说，“毕竟时间已过去那么久了。”

“你多大了？”她直率地问。

“四十五岁。”我说。

“我快九十五岁了！”她不无炫耀地笑着说，被蛀烂的牙床露了出来，“一九四二年七月十六日，我三十五岁，比你现在小十岁。

我还记得，什么都没忘。”

她停了一下，黯淡的眼睛看向外面，看向大街。

“我记得那天我很早就被吵醒了，被轰隆隆的汽车声音吵醒的，是公共汽车，就在我窗户底下。我往外看了，看到很多公交车开到这儿来，而且越来越多，我们市里的公交车，我每天都乘的那种，绿白相间的颜色，很多很多。我还感到奇怪，这么多公交车开到这儿来干什么？之后，我看见人们从车里出来，都是些小孩，那么多的小孩。你们知道的，要想忘掉那些孩子是很困难的。”

我刷刷地快速记录着，班贝尔慢慢地摁动快门。

“过了一会儿，我穿好衣服，和我年幼的孩子们下了楼。我们想知道发生了什么事，我们都很好奇。邻居们也出来了，还有门房。后来我们看见了黄色的星星，我们明白是怎么回事了。是犹太人。他们在抓犹太人。”

“他们将怎样对待那些犹太人，您知道吗？”我问。

她耸了耸她的老肩。

“不知道，”她说，“我们什么也不知道。我们怎么会知道？直到战后我们才知道。当时我们还以为要送他们去什么地方劳动，以为不会发生什么不幸的事情。我记得还有人说：‘是法国警察，他们不会受到伤害的。’所以我们也没担心。第二天，巴黎市中心也出现了类似的情形，但报纸上没有任何报道，收音机里也没有报道。之前没人听到什么风声，我们也一样。直到后来看到那些孩子，我才感觉事有蹊跷。”

她停住了。

“那些孩子怎么了？”我接过话头。

“几天后，犹太人又被公共汽车带走了。”她接着说，“我当时站在人行道上，看到他们一家一家从赛车场里出来。所有的孩子都脏兮兮的，哭哭啼啼的。他们看上去吓坏了，身上邋遢无比。我很震惊。我意识到他们在赛车场里没得到什么吃的和喝的。我感到无助，也很愤怒。我想扔些面包和水果给他们，但被警察制止了。”

她又停住了，这次停的时间比较长，好像突然感到很累，感到身心疲惫。班贝尔静静地放下了相机，我们一动不动，静静地等着。我不知道她还会不会再开口。

“这么多年过去了，”她终于又开口了，声音低了很多，几乎是窃窃私语，“这么多年了，知道吗，我仍会看见那些孩子。我看见他们爬上汽车，汽车呼啸而去。我不知道他们去了哪里，但这种感觉难以驱散，让我非常难受。我周围的人对此事无动于衷，他们觉得这很正常。犹太人被抓走了，他们觉得很正常。”

“为什么您会有这种感觉？”我问道。

她又呵呵一笑。

“多年来，有人一直跟我们法国人讲，犹太人是我们国家的敌人，所以才会那样！一九四一年还是四二年间，贝利兹宫搞了一次展览，要是我没记错的话，是在意大利大道上，名字叫‘犹太人和法国’。按照德国人的要求，展览持续了数月。相对于巴黎的那点人口而言，那真称得上是一次巨大的成功。展览的内容是什么呢？就是一次令人震惊的反犹太主义展览。”

她用粗糙的手抚平自己的裙子。

“知道吗，我还记得那些警察，我们自己的警察，优秀的巴黎警察，我们自己优秀、正直的宪兵。他们把孩子们赶上汽车，嘴里大声呵斥着，挥舞着警棍。”

她的头垂到了胸前，嘴里嘟囔了一句，我没有听清，好像是“丢人啊，我们都没有上前阻止”。

“那是因为你们不知道真相。”我温和地说，我被她突然湿润的眼睛打动了，“你能做什么呢？”

“现在，没人记得那次事件中的那些孩子们，知道吗，没人感兴趣。”

“今年或许他们会的。”我说，“或许今年会令这一情况发生改变。”

她撅了撅干瘪的嘴。

“不会的。到时候你就知道了。什么都不会改变，没人会往心里去。他们为什么要记住这些呢？那段时间是我们国家最黑暗的时期。”

她想知道父亲在什么地方。当然是在这个营地里，在其中一个营房里，可她只看见过他一两次。日子一天天流逝，她已经没有什么时间概念了，但她心里一直牵挂着弟弟。想到橱柜里的弟弟，晚上她会颤抖着醒来。她掏出钥匙怔怔地看着，心如刀绞，惊恐万状。也许他已经饿死了，或者渴死了。从他们被抓的那个黑色星期四到现在，已经过去多少天了？她努力计算着。一个星期？十天？她不知道。她糊涂了，脑子里一片茫然。恐惧、饥饿和死亡走马灯似的在她脑子里旋转。营地里又死了一些小孩，他们小小的尸体在母亲的泪水和哭喊声中被弄走了。

一天早晨，她注意到一群妇女在激烈地说着什么。她们看上去又焦急又愤怒。她问妈妈发生了什么事，妈妈说不知道。女孩不肯罢休，又问了旁边的一位妇女。那位妇女有个跟女孩的弟弟差不多大小的儿子，这几天他们一直睡在母女俩旁边。那位妇女的脸涨得通红，好像在发烧一样。她说营房里已传得沸沸扬扬，说所有父母将被送到东部去劳动。他们先去作准备，一段时间后孩子们再过去。女孩惊呆了。她把这个消息告诉了母亲，母亲的眼睛噌地一下瞪得很大。她猛烈地摇着头说不，这不可能，他们不能那么做，不能把孩子和父母分开。

如果是以前，有父母庇护，生活安逸、温馨，女孩或许会相信母亲的话，以前她相信母亲说的每句话，但在这种残酷的现实面前，女孩发现自己长大了，她觉得自己比母亲还成熟。她知道其他妇女说的是事实，她知道这个谣传是真的。她不知道如何向母亲解释，母亲反倒变得像个孩子。

那些男人走进营帐时，女孩没有害怕。她觉得自己变得坚强了。她觉得自己的身体四周竖起了一道坚实的墙。她把母亲的手紧紧地握在自己的手里，想让母亲勇敢和坚强起来。警察命令她们走出营帐，站成排，一小队一小队地进入另一个营帐中。女孩和母亲在队列中耐心地等待着。她不停地向周围张望，希望能见父亲一面，但根本没看见父亲的踪影。

该她们进帐了。她看到两个警察坐在桌子后面，旁边站着两个女人。她们穿着普通衣服，是附近村庄里的人。两个女人冷冷地看着面前的队伍，表情呆板。女孩听到她们命令排在她前面的老妇人把钱和首饰交出来。老妇人抖抖颤颤地摘下婚戒，脱下手表。她旁边一个六七岁模样的女孩吓得簌簌发抖。一个警察指了指小女孩耳朵上戴的细小的金耳环。小女孩吓坏了，怎么也摘不下来。祖母弯下腰去解开耳环上的搭扣。警察恼怒地叹了一声，太慢了，照这个速度他们整个晚上都得耗在这儿。

其中一个村妇走向小女孩，一把拽下了她的耳环，把女孩的耳垂都扯破了。女孩尖叫起来，抬手捂住了流血的耳朵。老妇人也尖叫起来。警察甩了她一耳光。祖孙俩被拖了出去。队列中响起了惊慌的声音，警察挥了挥手中的枪，大家很快安静了下来。

除了母亲的结婚戒指，女孩和母亲没有什么可上交的。脸色红润的村妇把母亲从锁骨到肚脐的衣服撕开了，母亲白皙的肌肤和洗得退色的内衣露了出来。村妇仔细搜查外套和内衣上的皱褶，以及母亲身体上的开口处。母亲躲闪着，但什么也没有说。看到这种情形，女孩心里的恐惧又冒了出来。她憎恨警察看母亲身体的眼神，憎恨村妇触摸母亲身体的样子，就像是在处理一块肉。他们也要这样搜查自己吗？女孩心想。也要撕开自己的衣服吗？也许她们会把钥匙拿走。她用尽全身力气把口袋里的钥匙攥在手心。不行，不能让他们拿走钥匙。她绝不会让她们得逞。她不会让她们拿走秘密橱柜的钥匙。绝不！

但是，警察对她口袋里的东西不感兴趣。跟着母亲离开之前，女孩朝桌上看了一眼，上面的东西越堆越多，有项链、手镯、戒指、胸针和钱。他们打算怎样处理这些东西？女孩心想。卖掉？自己用？他们为什么需要这些东西？

出了营帐，警察又命令她们排队站好。天气很热，空气中灰尘飞舞，女孩口干舌燥，喉咙里仿佛长了刺。她们站了很长时间。警察默不做声，怒目而视。这是干什么呀？父亲在哪儿呢？她们为什么站在这里？女孩身后的人一直在悄悄互相询问。没人知道答案，没人能回答。但是，女孩知道是怎么回事了，她隐隐感觉到了。后来事情真正发生时，她已经有了心理准备。

警察们如同一群黑色大鸟扑向她们。他们把妇女拖到营房的一边，把小孩拖到另一边，即使是最小的小孩也被从母亲身边拖开了。女孩看着眼前的情形，感觉自己来到了另外的世界。凄厉的叫声，揪心的哭喊声冲击着她的耳膜。她看着很多妇女扑倒在地，伸手抓住儿女的衣衫或头发死死不放。她看到警察拔出警棍，猛击妇女的头部和面部。她看见一位妇女瘫倒在地，脸上血肉模糊。

她母亲站在她身边纹丝不动，她听见母亲的呼吸短促，急剧。她紧紧抓住母亲冰冷的手。警察粗暴地将她们的手掰开，母亲厉声尖叫，发疯一般往回扑，撕破的衣服敞开着，头发乱蓬蓬的，嘴扭曲变形，嘴里嘶叫着女儿的名字。她拼命地伸手去抓母亲的手，但警察把她往旁边一推，她跪在了地上。母亲像疯了的野兽一般与警察厮打，还一度占了上风，那一刻女孩看到了她真正的母亲，她怀念、钦佩的那个坚强、热情的女性。她再次回到了母亲的怀抱，母亲浓密的头发摩挲着她的脸庞。突然间冰凉的水注从天而降，她什么也看不见了，无法呼吸。等她睁开眼时，母亲已被抓着衣领拖走了，她身上的衣服湿淋淋的。

这个过程好像持续了几个钟头。孩子们眼泪汪汪，六神无主，水一桶桶地泼向他们。妇女们拼死挣扎，身心俱碎。警棍抽打在人们身上，乓乓直响。女孩知道，整件事进行得很快。

沉寂。结束了。最后，一大堆孩子站在一边，妇女们站在另一边，中间隔着一排强壮的警察。警察不停地重复，母亲们和十二岁以上的孩子将先出发，年幼一点的下个星期出发，前去与她们会合。警察告诉她们，父亲们已经离开了。每个人都要配合，要听从命令。

她看见了母亲，她和其他妇女站在一起。母亲回头看了女儿一眼，脸上挤出了一丝勇敢的笑容，好像在告诉她："听到了，宝贝儿？警察说了，我们会没事的。过几天你就会来和我们会合。乖女儿，不要担心。"

女孩扭头看了看身边的孩子，不计其数的孩子。那些刚学会走路的孩子又悲伤又害怕，一脸哭相。她看见了那个耳垂还在流血的女孩，她向祖母伸出了双手。这些孩子，还有她自己，将会迎来什么？女孩心想。他们的父母要被送到哪里去？

妇女们被带出了营地大门，走了。她看见母亲走在队伍前面，右拐上了那条穿过村庄，通向火车站的长长的公路。母亲扭头看了她最后一眼。

然后，她走了。

我走进了洒满阳光的白色房间，维罗妮卡微笑着对我说："今天是个'好'日子，泰泽克太太。"她是疗养院护理玛玫的人员之一。这家疗养院位于第十七区，靠近蒙梭公园，里面干净整洁，让人感觉很舒服。

"不要叫她泰泽克太太，"伯特兰的祖母叫道，"她讨厌这个称呼，叫她嘉蒙德女士好了。"

我禁不住笑了，维罗妮卡看上去有些窘迫。

"再说了，我才是泰泽克太太。"这位老太太的话语中透着几分傲慢，同时又充满了对另一位泰泽克太太——她的儿媳科莱特，也就是伯特兰的母亲——的不屑。这就是玛玫的鲜明个性，我心想，即便这么大年纪了，依然那么要强。她名字的第一部分为玛塞尔，但她讨厌这个叫法，所以人们不那样称呼她。

"很抱歉。"维罗妮卡谦恭地说道。

我轻轻握住她的胳膊：

"别往心里去，"我安慰道，"我不冠我丈夫的姓氏。"

"这是美国的习俗，"玛玫说，"嘉蒙德女士是美国人。"

"是的，我注意到了。"维罗妮卡答道，她的情绪好些了。

注意到什么了？我很想问问。我的口音吗？还是我的衣服？或是鞋子？

"这么说今天过得很开心啰，玛玫？"我坐到她身边，把手捂在她的手上。

和奈拉顿大街的那位老太太相比，玛玫的脸色好看多了。她的皮肤都没怎么起皱，灰色的眼眸还很明亮。但是，奈拉顿大街的那位老太太外表虽然衰老，头脑却很清醒。而玛玫呢，年仅八十五岁，却患上了老年痴呆症，有时候连自己是谁都想不起来。

伯特兰的父母决定把她送进疗养院，因为他们发现玛玫已经无法独立生活了。有时候她打开煤气灶后会一整天忘了关火，浴缸里的水都漫出来了也想不起关水龙头，还时不时把自己锁在公寓门外，找到她时发现她穿着晨衣在圣通日大街上漫无目的地游荡。当然她也反抗过，她根本不想来疗养院，可最后还是在疗养院住下了，只不过偶尔会发发脾气。

“今天是个‘好’日子。”维罗妮卡离开后她笑着告诉我。

“哦，知道了，”我说，“像平常一样，把大家都吓着了？”

“跟平常一样。”她答道。接着她转过身来，灰色的眼眸温柔地扫视着我的脸颊。“你那一无是处的丈夫去哪儿了？你知道的，他从不来看我。不要再告诉我他‘太忙’了。”

我叹了口气。

“算了，至少你来了。”她粗声粗气地说，“你看上去有点累啊，没什么不顺心的吧？”

“没有。”我说。

我知道自己看上去很疲惫，可又有什么办法呢？去度个假吧，但得等到夏天才行。

“那房子怎么样了？”

来疗养院之前我刚去看过施工的进展情况，那里正干得热火朝天。伯特兰以他一贯的热情监督着所有的工作，而安东尼却快累瘫了。

我说："完工之后它会非常漂亮。"

"我很想念它，"玛玫说，"我怀念住在那儿的时光。"

"那是肯定的。"我说。

她耸了耸肩膀。

"你知道的，人对自己生活的地方会产生依恋的，嗯，就跟依恋人一样。不知道安德烈是否也想念它。"

安德烈是她已故的丈夫，我不了解他，伯特兰还是个孩子的时候他就去世了。玛玫提起他时就好像他还活着一样，我已经习惯了。我从来不去纠正她，也不愿提醒她安德烈已在多年前死于肺癌。玛玫喜欢讲他的事情。我们刚认识时，我每次去圣通日街看望她的时候她都要拿相册给我看。很久之后，她的记忆力开始慢慢退化。我感觉安德烈·泰泽克的长相已深深印入了我的脑海。他的眼睛是蓝灰色的，和爱德华一样，鼻子更圆，微笑或许更温暖。

玛玫曾把他们是如何相识、相爱以及在战争期间如何共渡难关的点点滴滴都告诉了我。泰泽克的原籍在勃艮第，可安德烈从父亲手中接过葡萄酒的生意后，经常入不敷出，所以他把家搬到了巴黎，在孚日广场附近的蒂雷纳街开了家店铺，做起了古董生意。一段时间之后，他建立起了良好的声誉，生意开始红火起来。他去世后，爱德华接管了古董店，并把店铺搬到了第十七区的巴克街，巴黎最负盛名的古董店都集中在那里。如今，店铺由伯特兰的妹妹赛茜尔经营着，生意不错。

玛玫的主治医生，那个神情忧伤但医术高明的罗奇，曾关照过我，和玛玫聊她的过去对她而言是一种不错的治疗。他认为，在玛玫的记忆中，三十年前的事情有可能比当天早上的更清楚。

这有点像是一个小“游戏”，每次我来看玛玫，都会问她一些过去的事情。我不会一本正经地去问，就当跟她聊家常。她清楚我的用意，却也装作不知道。

有时候也很有意思，可以从她口中探听到伯特兰小时候的事情。玛玫会想起他那些非常有趣的往事。他年少时有点木讷，并非我以前听说的那样，是个酷酷的花花公子。学习方面只能勉强跟上，没有他父母夸耀的那般优秀。十四岁那年，他还因邻居家的女儿——一个私生活混乱并且吸食大麻的金发碧眼女郎——和他父亲大吵了一架。

但是，玛玫的记忆常常出错，如要细究可不是一件趣事。她的记忆中经常有大段大段的空白，她好多都不记得了。在“坏”日子里，她会像河蚌一样紧闭着嘴，下巴外突，瞪着眼睛死盯着电视看。

一天早上，她连佐伊都不认识了，一个劲地问：“这孩子是谁啊？她来这儿干什么？”佐伊呢，显得跟平常一样成熟，很坦然地面对那种情形。但是，那天晚上我听到她在被窝里哭。我轻声问她怎么了，她说看到曾祖母日益衰老，心里非常难过。

“玛玫，”我问道，“你和安德烈是什么时候搬进圣通日街的那套公寓的？”

我以为她会紧皱双眉，那模样颇像一只聪明的老猴子。“我一点也记不起来了……”

但她的回答清脆如一记响鞭。

“一九四二年七月。”

我的腰一下子直了起来，瞪大眼睛看着她。

“一九四二年七月？”

“没错。”她回答道。

“你们是怎么找到那套房子的？当时是战争时期，要找那样一套房子应该比较困难吧？”

“一点也不难，”她轻松地说道，“那套房子突然间就空出来了。我们是从一个门房那里听说的。她叫罗耶太太，跟我们的门房很要好。我们过去住在蒂雷纳街，就在安德烈店铺的楼上，只有一居室，非常狭窄，非常拥挤。于是我们就搬过去了，当时爱德华十岁或是十二岁。能住进一个大点的地方我们都很兴奋，而且我记得房租也很便宜，那个地方当时远不像现在这样炙手可热。”

我仔细审视了她一番，然后清了清喉咙问道：

“玛玫，还记得那是七月初还是七月末吗？”

她一脸笑意，对自己的良好表现感到很满意。

“我记得很清楚，是七月末。”

“你知不知道那房子为什么会突然间空了出来？”

又是一脸愉快的微笑。

“当然知道，当时发生过一次大搜捕。知道吗，许多人都被抓起来了，所以一下子空出了大量的房屋。”

我瞠目结舌。她抬眼看我，看到我的表情后，眼里慢慢漾起一层阴云。

“怎么会呢？为什么是你们搬过去呢？”

她把衣袖理了又理，嘴角抽搐着。

“罗耶太太告诉我们的门房，说圣通日街一套三居室的房子没人住，我们就搬过去了，就这么回事。”

沉默。她停止了手上的动作，两手叠放在大腿上。

“可是玛玫，”我低声问她，“你们想没想过那些人可能会回来？”

她的脸色有些僵硬，嘴唇痛苦地哆嗦着。

“我们什么也不知道，”她过了好一会儿才回答，“什么也不知道。”

她低头看着自己的手，不再说话了。

女孩心想，这是最凄惨的一晚，以往从未有过这样凄惨的夜晚，对于她，对于所有的孩子而言都如此。营帐里被洗劫一空，什么也没留下。没有衣物，没有毯子，什么都没有。绒被扯破了，白色的羽绒撒了一地，如同人造雪花一般。

有的小孩在哭，有的在尖叫，有的被吓得打嗝不止。年幼一些的孩子还不明白到底发生了什么，只是一个劲地嚷着要妈妈。他们把身上的衣服尿得湿湿的，在地上打着滚，嘴里绝望地哭喊着。年纪稍大的孩子则像她一样，坐在脏脏的地上，把头深深埋在臂弯里。

没有人照看他们。没有人理睬他们。他们没有东西吃，都快饿疯了，只好嚼些干草和麦秆。没有人来安抚他们。女孩心想，这些警察……他们难道没有家人吗？没有孩子吗？没有让他们盼着回家的孩子吗？他们怎么能这样对待孩子？他们是因为命令而身不由己，还是原本就如此？难道他们原本就是机器而非人类？她仔细看过那些人，他们看上去是血肉之躯啊，他们是人。她不明白。

第二天，女孩发现几个人隔着铁丝网看他们，是一群女人，拎着包裹和食物。她们试图把食物塞进来，却被警察轰走了。从那之后，再也没有人来看过他们。

女孩觉得自己变了个人，变得冷漠、粗鲁、野蛮。有时候她和比她大的孩子打架，因为他们来抢她找到的发霉的面包。她咒骂他们，用力打他们。她感觉自己变成了一个危险的野蛮人。

起初，她不愿看那些年幼的孩子，因为他们总让她想起弟弟，但现在，她觉得自己必须帮助他们。他们太小，太脆弱，太可怜，太脏了，很多都得了痢疾，衣服上糊满了大便。没人给他们清洗，没人给他们吃的。

慢慢地她知道了他们的名字、年龄，不过有些孩子还太小，回答不了她问的问题。在他们面前她轻言细语，笑脸怡人，有时还亲亲他们。他们很感激她，形影不离地跟着她，好几十人，就像一群浑身污泥的麻雀。

睡觉前，她给他们讲以前讲给弟弟听的故事。夜晚，躺在虱子滋生、老鼠乱窜的干草上，她轻声讲着，还增添一些内容，使故事比原来更长。大一些的孩子也围了过来，其中几个装作没听的样子，可女孩知道，他们在听。

其中有个十一岁的高个子黑发女孩名叫蕾切尔，她原先看女孩时眼神里总带着轻蔑的意味，但几个晚上过后，女孩开始听起了故事，还一点一点往前凑，唯恐听漏一个字。有一次，大多数年幼的孩子都睡着了，她和女孩聊了起来。

她用低沉略带沙哑的声音说："我们离开这儿吧，逃出去。"

女孩摇了摇头。

"出不去，警察有枪，逃不了。"

蕾切尔耸了耸单薄的肩膀。

"反正我要逃。"

"那你妈妈怎么办？她在另一个地方的营房里等你呢，我妈妈也一样。"

蕾切尔笑了。

“你相信那些鬼话？他们说的话你也信？”

女孩很不喜欢蕾切尔那看透一切般的微笑。

“不，”女孩坚定地说，“我不相信，我不再相信了。”

“我也不信。”蕾切尔说，“我观察过他们，他们连我们的名字都没认真写。他们把很多扯掉的标牌系回那些小孩身上时都是胡乱系的，根本不在意谁是谁。他们在撒谎，对我们和我们的妈妈撒了谎。”

让女孩惊讶的是，蕾切尔紧紧地握住了自己的手，就像阿梅勒以前那样。后来，蕾切尔站了起来，消失在黑暗中。

第二天早上，他们很早就被叫醒了。警察走进营房，用警棍把他们往前推。年幼的孩子还没睡醒，大声哭了起来。女孩试着安抚身边的孩子，他们被吓坏了。他们被带到了一个棚屋里。女孩一手牵一个蹒跚学步的小孩。她看到一个警察手里拿着一种样子古怪的器具。她不知道那是什么。她牵着的两个小孩吓得直抽凉气，一个劲地往后躲，却被警察的耳光和脚赶向了拿着器具的警察那里。女孩在一旁看着，她吓坏了。没过多久她明白了，他们是来给这些小孩剃头的，所有的孩子都会被剃成光头。

女孩眼睁睁地看着蕾切尔浓密的黑发一缕缕掉在地上，裸露的脑袋白晃晃的，尖尖的，像个鸡蛋。蕾切尔直直地看着那些人，眼神里充满了憎恨与轻蔑。她狠狠地朝他们的鞋上吐口水。一个宪兵气急败坏，野蛮地把她打倒在地。

年幼的孩子狂乱地挣扎着，需要两三个警察摁着才行。轮到女孩了，她没有挣扎。她弯下头，感觉到那冰凉的器械在头皮上游走。她闭上了眼睛，不忍看到自己金黄的长发飘落脚边。她的头发啊，她那人人羡慕的美丽秀发。她感觉哽咽几度涌上喉头，但极力控制着不让自己哭泣。千万不要在这些人面前落泪，不要哭泣，永远不要。头发而已，会长出来的。

快剃好时她睁开了眼睛，摁着她的那个警察的手胖乎乎的，粉红色的。另一个警察继续剃她剩下的几缕头发，她抬头看了他一眼。

这位警察的头发是红色的，面相和善，以前在她家那个片区上班。她母亲经常跟他聊天，她上学碰到时会冲他眨眨眼睛打招呼。抓捕的那天她朝他挥手时他把头扭开了，现在这样的距离，他的视线无法躲闪了。

她直直地看着他的眼睛，一直盯着。他瞳孔很奇特，黄黄的，像黄金一样。他显得有些局促，脸颊发红，她甚至感到他在微微颤抖。女孩一语未发，只是用最轻蔑的眼神盯着他。

他只得和她对视了片刻，两人一动不动。女孩笑了笑，她才十岁，她的笑很苦涩。女孩拨开了他的胖手。

离开疗养院时我有些恍惚。本该去办公室的，班贝尔在那儿等我，可我发现自己在朝圣通日街走去。脑袋里突突地冒着太多的疑问，我迷失在了这些疑问之中。玛玫说的是真的吗？还是病糊涂了，在胡言乱语？这里真的住过一家犹太人吗？玛玫说泰泽克一家搬进来时没发现什么异常，可能吗？

我慢慢穿过庭院。门房的小屋原先就在这里吧，我心想。数年前，小屋被改建成了一套小公寓。走廊边上有一排金属信箱，如今再也没有门房每天把邮件分发到每家每户了。玛玫说过，那位门房叫罗耶太太。至于门房在那次围捕行动中扮演了什么样的角色，不少材料中都有提及。大部分的门房听从了警察的命令，有些更过分，把犹太人的藏身之处告诉了警察，还有一些门房在犹太人被带走之后就将他们的房子洗劫一空，窃取了大批财物。从我看到的材料判断，只有少数门房尽了全力保护犹太人家庭。我不知道这位罗耶太太属于哪一种情况。那一刻我突然想到了我在蒙帕纳斯区的门房，她跟我年纪相仿，葡萄牙人。她不了解那场战争。

我没有乘电梯，步行上了四楼。正值午餐时间，工匠们都不在，公寓里很安静。我一打开前门，就感觉被某种奇怪的东西吞没了——一种以前未曾有过的绝望和空虚。我来到公寓较旧的一端，就是几天前伯特兰带我们看的那部分，那个事件发生的地方。那是七月的一个炎热的早晨，天还没亮，两名男子敲响了这里的房门。

过去的几个星期里我所看的材料，我所了解到的关于冬季赛车场圈押事件的信息，似乎都指向了这里，指向了这个我即将入住的地方。所有我曾审视过的证据材料，我研读过的书，我采访过的幸存者和目击者，似乎都在向我昭示我现在抚摩的四壁之间曾发生的事。

我几天前开始写的那篇文章就快完成了，约定的期限也快到了。我还得去一趟巴黎城外的卢瓦尔河集中营和德朗西集中营，还约好了要和弗兰克·利维见一面，圈押事件六十周年的纪念活动大都由他的协会筹办。我的调查很快就要结束了，之后我就得写别的了。

可现在我知道了公寓里发生的事，离我如此之近，和我以及我的生活产生了如此密切的联系，我觉得我必须把事情查得更清楚一些。我的调查还没有结束，我应该把这件事的来龙去脉搞个一清二楚。曾经住在这套房子里的那家犹太人后来到底怎么样了？他们叫什么名字？有孩子吗？有人从死亡集中营生还吗？他们都没能逃过那场劫难吗？

我漫无目的地在空空的公寓里走来走去。其中一个房间的墙壁正在拆，我发现碎石中有一道又长又深的狭缝巧妙地隐藏在镶板后面。它是一个很好的藏匿之所。如果这些墙壁会说话……但我不需要听它们讲述，我知道这里曾经发生过什么。我可以用自己的眼睛看。那些幸存者告诉过我那个燥热、静谧的夜里所发生的事——剧烈的捶门声，响亮的喝令声，公交车载着他们穿过了巴黎城。他们还跟我讲过那个臭气熏天的人间地狱——冬季赛车场。告诉我这些的是那些活下来的人，那些逃离了巴黎的人。他们扯下身上的星星逃了出去。

突然间我疑惑了，我不知道自己能否承受得了这个事实。有一家人曾在这幢房子里被抓，而且很可能被处死了，我现在知道了这个事实，我还能安心住下来吗？我不由得想，泰泽克一家是如何对待此事的？

我拿出手机打电话给伯特兰。一看是我的号码，他低声说了句“在开会”。这是我们俩约定好的密码，意思是“我现在很忙”。

“我有急事。”我说。

我听到他轻声说了几句，之后他的声音变清晰了。

“亲爱的，怎么了？”他说道，“有事快说，有人在等我。”

我深吸了一口气。

“伯特兰，”我问道，“你知道你祖父母圣通日街的那套房子是怎么得来的吗？”

“不知道。怎么啦？”他问道。

“刚才我去了玛玫那里，她告诉我他们是一九四二年七月份搬进去的，因为一家犹太人在冬季赛车场大搜捕中被抓了，所以房子空了出来。”

一阵沉默。

“那又怎样？”伯特兰终于又说话了。

我觉得自己的脸颊开始发烫。我的声音在空荡荡的房间里回响。

“你的家人住进了犹太人的房子，那一家犹太人被抓了，你不觉得心里不舒服吗？你的家人没告诉过你什么吗？”

我仿佛可以听到他的反应：典型的法式耸肩，嘴角下撇，眉毛上挑。

“不，我不在意。我不知道这些，他们没告诉过我，告诉了我也不会觉得不舒服。我相信一九四二年七月的大围捕之后，很多巴黎人都搬进了新空出来的房子，我们家当然也不会因此而成了围捕行动的同谋犯，对吧？”

他的笑声刺痛了我的耳朵。

“伯特兰，我没那样讲。”

“朱莉娅，你反应过头了。”他的声音温和了些，“你也知道，那已经是六十年前的事情了。当时在进行世界大战，记得吗？每个人的日子都不好过。”

我叹了口气。

“我只是想知道这件事的来龙去脉，只想弄个明白。”

“亲爱的，很简单。战争期间，我祖父母的日子过得很艰难，古董店的生意不景气。能搬进一个更大更好的房子他们肯定很开心，他们毕竟有孩子了，而且还年轻，能够找到一所房子住已经很开心了，也许就没太多考虑那家犹太人。”

“哦，伯特兰，”我放低了声音，“他们怎么能不考虑那家人呢，怎么能这样呢？”

他在电话那头吻我。

“我估计他们并不知道那家人的事。亲爱的，我得挂了，晚上见。”

他挂断了。

我在屋子里逗留了一会儿，走过长长的走廊，站立在空空的客厅里，用手掌摩挲着光滑的大理石壁炉，试着去理出一个合理的逻辑，不让伤感湮没自己。

在蕾切尔的鼓励下，女孩下定了决心，她们要逃跑，要逃离这个地方。她心里明白，若成功就逃出去了，不成功就得死。但她也知道，如果跟其他孩子一起留在这里，那就死定了。许多孩子都病了，已经死了七八个了。她在这里只见过一个护士，跟赛车场的那个一样，戴着蓝色口罩。生病、饥肠辘辘的孩子无数，护士却只有一个。

两人对这次逃亡计划守口如瓶，她们没有告诉其他人，没有引起别人的任何猜测。她们打算白天逃跑，因为她们观察过，白天的大部分时间里警察很少留意孩子们的行动。整个过程简单、迅速——顺着营房后墙朝水塔方向走，去上次村妇们想塞食物给她们的铁丝网那里，她们发现那里有个小缺口。缺口很小，但小孩或许能钻过去。

一些孩子已经离开了，是被警察带走的。他们瘦弱不堪，光着头，衣衫褴褛。她看着他们渐渐远去。他们被带到哪儿去了？很远很远的地方吗？去了他们父母那里？她不相信，蕾切尔也不信。女孩心想，如果是被带到他们父母身边去，为什么当初要把他们分开？为什么要让他们经受那么大的痛苦和折磨？“因为他们讨厌我们，”蕾切尔的嗓音低沉、沙哑，“他们憎恨犹太人。”女孩想道，如此憎恨，为什么？除了以前的一个老师，她或许从来没有像这样恨过任何人。因为她不吸取教训，那个老师狠狠地惩罚了她。她曾希望过那老师死吗？仔细一想，的确有过。就是这样的原因吧，所以才发生了这一切。憎恨达到了如此的地步，以至于想把他们全部杀死。因为他们衣服上绣着黄色的星星，所以那些人恨他们。想着想着，她不寒而栗。她感觉这个世界上所有的邪恶与仇恨都聚集到了这里，聚集在自己身边，聚集在警察冷酷的面容上，冷漠的举止中，轻蔑的眼神里。那么，外面世界里的每个人也都这样憎恨犹太人吗？她以后都要生活在人们的憎恨之中吗？

她想起了去年的六月，她放学回家，上楼时无意中听到了邻居们的谈话。几个女人的声音，压得很低很低，她在楼梯上停住了脚步，小狗般竖起了耳朵。“知道吗，他的夹克敞开时就露了出来，黄色的星星。我怎么也想不到他是犹太人。”她听到另一个女人倒抽一口凉气。“他？犹太人！完全是个绅士嘛，太让人吃惊了。”

她问过母亲，为什么有些邻居不喜欢犹太人。母亲没有回答，只耸耸肩，叹了一口气，弯腰继续熨衣服。女孩只好去找父亲。犹太人有什么不好吗？为什么有些人那么讨厌犹太人？父亲挠了挠头，低头看着她，苦笑着欲言又止：“他们认为我们跟他们不一样，所以害怕我们。”可哪里不同呢？女孩想道，有那么大的差别吗？

她的母亲、父亲、弟弟，她着魔一般想念他们。她感觉自己就像跌入了一个无底洞，如果能逃出去，她觉得这种生活，这种她已无法理解的新生活，还稍微有点意义。也许她的父母也成功逃脱了呢？也许他们已经设法回到家里了？也许……也许……

她想起了自家空荡荡的房屋，还未整理的床铺，厨房里慢慢腐烂的食物，还有藏在寂静壁橱里的弟弟，那死一般沉寂的壁橱。

蕾切尔碰了碰她的胳膊，她吓得差点儿跳起来。

“就现在吧，”她悄声说，“现在就走。”

集中营里一片寂静，如同被废弃了一般。她们注意到，大人们被带走以后，警察也少了一些，而且警察极少和孩子们说话，对他们不管不顾。

炽热的阳光烘烤着棚屋，让人无法忍受。棚屋内，病恹恹的孩子们虚弱地躺在潮湿的稻草上。她们可以听到从远处传来的男人的说话声和笑声。那些人也许躲在营房里乘凉吧。

她们只看到一个警察，坐在阴凉处，步枪斜靠在脚边，头后仰着靠在墙上，嘴张着，像是已经睡熟。她们蹑手蹑脚地朝隔离栅栏走去，像两只移动迅速的小动物。抬眼间，大片的绿色牧场和田野就在前方。

营地里依旧一片寂静。炎热，寂静。有人发现她们了吗？她们蹲在草丛中，心跳如雷。回头张望，没有动静，没有嘈杂声。这么容易吗？女孩心想，不，不会的，任何事都不容易，不再容易了。

蕾切尔腋下挟了一卷衣服，她再三要女孩穿上。她说，多穿两件衣服，这样你的皮肤就不会被铁丝刮破了。女孩把一件又脏又破的汗衫和一条到处是破洞而且有点小的裤子硬往身上套时，禁不住一阵哆嗦。她心想，这些衣服是谁的？是某个已经死去的可怜小孩的？一个妈妈被送走，一个人孤独死去的小孩的？

两人继续蹲着前行，铁丝网的缺口处越来越近。不远处站着一个警察，她们看不清他的脸，只看到了高高的圆帽的轮廓。蕾切尔指了指铁丝网的缺口，她们必须得快点，没有时间可浪费了。她们趴在地上，蛇一般朝缺口匍匐前进。缺口真小，女孩心想，虽然她们外面多罩了衣服，钻过去时肯定还是会被铁丝网刺伤的。她们之前怎么会以为能成功呢？怎么就以为不会被人发现呢？怎么就以为能侥幸逃脱？她们疯了，她想，的确是疯了。

草叶划过她的鼻尖，闻上去舒服极了。她真想把头埋进草丛，深深地呼吸浓浓的青草味道。她看到蕾切尔已经到了裂口处，正小心翼翼地把头探进铁丝网。

突然，女孩听到了重重的脚步声踏过草地而来。她的心停止了跳动。抬头看时，一个巨大的黑影耸立面前。是一个警察。他抓着她破烂的衣领把她拎了起来，她吓得手脚发软。

“你们想干什么？”

他压低声音在她耳边质问。

蕾切尔的半个身子已经在铁丝网中了。那名男子一手抓着女孩的领口，一面蹲下去抓蕾切尔的脚踝。她拼命挣扎，又踢又蹬，可他太壮了，把蕾切尔从带刺的铁丝网中硬生生扯了出来。她的脸上和手上鲜血直流。

她们站在他面前，蕾切尔呜咽着，女孩挺直腰，仰着下巴。她的心里在颤抖，但她决定不把害怕表露出来，起码要努力控制控制。

随后，她抬头看那名警察，却不禁吃了一惊。

是那位红头发警察，他也一眼认出了女孩。女孩看到他的喉结动了一下，还感觉到他抓自己衣领的大手掌开始颤抖。

“你们不能逃跑，”他瓮声瓮气地说，“必须待在这儿，明白吗？”

他还年轻，二十出头，块头很大，肤色红润。女孩注意到，他穿着厚厚的深色军装，前额上汗津津的，嘴唇上方也一样。他不停地眨眼睛，身体重心在两只脚上换来换去。

女孩意识到自己并不害怕面前这位警察，对他倒有一种奇怪的怜悯之情，这让她颇为疑惑。她伸手握住了他的手臂。警察低头看她，他有些诧异，有些尴尬。

女孩说："您记得我，对吗？"

这毫无疑问。这是事实。

他点点头，用手把自己鼻子下方的汗水擦去。女孩从口袋里掏出钥匙来给他看，她的手没有颤抖。

"还记得我弟弟吗？"她问道，"他的皮肤很白，头发有点卷？"

他又点了点头。

"先生，您必须放我走。先生，我的小弟弟，他一个人在巴黎。我把他锁在壁橱里了，因为我原以为……"她哽咽了，"我原以为他待在那里很安全！我必须回去找他！求求您让我从这里钻出去好吗？您假装没看见就行了，先生。"

男警察不安地回头朝棚屋看了看，好像怕有人过来，怕有人看到他们或听到他们的话。

他示意她们别吭声。他盯着女孩的眼睛看了一会儿，然后脸色一正，摇了摇头。

"我不能那样做，"他说，声音压得很低，"我有命令在身。"

她把手放在他胸膛上。

"先生，求求你了。"她平静地说。

她身边的蕾切尔则发出了轻蔑的嗤鼻声，她脸上的血和泪水已模糊成一片。男人又回头看了一眼，好像心里非常矛盾。她再次看到了他那种奇怪的神情，跟大围捕那天她瞥见的一模一样，怜悯、羞辱和愤怒杂陈。

好几分钟过去了，女孩感觉时间如同灌了铅，非常沉重，几乎停滞。她感觉泪水和恐慌再度涌了上来。如果他把她们送回营房怎么办？这种日子她该如何继续？要怎样才能继续熬下去？她会再找机会逃跑的，她坚定地想。是的，一次不成下次再试，永不放弃。

突然，他叫了一声女孩的名字。他拉住了女孩的手，他的手掌又热又湿。

“走吧，”他咬着牙说，汗滴顺着他惨白的脸颊不断滑落，“走，赶紧！动作快点！”

女孩怔住了，她抬头看着那双金色的眼睛。他把女孩推向缺口，一只手用力把她往下摁，另一只手帮她把铁丝网往上提。他猛地一把把她推出了缺口。她的额头被铁丝戳破了，但她出来了。她连滚带爬地站了起来。她自由了，她站在了铁丝网的另一边。

蕾切尔直瞪瞪地看着，一动不动。

“我也要出去。”她说。

那警察抓住她的颈背。

“不，你得留下。”他说。

蕾切尔失声痛哭，

“这不公平！为什么她行我就不可以？为什么！”

他举起另一只手止住了她的哭声。女孩站在铁丝网的另一边，她愣住了。为什么蕾切尔不能和她一起走？她为什么必须留下？

“让她和我一起走吧，”女孩说，“求求您了，先生。”

她的声音很轻，也很平静，仿佛一位年轻的女士。

警察显得有些不安，有些不知所措，但他没犹豫多久。

“那走吧，”他推了蕾切尔一把，“快走。”

他拉着铁丝网的缺口边缘，帮着蕾切尔钻过去。蕾切尔站到了女孩身边，气喘吁吁。

男人在口袋里摸索，掏出了一样东西递给铁丝网另一边的女孩。

“拿着。”他命令道。

女孩看了看他手里的东西，是厚厚的一卷钞票。她把钞票放进了口袋，和钥匙放在了一起。

男人回头朝身后的营房看了看，眉头紧锁。

“看在上帝的分上，快跑！你们俩快跑啊！如果他们看见……把你们身上的星星扯掉。求别人帮助你们。要小心！祝你们好运！”

女孩想谢谢他，谢谢他的帮助，谢谢他给的钱。她想把手伸过去，但蕾切尔已经拉着她撒腿开跑了。她们全速奔跑，穿过高高的金色麦田，一直向前跑，跑得肺都快炸了，胳膊和腿累得快抽筋了。她们只想远离集中营，越远越好。

我回到家，忽然意识到过去几天一直觉得有些恶心，当时因为全部心思都在圈押事件的文章上，所以一直没在意。后来，也就是上个星期，我的心思又被关于玛玫公寓的新发现占据了。但是，我的乳房变得比以往更敏感了，还有些刺痛，我这才关注起自己的恶心感觉来。我仔细想了想自己的月经期。这次的确来晚了，但这种情况以前也有过。最后，我去大街上的药店买了个验孕棒，只是不想让自己胡思乱想。

结果出来了，是一条蓝线。我怀孕了！怀孕了！我不敢相信这个事实。

我坐在厨房里，气都不敢出。

上次怀孕还是在五年前，之前有过两次流产。那次怀孕简直是一场噩梦，先是疼痛和出血，然后又发现是宫外孕——受精卵在一根输卵管里着床了。后来做了一次非常艰难的手术，我的生理和心理都受到了很大打击，术后阴影很长时间才消失。我的一个卵巢被切除了，医生还告诉我可能没法怀孕了。那时我已经四十岁了。伯特兰的脸上写满了失望和悲伤。他从来没说起过，但我感觉到了。我知道他的内心活动。他不愿意说出他的感受，这让情况变得更糟。他把这些埋藏在心里，不让我分担。那些从未说出口的话成了我们之间的隔膜。我呢，只跟我的心理医生说过这些，另外还向我的挚友倾诉过。

我想起了不久前在勃艮第的一个周末，我们邀请了伊莎贝拉、她丈夫和两个孩子来做客。他们的女儿玛蒂尔德跟佐伊差不多大，还有个儿子，小马修。小男孩四五岁，非常讨人喜爱，伯特兰一直盯着他看，他跑到哪里伯特兰的视线就跟到哪里。他跟马修玩，把他扛在肩上，脸上一直笑个不停，眼神里却露出丝丝伤感和期盼，这让我承受不了。大家都在外面吃洛林糕时我一个人躲在厨房里哭，不想被伊莎贝拉发现了。她紧紧地抱了抱我，然后倒了一大杯酒，打开了 CD 机，把音量开得震耳欲聋。那是黛安娜·罗斯的一首老歌。“这不是你的错，亲爱的。记住，这不是你的错。”

很长一段时间里我一直很内疚，觉得自己不是一个称职的妻子。泰泽克一家在这件事上表现得很友善，很谨慎，但我还是很难过，觉得自己没能带给伯特兰他求之若渴的东西——第二个孩子，尤其是儿子。伯特兰有两个妹妹，没有兄弟。如果没有继承人的话，这个家族的姓氏就会消失。我以前都没有意识到这个事实对于这个家庭来说有多么重要。

当我声明我虽然是伯特兰的妻子，但还是希望别人称呼我为朱莉娅·嘉蒙德时，他们大为吃惊，都沉默不语。婆婆科莱特不自然地笑着对我说，这种观念在法国很新潮。是太新潮了。女权思想在这里发展得不大好，法国女人都以夫姓来介绍自己。按惯例，我的后半生都会被称做伯特兰·泰泽克太太。记得当时我粲然一笑，口齿伶俐地答道：“我还是坚持用自己的姓——嘉蒙德。”她没再说什么。从那以后，她和公公爱德华向别人介绍我时，一直都说“伯特兰的妻子”。

我低头看着那条蓝线。孩子，孩子！一时间，我感到无比的幸福和快乐。我有孩子了！我环视再熟悉不过的厨房，然后走到窗口，俯视厨房外有些昏暗、脏乱的庭院。是男孩还是女孩并不重要。我知道伯特兰希望是儿子，但如果是女儿他也会喜欢，这一点我是知道的。第二个孩子！我们一直等待的，等待了如此之久的孩子！我们都已不再期盼了，佐伊也已经不再念叨的弟弟或妹妹，玛玫对此的关注热情也已退去了。

我该怎样告诉伯特兰？不能打电话直接透露，必须在只有我们两人的时候说，得有私密和亲昵的氛围。之后还必须小心，至少三个月后才能让别人知道。我很想给赫维和克里斯托弗打电话，还有伊莎贝拉，我的妹妹和我父母，但我克制住了心头的冲动，我丈夫应该第一个知道，然后是我女儿。一个念头冒了出来。

我抓起电话拨了艾尔莎的号码，她是照看孩子的临时工。我问她今天晚上是否有空帮我照看佐伊。她说可以。接着，我在我和丈夫最喜欢的圣多米尼克街上的一家餐厅预订了位置。婚后我们俩经常去那里吃饭。最后，我打电话给伯特兰，他没接。我给他的语音信箱留了言，告诉他晚上九点整我们在修米修科斯酒店碰头。

我听到了佐伊开前门的声音。门砰地关上了，紧接着她进了厨房，手里拎着重重的背包。

"你好，妈妈，"她说，"今天过得好吗？"

我笑吟吟地看着她。像以往一样，我每次看到佐伊，就会被她的美貌、高挑的身材和明亮的淡褐色眼睛深深打动。

"过来，宝贝儿。"说着，我把她一把搂进怀里。

她身体往后一挺，盯着我看。

"今天过得真的不错对吧？"她问，"从你的拥抱中我已感觉到了。"

"没错！"我说，心里很想把那件事告诉她，"今天真的很开心。"

她看着我说："那我也开心了。最近你有点古怪，我猜可能是因为那些孩子的缘故。"

"那些孩子？"我问道，一边把她脸上顺滑的棕色头发撩开。

"你知道的啊，"她说，"就是冬季赛车场事件中的那些孩子，那些再没回来的孩子。"

"你猜得没错。"我说，"前一阵子我是为这事难过，现在依然感到难过。"

佐伊握住我的手，把我的结婚戒指转了一圈又一圈，她从小就喜欢这样玩。

"上个星期我听到你打电话了。"她说，但并未抬头看我。

"是吗？"

"你以为我睡着了。"

"哦。"我说。

"我没睡着。当时已经很晚了，我估计你是在跟赫维打电话吧。你们在谈玛玫告诉你的事情。"

"关于那套公寓？"我问。

"嗯。"她终于抬起头看我，"关于曾在公寓里住过的那家人和他们的遭遇。你还说玛玫他们在那里住了那么多年，对那件事却并不在意。"

"你都听到了？"我说。

她点了点头。

"妈妈，你还知道那家人的其他事情吗？你知道他们是谁吗？到底发生了什么事？"

我摇了摇头。

"不，宝贝儿，我不知道。"

“玛玫真的不在乎吗？”

我必须谨慎一些。

“亲爱的，我肯定她是在乎的。我认为她并不知道到底发生了什么。”

佐伊又开始转我的戒指，这次转得更快了。

“妈妈，你要调查这家人的情况吗？”

我握住了转动我戒指的那只有些紧张的手。

“是的，佐伊。我接下来就要做这件事情。”我说。

“爸爸会不高兴的。”她说，“我听见爸爸对你说的话了，他让你别再想了，别再自寻烦恼。听起来他有点生气了。”

我把她拉进怀里，我的下巴靠在了她的肩膀上。我想起了心中那个美好的秘密，想到了今晚在修米修科斯酒店的约会，想象着伯特兰难以置信的表情和欣喜若狂的样子。

“宝贝儿，”我说，“我相信爸爸不会介意的。”

终于，两个筋疲力尽的孩子停下了脚步，猫腰躲在一大片大灌木丛背后。她们口干舌燥，上气不接下气。女孩感到身体的一侧痛得厉害。要是有点水喝，能休息一会儿恢复恢复体力那该多好啊。但她明白，此处非久留之地，她必须往前走。无论如何，一定要回到巴黎。

那位警察说了，“把星星扯掉”。她们脱下了被铁丝网挂破的破烂衣裳。女孩低头看了看胸前，那颗星星就在她的衬衫上。她用力撕扯，想把它弄掉。蕾切尔也用指甲挑她衣服上缝星星的线。蕾切尔的很容易就拿下来了，但女孩的星星缝得太结实了。她哧溜脱下了衬衫，把星星举到眼前仔细端详。细密的针脚，完美的针法。她想起了母亲，想起了她弯着腰干针线活儿，身前放着一大堆要缝补的衣物。母亲耐心、细致地把星星一个一个缝到她们的衣服上。泪水慢慢溢满她的眼眶。她把头埋进衬衫哭开了，心里感到一种前所未有的绝望。

蕾切尔伸手把她拥在怀里，用她满是血迹的手轻轻地抚摩她，紧紧地抱着她。蕾切尔问：“你弟弟的事是真的吗？他真的被锁在壁橱里吗？”女孩点点头。蕾切尔把她抱得更紧了，略显笨拙地抚摩着她的头。父母在哪儿呢？女孩心想。他们被带到哪里去了？他们在一起吗？安全吗？要是他们此刻见到她……要是他们看见她藏在灌木丛后哭，浑身脏兮兮的，茫然不知所措，饥肠辘辘……

她站了起来，虽然眼睛还是湿湿的，但她朝蕾切尔勉强一笑。是的，她浑身脏脏的，茫然不知所措，饥肠辘辘，但她不害怕。她用脏兮兮的手擦掉了眼泪。她已经长大了，不再害怕了。她已经不再是一个小孩了。父母会为她骄傲的。她希望父母为她骄傲，为她成功逃出集中营而感到骄傲，为她将去巴黎救弟弟而骄傲，为她的勇敢而骄傲。

她开始用牙齿撕扯星星，将母亲细密的针脚一点一点咬断。终于，那块黄色的布从衬衫上脱离开了。她看着那快布，看着它幻化成粗体的黑色字样——犹太人。她用手把它卷成小条。

“不觉得它一下子变小了很多吗？”她问蕾切尔。

“我们该怎么处理它们？”蕾切尔问，“如果放在口袋里，被人发现我们就彻底完了。”

她们决定用两人逃跑时穿的破衣服把星星包了埋在灌木丛下。灌木丛里的泥土又松又干，蕾切尔挖了一个坑，把星星和衣服塞了进去，然后用棕色的泥土盖上。

“好了。”她欢快地说道，“我已经把星星埋了。它们死了，躺进了坟墓，永永远远都不会出来了。”

女孩和蕾切尔一同咯咯笑了，不一会儿她又感到很羞愧，她妈妈告诉过她要为拥有星星而骄傲，要为身为犹太人而骄傲。

现在她不愿再想那些。情形已发生了变化，一切都不同往日了。她们必须找到水、食物和落脚的地方，她还必须赶回家中。怎样才能办到？她不知道。她甚至不知道自己在哪里。但是，她有钱。那位警察的钱。他还不算太坏。也许这意味着还有别的好人，愿意帮助她们的人，这些人不讨厌她们，不认为她们是“异类”。

她们离那个村庄并不远，她们从灌木丛后看见了一个路标。

“伯恩–拉–罗兰德。”蕾切尔大声念了出来。

本能告诉她们不能进村，村里的人不会帮助她们。村民们知道集中营里的情形，但除了那些妇女来过一次，没有人前来帮她们。再者，这个村子离集中营太近，她们有可能碰到会把她们送回集中营的人。她们转过身，朝着村庄相反的方向走去，并且尽量靠近公路边高高的草丛走。女孩心想，要是能有点喝的就好了。她太渴了，太饿了，感觉快要昏倒了。

她们走了很长时间。途中，她们一听到汽车或农民赶牛回家的声音就赶紧躲起来。她们选择的方向对吗？这是去巴黎的方向吗？她不知道。但她至少知道她们离集中营越来越远了。她看看脚下的鞋子，都快散架了。她只有一双鞋比这双好，她只在生日、看电影或去拜访朋友时才穿这双鞋，那是去年和妈妈在共和广场旁买的。似乎是很久以前的事了，恍若隔世。这双鞋现在已经太小了，把她的脚指头挤得生疼。

下午三四点，她们的眼前出现了一片森林，凉爽的绿色远远地绵延开去，芬芳、湿润的气息扑面而来。她们离开大路，走进树林，希望能找到点野草莓或蓝莓充饥。过了一会儿，她们看见一大片野果树。蕾切尔开心得叫了起来。两人坐下来一阵狼吞虎咽。女孩想起了和父亲一起摘果子的情形，就在她们家去河边度假的那段美好时光里。现在想来，也仿佛是很久很久以前的事了。

她的肚子好久没享受过这么奢侈的待遇了，鼓鼓地胀了起来。她感到一阵恶心，结果捂着肚子吐出来一大堆没有消化的水果，嘴里还有污秽物的味道。她跟蕾切尔说必须找水喝。她费力地站了起来，和蕾切尔往森林深处走去。林间成了神秘的翠绿世界，阳光透过树叶斑斑点点地洒落进来。她看见一只狍子在蕨林里慢慢奔跑，顿时吓得不敢呼吸。她是一个地道的城市孩子，不大熟悉自然世界。

走了一段距离后，她们来到一个清澈的小池塘边。她们把手伸进水里，很凉，看起来很干净。女孩一通狂喝，好长一段时间后才停住。她漱了漱口，洗掉了衣服上的蓝莓汁，然后把腿伸进了平静的水塘。自从上次在河里游泳以来，她再没游过泳，所以不敢完全进入池塘里。蕾切尔知道她害怕，但还是鼓动她下来，说会托住她的。女孩溜进了水塘，抓住了蕾切尔的肩膀。蕾切尔像女孩父亲以前一样，托住了她的腹部和下巴。水亲吻皮肤的感觉特别舒服，如春风拂面，如天鹅绒般轻柔。她把水浇到自己的光头上。她的头发又冒出来了，一层金黄的短毛，粗粗的，就像父亲下巴上的短须。

女孩突然觉得非常疲惫，她想躺在软软的青苔上睡会儿，只一小会儿，打个盹儿。蕾切尔同意了。她们可以稍微休息一下，这里很安全。

两人紧紧地相互依偎，贪婪地呼吸着青苔的清新气味，这和营房里散发着恶臭的稻草简直有天壤之别。

女孩很快就睡着了。这一觉睡得很沉，没受到丝毫惊扰，她已经很久没有这样睡过觉了。

我订的是我们常坐的那个位子，在右手边的角落里，进了大门，经过老式的法式镀锌吧台和几块彩色镜子后就到了。我坐在套着红色天鹅绒的“L”形坐椅上，看着穿白色长围裙的侍者在顾客中忙碌地来回穿梭。一位侍者给了我一杯上等的基尔酒。忙碌的夜晚。多年前和伯特兰第一次约会时，他就带我来了这里。自那时以来，这家酒店没有什么变化，依旧是矮矮的天花板，乳白色的墙壁，球形的白色灯泡，硬硬的桌布，依旧是浓烈的科雷兹和加斯科涅[①]菜肴——伯特兰喜欢的口味。我们俩刚认识时他住在附近的梅勒尔街的一幢公寓楼的顶层，那幢楼的楼顶形状非常奇特。对我而言，夏季住在那里是难以忍受的。作为一个一直生活在空调中的美国人，我不知道他是如何忍受那种炎热的。当时我仍然和那两个大男孩一起住在贝尔特街，我那间阴暗、凉爽的房间在巴黎闷热的夏季简直就像天堂。伯特兰和他的妹妹们就在这个区——象征着上流社会和贵族的巴黎市第七区——长大，他们父母常年居住在蜿蜒绵长的学府街，他们家生意兴隆的古董店则在巴克街。

我们的老位子。伯特兰就是在这儿向我求婚的，我也是在这儿告诉他我怀上了佐伊的，还是在这儿，我告诉他我知道了他和艾米丽的事。

---

①法国西南部的两个地区。

艾米丽。

今晚不提此事了，别破坏了气氛。艾米丽这一页已经翻过去了。不过，她作罢了吗？她真的作罢了吗？我不得不承认我不是很确定。但现在，我对此不感兴趣。一个新生命即将来到这个世界，与之相比艾米丽算不了什么。我笑了，笑得有些酸楚。我闭上了眼睛。这难道是典型的法国人态度——对丈夫的出轨"睁一只眼闭一只眼"？我思忖着，我能做到吗？

十年前，当我第一次发现他不忠时，我和他大吵了一架。我的思绪回到了当时，我们就坐在这儿。我决定就在这里把此事捅破。他没有任何隐瞒，十指交叉托着下巴，安静、沉着地听我一五一十地数落。信用卡让他露了馅。坎缇斯大街的珍珠酒店、德朗布尔大街的莱诺克斯酒店、克里斯汀大街的克里斯汀·瑞莱斯酒店，一张张消费清单接踵而至。

以前他不是那么谨慎，既没截住寄回家的消费清单，也没在意她的香水。他的身上、衣服上、头发上、奥迪旅行车的乘客安全带上都有她的香水味，在我记忆里那是最初的线索和痕迹。那款香水名叫"蓝色时光"，是娇兰香水中香味最重、最烈、最让人倒胃口的一款。弄清楚她是谁并不困难，其实在此之前我就已经认识她了，结婚后不久伯特兰就介绍我们认识了。

离异，有三个十多岁的孩子，四十出头，一头银棕色头发，巴黎人眼中典型的美人；身材娇小玲珑，纤细苗条，着装精美；提得体的手提包，穿得体的鞋子；有一份不错的工作，在特罗卡迪罗广场旁边有一套宽敞的公寓；她的名字华丽、古老，听上去像名酒的名字；左手佩戴一枚图章戒指。

她就是艾米丽，伯特兰自维克多·杜卢伊公立中学时就开始交往的女友，跟他一直有联系，一个他在结婚、生子之后，这么多年来一直保持着性关系的女友。“我们现在是朋友，”他在我面前信誓旦旦，“只是朋友关系，好朋友关系。”

那天饭后我们回到了车里，我变成了一头张牙舞爪的母狮。我的表现说明我很在乎他，我估计对他而言倒成了一种奉承。他向我又保证，又发誓，说他爱我，只爱我一个，艾米丽对他而言不重要，只是过眼云烟，跟她逢场作戏而已。很长一段时间里，我相信了他的话。

但是，近来，我又开始心生疑窦，说不清道不明的猜疑时不时在脑中闪过。没有什么确凿的证据，只是怀疑。我还相信他吗？

“相信他的话，你疯了？”赫维说，克里斯托弗也这样说。伊莎贝拉则建议：“或许你应该直接问个明白。”查拉、我母亲、霍莉、苏珊娜和简也说：“信他？脑筋不正常吧。”

但我坚定地决定，今晚不提艾米丽。今晚只有伯特兰和我，我们要分享那个好消息带来的喜悦。我细细品味着酒。侍者们冲我微笑，我感觉很棒，感觉自己很坚强。让艾米丽见鬼去吧，伯特兰是我的丈夫，我又将生下他的孩子了。

餐馆里顾客盈门。我环顾周围繁忙的餐桌。一对老夫妻并排而坐，一人一杯红酒，正襟危坐地俯身吃东西；一群三十多岁的年轻女性咯咯大笑，前仰后合，引得旁边一位独自进餐、表情严肃的女士皱起眉头，侧目相向；生意人西服笔挺，雪茄在握；美国游客，一对夫妇和他们十多岁的孩子们，正试图读懂菜单。餐馆里的嘈杂声很大，烟雾很浓，但我并不介意，我已习以为常了。

伯特兰会和往常一样晚到。不要紧，我正好利用这个时间换衣服、做头发。我穿了深棕色的休闲裤——我知道伯特兰喜欢这条裤子，一件简洁的福夫式紧身上衣，戴的是阿嘉莎牌的珍珠耳环和赫尔梅斯牌手表。我朝左手边的镜子瞥了一眼，感觉自己的眼睛比平常更大、更蓝，皮肤显得红润而有光泽。对于一个中年怀孕的女性而言，我是挺漂亮的了，我心想。而侍者向我微笑的样子也证明，他们的看法跟我一样。

我从包里拿出了记事本。明天一早，我要做的第一件事就是给我的妇科医生打电话。得赶紧预约，很可能我需要做细致的检查。羊水诊断是必不可少的，我已经不再是“年轻”妈妈了。生佐伊似乎是很久以前的事了。

我突然感到一阵惊慌。上次生育已过去十一年了，我现在还能承受这一切吗——妊娠、分娩、不眠之夜、喂奶、婴儿没完没了的啼哭、尿布？嗯，我当然行，我自我安慰。过去的十年间我一直在期盼，我当然已经准备好了，伯特兰也一样。

但是，坐在那里等候时，心中的焦躁在慢慢滋长。我试着不予理睬，便打开了记事本，看看最近记下的关于冬季赛车场大圈押事件的东西。很快，我沉浸到了工作之中，身边的嘈杂消失了。笑声、侍者敏捷地在餐桌间穿行的脚步声、凳腿碰到门的声音，统统消失了。

等我再抬起头时，我丈夫已坐在了我的对面，正目不转睛地看着我。

“嘿，来了多久了？”我问。

他笑笑，把我的手抓在他的手中。

“有一会儿了。你真美。”

他穿的是深蓝色灯芯绒夹克和白色亚麻衬衫。

“你也很帅呀。”我说。

那个好消息差点冲口而出，但我打住了，现在就说显得太急了。我好费力才把话吞了回去。侍者给伯特兰也来了一杯上等基尔酒。

“什么原因啊？”他问道，“亲爱的，我们为什么来这儿？有什么特别的事情吗？有惊喜？”

“是的。”我边回答边举起酒杯，“很特别的惊喜。为那个惊喜干杯！”

我们碰了一下酒杯。

“要我猜猜是什么样的惊喜吗？”

我有些顽皮，像个小姑娘。

“你永远都猜不到的！永远。”

他被我逗乐了，哈哈一笑。

“你跟佐伊一个样！她知道这个特别的惊喜吗？”

我摇摇头，越发的感到兴奋。

“不知道。没人知道，除了……我。”

我伸手握住他的一只手。光滑、茶褐色的皮肤。

“伯特兰……”我正准备说。

侍者站到了我们桌前。我们决定先点菜。很快我们就点好了。我要了油封鸭，伯特兰点的是砂锅炖肉豆，开胃菜是芦笋。

我看着侍者转身向厨房走去，然后以很快的语速对伯特兰说，“我怀宝宝了。”

我仔细观察着他的表情变化，等待着他张大嘴，惊喜地睁圆眼。但是，他脸上的肌肉纹丝不动，就像一张面具。他的眼睛忽闪忽闪地看着我。

他重复道：“宝宝？”

我紧紧握住他的手。

“伯特兰，太棒了是吗？太棒了是吗？”

他没说话。我如坠雾中。

后来，他问我：“你怀孕多久了？”

“刚刚发现。”我的声音很低。他面无表情，我的心悬了起来。

他揉揉眼睛，这是他累或是心烦的时候常有的动作。他没说话，我也默不做声。

沉默如同薄雾一般在我们中间蔓延开来，似乎伸手便可触及。

侍者把开胃菜端了上来。我们俩谁也没碰。

“怎么回事？”我再也无法忍受这种沉默，便开口问他。

他叹了口气，摇了摇头，又一次揉他的眼睛。

我继续说，泪水慢慢溢满眼眶。“我还以为你会很高兴，很兴奋。”

他用手支着下巴，看着我。

“朱莉娅，孩子的事我早已死心了。”

“我也一样啊，没抱什么希望了。”

他的眼神变得严肃了，其中透出的决然意味让我很不喜欢。

“你什么意思？”我问道，“你死心了，所以不能……”

“朱莉娅，再过不到三年的时间我就五十岁了。”

“那又怎么样？”我说，我的脸颊滚烫。

他平静地说：“我不想当老爸爸。”

“天哪，你怎么能这样说话？”我嚷道。

沉默。

他温柔地对我说：“朱莉娅，我们不能要这个宝宝。我们现在的生活不一样了，佐伊很快就成青少年了，你也四十五岁了，今非昔比，我们的生活已经不适合带小孩了。”

我的眼泪夺眶而出，顺着脸颊滚落到我的食物中。

“你是不是在告诉我，”我泣不成声，“要我去堕胎？”

邻桌一家不加掩饰地瞪我们，但我毫不理会。

和往常一样，危急时刻我就会说母语，在这种情况下用法语说是不可能的。

“流产了三次，现在再去堕胎？”我质问道，浑身颤抖个不停。

他一脸忧伤。柔弱而忧伤。我恨不得甩他几个耳光，再踢上几脚。

但我只是用餐巾捂着脸哭开了。他抚摩着我的头发，一遍又一遍柔声对我说他爱我。

我置若罔闻。

两个孩子醒来时，夜幕已经降临。森林已经不再是她们下午漫游其中的那个安静、枝叶繁茂的森林了。它显得漫无边际和陌生，各种奇怪的声响不绝于耳。她们手牵手，缓慢地在蕨林中摸索着向前走，任何的响动都会让她们停下脚步。夜色越来越浓，越来越深。她们继续前行。女孩觉得自己快累瘫了，但是蕾切尔手上的温暖激励着她往前走。

最后，她们踏上了一条较为宽阔的道路，这条路蜿蜒曲折地穿过一片平坦的草地。森林在她们身后渐渐隐去。她们抬头仰望，天空昏暗，没有月亮。

“快看，”蕾切尔指着前面说，“来了一辆车。”

她们看到了划破夜色的车头灯灯光。车头灯的表面用黑漆漆过，灯光从一道留出的口子里泻出。汽车的引擎声越来越近。

蕾切尔问：“怎么办？要拦吗？”

女孩发现又出现了一对经过消光处理的车头灯灯光，紧接着又有一对。迎面而来的是长长的车队。

她扯了扯蕾切尔的裙子，低声说：“趴下！快！”

旁边没有灌木丛可以躲藏，她四肢平伸趴在地上，下巴紧贴在地面上。

“为什么？你在做什么？”蕾切尔问。

很快，她明白了。

是士兵，德国士兵，在夜间巡逻。

蕾切尔在女孩旁边快速趴下了。

引擎轰隆隆的声音越来越近了。借着车头灯微弱的灯光，两人能看清那些人头上锃亮的圆形头盔。他们会看见我们的，女孩心想。我们藏不了了，这样是藏不住的，他们肯定会看见我们。

第一辆车开过去了，其他的也接踵而去。浓浓的白色尘土卷进了两个女孩的眼中。她们极力忍着，不咳嗽，不动弹。女孩将脸贴在地上，双手捂住耳朵。车队似乎没有尽头。那些人会发现趴在土路边的两个身影吗？她几乎听到了他们的大呼小叫，然后车队停了下来，砰砰地甩上车门，急匆匆赶过来的脚步声，一只只粗鲁的大手抓住她们的肩膀。她的心都提到嗓子眼了。

但是，最后一辆汽车驶了过去，嗡嗡响着消失在夜色中。又是一片寂静。她们抬起头，路上已经空空如也，只剩下白色尘土在慢慢飘散。她们等了一会儿，然后蹑手蹑脚地走上路面，朝相反的方向走去。透过树丛，她们看见了微弱的灯光，令人激动的灯光。两人尽量贴着道路的边缘往前走，向灯光慢慢靠拢。她们打开了院门，偷偷地靠近房屋。像是农场，女孩心想。透过开着的窗户，她们看到一个女人靠着壁炉看书，一个男人在抽烟斗。浓郁的食物香气直钻她们的鼻孔。

蕾切尔毫不犹豫地敲了门。棉布门帘拉开了，那个女人透过门上的玻璃看着她们，她的脸偏长，瘦削。她瞪着女孩们看了一会儿，然后放下了门帘。她没有开门。蕾切尔又敲了门。

“求求你，夫人，我们需要一些食物和水。”

门帘没有动。女孩们走到开着的窗户前站着。拿着烟斗的男人从椅子里站起来。

“滚开，”他低沉的声音中透着威胁，“快滚开。”

在他身后，那个瘦脸女人冷眼看着，一声不吭。

“求求你们，给点水喝吧。”女孩恳求道。

窗户砰地关上了。

女孩直想哭。这些农场主怎么能这么残忍？桌上明明有面包，她都看见了，还有一大罐水。蕾切尔拖着她离开了。她们回到了弯弯曲曲的土路上。路边又出现了许多农舍，但每次都是同样的结果，她们被赶了出来，一次次落荒而逃。

这时已经很晚了，她们又累又饿，几乎走不动了。她们来到一幢大大的老房子前。这儿离土路有一段距离，一盏路灯高挂，灯光照在她们身上。房子的正面爬满了常青藤。她们没敢再敲门。她们注意到屋前有一个大大的狗屋空着，于是就爬了进去。里面很干净，也很暖和，还有一股让人感觉很舒服的狗的味道，除此之外还有一碗水和一块放了很久的骨头。她们一人一口轮流将水舔干了。女孩害怕狗会回来，会咬她们。她把自己的担心轻声说了出来，但蕾切尔已经睡着了。她蜷缩着，像一只小动物。女孩低头看着蕾切尔，她一脸疲惫，脸颊消瘦，眼窝深陷，看上去就像一个老年妇女。

女孩靠在蕾切尔身上，醒一阵睡一阵地打着盹。她做了一个奇怪而可怕的梦，她梦见了弟弟，他已经死在了壁橱里。她还梦见父母被警察殴打。睡梦中，她发出了痛苦的呻吟声。

一阵凶猛的狗叫声把她惊醒了。她用胳膊肘推醒了蕾切尔。她们听到了一个男人的声音和渐渐走近的脚步声，碎石路面被踩得咯吱作响。逃跑已来不及了。她们只能绝望地拥抱在一起。女孩心想，这下我们死定了，我们的命算是到头了。

狗被主人喝退了。她感到有只手伸了进来，四下摸索。她和蕾切尔的胳膊被抓住了，她们被慢慢地拖了出来。

是一个矮小、消瘦、秃头、胡子银白的男人。

“哦，看看我们发现了什么？”他嘴里嘟哝着，半眯缝着眼打量两个女孩，路灯的光有些刺眼。

女孩感觉到蕾切尔的肌肉绷得紧紧的，她知道蕾切尔要逃跑，像兔子一样迅速逃离。

“你们迷路了？”老头问。他的声音中透着关切。

两个孩子呆住了。她们以为会听到威胁，会被殴打，或是其他种种，但没想过会碰到好人。

“求求你，先生，我们太饿了。”蕾切尔说。

男人点点头。

“看出来了。”

那条狗一直在冲两个女孩发出呜呜的声音，老头弯腰止住了它，然后对女孩们说：“进去吧，孩子们，跟我进屋。”

两个女孩谁也没动。她们能相信这个老头吗？

“这儿没人会伤害你们的。”他说。

两人紧紧依偎在一起，还是有些害怕。

那个男人笑了，非常和蔼、温柔的笑容。

“吉纳维芙！”他叫了一声，声音柔柔地飘进了屋子。

一个身穿蓝色睡袍的老太太出现在宽大的门口。

“朱尔斯，你那条蠢狗又在叫唤什么？”她有点恼火。接着，她看到了两个女孩，她的手一下子捂在嘴上。

“天哪！”她喃喃低语。

她走得更近了些。她的脸圆圆的，很平静，头发已经白了，编着一条大辫子。她看着两个孩子，既怜悯又惊奇。

女孩的心跳加剧了。这位老太太跟照片上她波兰的外婆很像，一样的浅色眼睛，白色头发，都胖乎乎的，让人感觉很舒服。

“朱尔斯，”老太太低声问，“她们……”

老头点点头。

“是的，我估计是。”

最后，老太太坚定地说：“让她们进屋。她们必须马上藏起来。”

她步履蹒跚地走到土路上，朝两边望了望。

她伸出手对她们说：“孩子们，快点，快过来。你们在这儿很安全，我们不会害你们的。”

糟糕的一夜，难以入眠。因为睡眠不足，早上醒来时我的脸有些浮肿。我很高兴佐伊已经去学校了，让她看到我现在的样子我会很难过的。伯特兰很体贴，也很温柔。他说我们还需要谈谈，晚上吧，等佐伊睡着后。说这席话时他的语调非常平静，非常温和。我能看出他已打定主意。任何事物或个人都无法让他回心转意，他是不会让我生下这个孩子的。

我还没法和我的朋友或我妹妹谈这件事，伯特兰的选择让我太伤心了，我宁愿把它装在自己心里，至少目前如此。

今天早晨，似乎一切都变得很困难。每件事情做起来都很吃力，任何动作都很费劲。昨晚的情形，他说的话，不停地在脑海中浮现。在这种情况下，我除了疯狂工作之外没有其他的解决办法。下午我要去弗兰克·利维的办公室和他见面。冬季赛车场大圈押事件似乎变成很遥远的事了。只是一夜的工夫，我觉得自己老了许多。除了我腹中的孩子和我丈夫不想要这个孩子的事实之外，一切都似乎不重要了。

手机铃声响起的时候我正在去办公室的路上。是吉尧姆打来的。他说他在他奶奶那里找到了几本我需要的绝版书，关于冬季赛车场圈押事件的，他可以把书借给我，问我能否下午和他碰个面，或是晚上一起喝一杯。他的声音中透着愉悦和友善，我当即答应了。我们约好六点在蒙帕纳斯大道上的精英咖啡馆见面，从我家到那里只需要两分钟。我们刚道了别，手机又响了。

这一次是我公公打来的。我感到很惊讶，爱德华很少给我打电话。我们俩的关系一般，彼此以法国式的彬彬之礼相待。我们都善于闲聊，且颇多共同话题，但是，和他在一起时我从未有过真正的舒服的感觉。我总是觉得他有所保留，从不在谈话中向我或其他任何人表露他的真实感情。

他就是那种他说你听，让人仰视的人。除了愤怒、骄傲、自满之外，我想象不出他会有别的情感。我从未见过他穿牛仔裤，即使是在勃艮第过周末，他悠然地坐在花园里的橡树下看卢梭的书时也没有。我觉得我也从未见过他不打领带。我还记得第一次见面时他的样子，在过去的十七年间，他基本没有什么改变——同样的帝王般的姿态，同样的银色头发，同样的冷冷眼神。我公公极爱烹饪，他经常把科莱特从厨房里赶出去，亲自动手做一些简单、美味的菜式——砂锅菜、洋葱汤、可口的普罗旺斯闷菜或是块菌煎蛋卷。佐伊是他唯一允许在厨房里陪他的人。虽然赛茜尔和罗芮生的都是男孩——阿诺德和路易斯——但他特别疼爱佐伊，他喜欢我的女儿。我一直不知道烹饪期间厨房里是什么样的情形。厨房的门关着，我只能听到佐伊咯咯的笑声，切蔬菜的声音，潺潺的水流声，肥肉在锅里嘶嘶作响，偶尔还有爱德华低沉的呵呵笑声。

爱德华问了佐伊的近况，公寓的装修进度，之后便转到了正题上。他昨天去看望玛玫了。昨天是个“坏”日子，他补充道，玛玫又发脾气了。当时他正打算离开，让她一个人绷着脸看电视，玛玫却突然出人意料地提到了一件和我有关的事。

我好奇地问：“什么事？”

爱德华清了清嗓子。

“我母亲说你问了她很多关于圣通日街那套公寓的问题。”

我深吸了一口气。

“嗯，是的，我确实问了。”我承认道。我没弄清楚他的真实用意。

一阵沉默。

“朱莉娅，我希望你不要问玛玫任何关于圣通日公寓的事情。”

他突然改说了英语，似乎是想让我明白无误地理解他的意思。

我有些恼火，便改用法语回答。

“抱歉，爱德华，我在为杂志社搜集有关冬季赛车场大圈押事件的资料，那种巧合让我感到很惊讶，仅此而已。”

又一阵沉默。

“巧合？”他重复了一遍，这次说的是法语。

“哦，是的。”我说，“你们家搬进去之前那儿住着一家犹太人，他们在那次事件中被逮捕了。我觉得玛玫告诉我这些的时候很难过，所以就没再问了。”

“谢谢你，朱莉娅。”停顿了一阵之后他接着说，“玛玫确实很难过，请你不要在她面前再提起这事了。”

我在人行道中央突然停下了脚步。

“好的，我不问了，”我说，“但我没想要伤害她。我只是想知道你们家为什么会住进那套公寓，以及玛玫是否知道一些关于那个犹太家庭的情况。你呢？爱德华，你知道什么吗？”

“抱歉，我一无所知。”他回答得很快，“我得走了，再见，朱莉娅。”

电话挂断了。

他的这通电话让我感到很是困惑，以至于在短暂的一段时间里我把伯特兰和昨晚发生的事都抛在了脑后。玛玫真的向爱德华抱怨了吗，怪我问了她那些问题？我想起了那天的情形，后来她把嘴闭上了，不愿再回答我的问题，一直到我离开时都没再开口。她陷入了深深的困惑之中。玛玫为何如此难过？她和爱德华为何如此在意我问起那幢公寓？他们有什么东西不想让我知道吗？

伯特兰和宝宝的事又重重地压回到我的肩膀上。突然间我犹豫了，不想去办公室了。亚利桑德拉探询的目光让人受不了。她会很好奇，会跟往常一样刨根问底。她想装出一副很友好的模样，但往往很蹩脚。班贝尔和乔舒亚会盯着我浮肿的脸看。班贝尔是一位真正的绅士，他不会说什么，而是偷偷地捏捏我的肩膀为我打气。还有乔舒亚，他最让人受不了。我仿佛看到了这样的场景：他递给我一杯咖啡，揶揄地笑着问："亲爱的，说说吧，又上演了哪一出？又是你那位法国夫君？"今天上午我没法去办公室。

我掉头朝凯旋门方向走去。一路上全是熙熙攘攘的游客，他们三五成群，走走停停，时而仰望凯旋门，时而停下来拍照。虽然我颇感厌烦，脚下却不怠慢，灵活地在人群中穿行。我掏出通讯簿，拨通了弗兰克·利维所在协会的电话。我问能否现在而不是下午去见他。他说没问题，现在也行。他的办公室不远，就在霍克大道上，我只花了十分钟就到了。一旦离开了拥挤的香榭丽舍大街，以星形广场为中心延伸出来的其他大道都空旷得令人吃惊。

我估计弗兰克·利维六十五岁左右，他的脸上透着深邃、高贵和疲惫。我们走进了他的办公室。办公室的天花板很高，里面装满了书、卷宗、电脑和照片。我的视线久久地驻留在挂在墙壁上的黑白照片上，上面有牙牙学语的婴儿，蹒跚学步的小孩，都是佩带着星星的孩子。

“许多都是冬季赛车场事件中的儿童。”他一边说一边随我的目光扫视着墙上的照片，“照片上只是一部分，法国一共移交了一万一千名儿童。”

我们在他的办公桌前坐了下来。在采访之前，我已经用电子邮件发了几个问题给他。

“你想了解卢瓦尔河旁的集中营的情况？”他问。

“是的。”我回答道，“伯恩-拉-罗兰营和皮蒂维耶营。巴黎近郊的德朗西营倒有不少资料，但关于这两个集中营的信息少之又少。”

弗兰克·利维叹了口气。

“没错，和德朗西相比较，卢瓦尔河旁的两个集中营留下的资料确实很少。而且，如果你去实地考察，找不到多少能反映当年实际情形的确凿印迹。那儿的人也不愿回想当年的情形。他们不想和你谈论这个话题。再说，知道那些事情的生存者已经不多了。”

我的视线再次落到那些照片上，落到那一排排幼小、娇弱的脸上。

“那些集中营最初是派什么用场的？”我问。

“它们建于一九三九年，是标准的军营，本来是用来关押德国士兵的，但维希政府自一九四一年起用它们囚禁犹太人。一九四二年，开往奥斯威辛集中营的第一批直达列车就是从伯恩-拉-罗兰德和皮蒂维耶集中营出发的。”

“冬季赛车场大圈押事件中被抓的那些家庭为什么没被送往巴黎近郊的德朗西集中营呢？”

弗兰克·利维冷冷地笑了笑。

“圈押之后，没有孩子的犹太家庭被送往了德朗西。德朗西离巴黎很近，其他集中营距离巴黎有一个多小时的路程，而且处于卢瓦尔河旁的安静农村。法国警察可以在那里轻松地将孩子和他们的父母分开。在巴黎市内要做到这一点不大容易，估计你已经看到过描述他们暴行的文字了。”

“这方面的材料很少。”

弗兰克·利维凄楚的笑容消失了。

“是的。这方面的文字记载是不多，但我们知道当时的情形。我有几本这方面的书，我很乐意借给你看。警察用警棍抽打，拳打脚踢，用冷水冲，把孩子从母亲身边硬生生拉开。”

我的目光再次落到照片上那些幼小的脸蛋上。我想起了佐伊，想到她被从我和伯特兰的身边拉走，孤零零地一个人生活，形单影只，忍饥挨饿，蓬头垢面，我不禁全身一阵战栗。

“冬季赛车场大圈押行动中抓的那四千个孩子很让法国当局头疼。”弗兰克·利维说，“纳粹要求立即移交成年人，不移交孩子。火车的调度安排得很严丝合缝，不能改变，由此才有了八月初将孩子和母亲活生生拆散的野蛮行径。”

我问他：“之后呢？那些孩子都怎么样了？”

“他们的父母被从卢瓦尔河旁的集中营直接送往奥斯威辛集中营，孩子们则被留在极度恶劣的卫生状况之中，基本没人照看。八月中旬，从柏林发来了决定性指示：把孩子也移送过去。为了防止人们猜疑，孩子们先被送到德朗西，和德朗西集中营里的陌生成年人会合后再送往波兰，这样一来人们就会觉得孩子们并非无依无靠，而是和他们的家人一起东行，去了犹太人的劳动保留地。”

弗兰克·利维停顿了一下，和我一起看着沿墙悬挂的照片。

“到达奥斯威辛集中营后，这些孩子没有‘被选择’的机会。

没有和男人、女人们一起列队接受体格检查，看谁强壮，谁虚弱，谁能劳动，谁不能劳动。他们被直接送进了毒气室。”

“被法国政府送进去的，用的是法国的汽车，法国的火车。”我补充道。

或许是因为我怀孕了，因为我的荷尔蒙分泌紊乱了，或是因为我没睡好，刹那间我的情绪糟糕透顶。

我久久地看着那些照片，悲痛不已。

弗兰克·利维默默地看着我。过了一会儿，他站了起来，拍拍我的肩表示安慰。

女孩向她面前的食物发起了进攻，大块大块地往嘴里塞，发出了咂吧咂吧的声音。如果在以前，妈妈一定会训斥她的。天哪，简直太好吃了！她似乎从没喝过如此美味、可口的汤，从没吃过如此新鲜、松软的面包，从没尝过如此香浓的布里白乳酪，从没吃过如此香甜多汁的桃子。蕾切尔却吃得很慢。女孩抬头看了一眼对面的蕾切尔，发现她脸色苍白，双手颤抖，眼眶发红。

老夫妻俩在厨房里忙碌着，给她们添汤，往她们的玻璃杯里加水。他们温和地问了些问题，女孩听见了，一时间却不知如何回答。后来，吉纳维芙带她和蕾切尔上楼洗澡时，她才开始和老太太交谈起来。她告诉吉纳维芙她们被带到一个很大的场地关了几天，那儿没有水喝，没有东西吃，然后火车载着她们穿过乡野，把她们送进了营地，后来她们和父母被残忍地分开了，最后，她们逃了出来。

老太太一边听，一边不时地点点头，熟练地帮目光呆滞的蕾切尔脱去衣服。蕾切尔的身体暴露在了女孩面前，骨瘦如柴，身上长满了红红的水泡。老太太吃惊地摇摇头。

“天哪，他们对你们做了什么啊？”她喃喃说道。

蕾切尔木然的眼睛半天也没眨一下。老太太扶着蕾切尔跨入了温暖的肥皂水中。她帮蕾切尔搓洗着，就像女孩的妈妈过去帮她弟弟洗澡一样。

洗好后，她用一条宽大的毛巾把蕾切尔裹了起来，然后把她抱到了旁边的床上。

“该你了。”吉纳维芙往浴缸里放上了干净水后对女孩说，“小不点儿，你叫什么名字？你还没告诉我呢。”

女孩回答她：“瑟卡。”

“多好听的名字！”说话的同时，吉纳维芙递给女孩一块干净的海绵和一块肥皂。她发觉这个女孩有些害羞，不愿在她面前脱衣服，便转过身去，让女孩自己脱了衣服后钻进水里。水暖暖的，女孩洗得很仔细，很开心。洗好后，她敏捷地爬出浴缸，用毛巾把自己裹好。毛巾软软的，还有股熏衣草的香味。

吉纳维芙忙着在一个大的搪瓷水槽里洗女孩们的脏衣服。女孩在旁边看了一会儿，然后怯生生地把手放在老太太圆乎乎的手臂上。

“太太，您能送我回巴黎吗？”

老太太吓了一跳，转身看着她。

“小乖乖，你想回巴黎？”

女孩从头到脚颤抖起来。老太太看着她，一脸关切。她把衣服放回水槽，用毛巾擦干了手。

“瑟卡，有什么要紧事吗？”

女孩的嘴唇开始颤抖。

“是因为我弟弟迈克。他还在巴黎的公寓里，被锁在壁橱里，那是我们的秘密藏身地。从警察来抓我们的那天起，他就一直躲在那儿。我以为他在那儿会很安全。我答应过他会回去救他的。”

吉纳维芙低头看着她，眼神里充满关切。她把手放在女孩瘦削、单薄的肩膀上，试图让她平静下来。

“瑟卡，你弟弟在壁橱里躲了多久了？”

“我不知道。”女孩嘟哝着说，“我记不清了。我记不清了。”

刹那间，她藏在心里的所有希望都破灭了。在老太太的眼中，她看到了她最害怕的信息——迈克死了，死在壁橱里了。其实她知道，已经太晚了，她等待了太长时间。他没能挺过来，没能等到她回来。他死在那儿了，孤零零地，死在了黑暗之中。没有东西吃，也没有水喝，只有玩具熊和故事书。他信任她，他一直在等。他可能大声呼唤过她，一遍一遍地叫喊她的名字：“瑟卡，瑟卡，你在哪儿？你在哪儿！”他死了，迈克死了。他只有四岁，但是他死了，都是她的缘故。如果那天她没把他锁起来，此时此刻他可能就在这儿，此时此刻她或许在给他洗澡。本来她可以照顾好他的，可以带他来这个安全之所的。是她的错，都是她的错。

女孩瘫倒在地，形神俱碎，绝望如潮水般向她涌来，把她淹没。在她短短的生命旅程中，她从未体会过这样的痛楚。她感觉到吉纳维芙紧紧地抱着她，抚摩着她的短发，轻声说着安慰的话。她松懈了所有的神经与戒备，把自己完全交给了抱着自己的善良老太太的手臂。之后，她感觉自己被松软的床垫和干净的被单包裹。她沉沉睡去，一整夜不断做着离奇的噩梦。

第二天一早她就醒了，有些失落，有些迷茫。她不记得她这是在哪儿了。在营房里度过了那么多没有床的夜晚后，睡在真床上让她觉得很奇怪，有点不适应。她走到窗前。百叶窗微微开着，可以看见外面有一个宽大的花园，阵阵花香扑面而来。母鸡被顽皮的狗追逐着，在草地上东跑西颠。一张熟铁长椅上，一只姜黄色的肥猫在慢慢地舔着自己的爪子。女孩听到鸟儿在歌唱，公鸡在啼鸣，附近的奶牛在“哞哞”地叫唤。一个阳光明媚，空气清新的早晨。女孩觉得，这是她见过的最可爱、最祥和的地方了。战争、仇恨、恐惧似乎都很遥远。花园、鲜花、树木和这里所有的动物，都不会受到过去几星期里她所目睹的罪恶的影响。

她仔细看着身上的衣服，一件白色的睡衣，对她来说有点长。这是谁的衣服呢？她心里犯着嘀咕。或许那对老夫妻有小孩，或者是孙儿孙女。她环视四周，这个房间很宽大，布置简单，但很舒适。门旁边有一个书架。她走过去看了看，发现她最喜欢的儒勒·凡尔纳[①]的书和塞居尔夫人[②]的书这儿都有。书的扉页上有稚气但飘逸的签名：尼古拉斯·杜弗尔。她心想，这位尼古拉斯是谁呀。

厨房里传出阵阵低低的说话声，女孩循着声音走下了吱吱作响的木楼梯。屋子里装饰普通、随意，给人一种安静、怡人的感觉。她轻盈地迈过了片片酒红色的方形瓷砖。经过一间洒满阳光、散发着蜂蜡和薰衣草香气的起居室时，她往里瞥了一眼，一座高大的落地摆钟在庄严地“滴答滴答”走着。

她蹑手蹑脚地向厨房走去，躲在门边悄悄往里看。老夫妻俩坐在一张长桌子前，端着蓝色的圆碗喝着什么。他们似乎在为什么担心。

“我很担心蕾切尔，”吉纳维芙说，“她一直在发高烧，吃下去的东西全吐了出来，而且还长了红疹。”她深深叹了一口气，“朱尔斯，这两个孩子的情况比较严重，非常严重，其中一个的眼睫毛上都长着虱子。”

---

①儒勒·凡尔纳（Jules Verne，1828—1905），法国十九世纪著名的科幻小说和冒险小说作家。
②塞居尔夫人（the Comtesse de Ségur，1799—1847），法国十九世纪儿童文学作家。

女孩犹犹豫豫地走进了厨房。

“我只是想问问……”

老夫妻俩抬起头，微笑着看着她。

老头呵呵笑着说：“啊，小姐，你今天早上跟昨天不一样了哦，脸蛋上都有粉色了。”

“我的衣服口袋里有些东西。”

吉纳维芙站起身指着一个架子说：

“一把钥匙和一些钱，在那里。”

女孩走过去拿起那两样东西，把它们紧紧地握在手里。

她低声说道：“这就是开壁橱的钥匙，迈克藏身的那个壁橱，我们的特别躲藏地。”

朱尔斯和吉纳维芙看了看对方。

女孩结结巴巴地说：“我知道你们认为他已经死了，但我还是要回去。我一定要弄清楚。或许有人像你们帮我一样帮助了他！或许他还在等我。我必须弄清楚。我一定要知道结果。我可以用警察给我的钱。”

朱尔斯问她：“小宝贝儿，你怎么去巴黎呢？”

“乘火车去。巴黎离这儿肯定不远。”

夫妻俩又一次交换眼神。

“瑟卡，我们住在奥尔良的东南部，你和蕾切尔走了很远的路程，但你们离巴黎越来越远了。”

女孩挺直了身体。她要回巴黎，回到迈克身边。无论结果如何，她都要回去看个究竟。

她坚定地说：“我必须去，肯定有从奥尔良到巴黎的火车。我今天就走。”

吉纳维芙走过来，紧紧握住了她的手。

“瑟卡，你在这儿很安全。你可以在我们这儿住上一段时间。这儿是农场，出产牛奶、肉和蛋，我们不需要食物配给票。在这儿你能休息好，吃好，把身体养好一些。”

“谢谢你们，”女孩回答道，“我已经好多了。我必须回巴黎。你们不需要陪我去，我自己能行。你们只要告诉我怎么去火车站就行了。”

老太太还没来得及回答，楼上传来了长长的一声哭声。是蕾切尔。他们立刻冲到她的房间。蕾切尔的整个身体都痛苦地抽搐着，身上的床单沾满了黑色汁液，臭不可闻。

吉纳维芙低声说：“我就担心这个。是痢疾。她需要看医生，快点去请。”

朱尔斯蹒跚下楼。

他扭头对她们说：“我去村里看看戴维南医生在不在。”

一小时后，他气喘吁吁地骑着自行车回来了。女孩透过厨房的窗户看着他。

他告诉妻子：“那老小子不见了，屋子是空的，没人知道他去哪儿了。我朝奥尔良的方向去了更远的地方，找到了一位年轻医生。我请他过来，但他有点傲慢，说有要紧事需要先处理。”

吉纳维芙咬着自己的嘴唇。

“希望他快点来。”

傍晚时分，医生姗姗来迟。女孩没敢再提巴黎，她感觉到蕾切尔病得很重。朱尔斯和吉纳维芙的心思都在蕾切尔身上，无暇顾及她。

外面传来了狗的叫声，他们知道那个医生来了。吉纳维芙扭头让女孩赶快躲到地下室去。她快速解释道，这个医生不是平时那位，他们不了解他，得以防万一。

女孩通过地板门溜进了地窖。坐在黑暗中，她侧耳倾听上面传来的每一个字。尽管看不见那个医生的脸，但他的声音让女孩感到很讨厌：很刺耳，鼻音很重。他一直在问蕾切尔是哪里人，他们是在哪儿发现她的。他还很固执，不问清楚不罢休。朱尔斯一直很镇定，说蕾切尔是邻居的女儿，邻居去巴黎了，要待上几天。

但是，女孩从医生的语气听出，他根本不相信朱尔斯说的话。他发出一阵嘎嘎的笑声，然后不停地大谈特谈什么法律、命令、马赫夏·贝当政府、法国新面貌，以及军事管制部会怎么看这个皮肤黝黑的瘦小女孩。

最后，她听到前门砰的一声关上了。

接着，她又听到了朱尔斯的声音，他似乎吓坏了。

他说："吉纳维芙，我们都做了什么啊？"

“想请问您一件事，利维先生，和我的文章无关。”

他看了看我，又坐回了他的座位。

“当然可以。请问吧。”

我俯在桌上的身体向前探了探。

“如果我给您一个家庭的确切地址，您能帮我查出他们的行踪吗？是一个一九四二年七月十六日在巴黎被捕的家庭。”

“冬季赛车场大搜捕行动中被捕的家庭？”他问道。

“是的，”我说，“这对我很重要。”

他看着我疲倦的面容，肿胀的眼睛。我觉得他能看透我，能看出我现在的忧愁，能从我眼里读出我了解到的那幢公寓的隐情。我坐在他对面，他看穿了我当时全部的心思。

“嘉蒙德女士，过去的四十年间，我一直致力于追查一九四一年到一九四四年从这个国家移交出去的每一个犹太人的踪迹。这个过程既漫长又痛苦，但也很必要。是的，我也许可以告诉你那个家庭所有成员的名字。所有资料都在咱们眼前的这台电脑里，几秒钟之内就能搞清楚他们的名字。但是，你为什么就想了解这个家庭呢？能跟我说说吗？仅仅出于记者的天生好奇心还是有别的原因？”

我觉得脸上有些发烫。

“是我个人的事，而且很难向您解释清楚。”我说道。

他说："说说看。"

一开始我有点犹豫，但我还是把圣通日街的那幢公寓的来历、玛玫说的话、我公公说的话告诉了他。后来，我的语言更加流畅了。我告诉他我老想起那个犹太家庭，怎么也止不住。我想知道他们是谁，他们后来的命运如何。他仔细听着，时不时点点头。

之后，他语重心长地对我说："嘉蒙德女士，重现历史有时候不是件容易的事，会冒出许多让人不愉快的意外。知道了事情的真相往往让人更难过。"

我点头。

"我明白，"我说，"但我需要知道。"

他看着我，眼神坚定。

"那我就告诉你他们的名字。我让你知道，但仅限你自己，不能泄露给你的杂志社，能做到吗？"

"能。"我回答道。我被他严肃的神情镇住了。

他转向了电脑。

"请告诉我地址。"我告诉了他。

他的手指在键盘上快速弹跳，电脑啪啪地弹出一个个页面，我紧张得心脏都快跳出来了。接着，打印机"嘟嘟"响着吐出了一页纸。弗兰克·利维没说话，只把那页纸递给了我。纸上印着：

75003 巴黎圣通日街二十六号

姓氏：斯达任斯基

瓦拉迪斯罗，一九一〇年生于华沙，一九四二年七月十六日被捕，关押地：布列塔尼街汽车修理厂，冬季赛车场，伯恩–拉–罗兰德集中营，移送车次：十五，移送时间：一九四二年八月五日。

洛卡，一九一二年生于奥卡纽村，一九四二年七月十六日被捕；关押地：布列塔尼街汽车修理厂，冬季赛车场，伯恩–拉–罗兰德集中营；移送车次：十五；移送时间：一九四二年八月五日。

莎拉，一九三二年生于巴黎第十二区，一九四二年七月十六日被捕；关押地：布列塔尼街汽车修理厂，冬季赛车场，伯恩–拉–罗兰德集中营。

打印机又发出了“嘟嘟”的响声。

“有一张照片。”弗兰克·利维说。递给我之前他看了一眼。

照片上是一个十岁的女孩，还有一行字：一九四二年六月摄于布朗科斯–曼提奥克斯街学校。布朗科斯–曼提奥克斯街就在圣通日街旁边。

女孩的眼睛是有点倾斜的那种，浅色，估计是蓝色或绿色的；头发齐肩，微卷，里面卡了个发卡；照片中的她笑得很甜美，带点羞涩；脸蛋呈心形。她坐在学校的课桌前，面前有一本打开的书。她的胸口，有一颗黄色的星星。

莎拉·斯达任斯基。比佐伊小一岁。

我回头又看了看那一列名字。我不用问弗兰克·利维十五号列车离开伯恩–拉–罗兰德集中营后去了哪里，我知道它开向了奥斯威辛集中营。

“布列塔尼街的汽车修理厂是怎么回事？”我问。

“第三区的犹太人在被送往奈拉顿大街和赛车场之前先在那里集中起来。”

我注意到莎拉名字后面没有提到列车号，便向弗兰克·利维说了这一点不同之处。

“据我们所知，那说明她没有登上过开往波兰的火车。”

“有没有可能她逃走了？”我问。

“很难讲。确实有少数孩子从伯恩–拉–罗兰德集中营逃了出来，被住在附近的法国农民所救。其他比莎拉小的孩子被移送时身份并不清楚，他们的标志很模糊，如‘一个男孩，皮蒂维耶营送’。唉，嘉蒙德女士，我没法具体告诉你莎拉·斯达任斯基后来怎么样了，我只能说她显然没有和其他伯恩–拉–罗兰德营和皮蒂维耶营的孩子一起到达德朗西营。德朗西营的档案中没有她的信息。”

我低头看着那张美丽、天真的脸。

“她后来怎么样了呢？”我喃喃自语。

“我们这儿的资料表明，她的最后踪迹是在伯恩–拉–罗兰德营里。她有可能被附近的家庭所救。二战期间，她可以用假名字来隐藏身份。”

“这种情况经常发生吗？”

“是的，经常发生。多亏了一些法国家庭和宗教机构的慷慨救助，不少犹太儿童幸运地活了下来。”

我看着他。

“您觉得莎拉·斯达任斯基获救了吗？她活下来了吗？”

他低头看照片上可爱的女孩，她一脸微笑。

“希望如此。不过现在你已经知道了你想知道的。你知道了你们的公寓里以前住的是谁。”

“是的，”我回答道，“谢谢您，但我不明白，我丈夫家怎么能在斯达任斯基一家被抓之后住进去。我想不明白。”

弗兰克·利维提醒我："你不能如此苛刻地评价他们。的确，相当多的巴黎人当时很冷漠，但是不要忘了，巴黎当时处于德国控制期，人们很担心自己的生命安全。那时的情形跟现在可不一样。"

离开弗兰克·利维的办公室时，我突然感到非常脆弱，差一点哭了。真是让人心力交瘁、筋疲力尽的一天。我的世界被封闭了起来，伯特兰、腹中婴儿、我不得不做的艰难抉择、今晚将要和伯特兰进行的谈话……每件事都压得我喘不过气来。

还有，圣通日街的公寓背后肯定有隐情。斯达任斯基一家被抓之后，泰泽克一家那么快就搬了进去，玛玫和爱德华对此事避而不谈，为什么？到底发生了什么？有什么事他们不想让我知道？

去马布夫大街的途中，我感觉自己就像陷入了一个巨大的旋涡，一个难以摆脱的旋涡。

当晚，我和吉尧姆在精英咖啡馆见了面。我们挑选了吧台附近的位置，远离了喧闹的露台。他带来了几本书，正是一些我求之不得的书，尤其是那本写卢瓦尔河畔集中营的。我的心情好了很多，对他千恩万谢。

我原本没打算把下午发现的东西告诉他的，后来却一五一十全讲了出来。吉尧姆听得很认真。我说完后，他说他祖母跟他讲过，那次大搜捕行动之后，一些犹太人的住所很快就被别人抢占了。另外一些住所的门上被警察贴了封条，几个月或几年后，封条常常被人撕掉，因为很明显不会有人回来了。吉尧姆的祖母说警察经常跟门房合谋，以口口相传的方式很快就能找到新房客。我丈夫家很可能就是这种情况。

"朱莉娅，你为什么把这件事看得那么重要？"吉尧姆最后问我。

“我想知道那个小女孩后来的命运。”

他看着我，深邃的目光中充满探询的意味。

“我能理解。但是，询问你丈夫家人时要小心。”

“我知道他们隐瞒了一些事情，我很想知道他们隐瞒的是什么。”

“小心点，朱莉娅。”他再次说道。他微笑着，但眼神一直很严肃。“你在玩潘多拉的盒子，有时候还是不要打开为好。有些事情不知道更好。”

今天上午，弗兰克·利维也说了同样的话。

朱尔斯和吉纳维芙在屋里奔上忙下足足十来分钟。他们两手来回搓着，一言不发，就像两只发狂的动物。他们似乎遭受着极大的痛苦。他们想把蕾切尔挪到楼下，但她太虚弱了，最后只好放弃，就让她躺在床上。朱尔斯极力安慰吉纳维芙，让她冷静下来，但收效甚微：她不一会儿又跌坐在附近的沙发上，潸然泪下。

女孩不明就里，就像一只焦急的小狗一样紧跟在他们身后，不停地问这问那，他们一个问题也没回答。她注意到朱尔斯一次又一次透过窗户朝大门口看，女孩感到恐惧在心中慢慢升起。

黄昏时分，朱尔斯和吉纳维芙面对面坐在壁炉前。他们似乎已经镇定下来了，恢复了常态，但女孩注意到吉纳维芙的手在颤抖。他们的脸色苍白，不停地看钟。

后来，朱尔斯转过身，平静地让女孩藏回地窖。那儿有许多装着土豆的大袋子，他让她爬进其中一个袋子，然后尽可能把自己藏好。听明白了吗？这很重要。如果有人进地窖，她不能被发现。

女孩呆住了。“德国人要来！”她说。

朱尔斯和吉纳维芙正要开口说话，狗突然叫了起来，吓得他们都跳了起来。朱尔斯向女孩示意，指了指地板门。女孩很听话，立即溜进了黑暗的、有股霉味的地窖。她什么也看不见，只好摸索着往里走，最后摸到了粗糙的织物，找到了那些装着土豆的麻袋。一共有好几大袋，堆放在一起。她迅速用手把它们扒开，然后钻了进去。此时，一个袋子裂开了，乒乒乓乓一阵闷响，土豆滚落到她的周围。她急忙把土豆往自己身上划拉。

接着，她听到了脚步声，整齐而响亮。以前她听到过这样的脚步声，在巴黎的深夜，宵禁开始之后。她知道来的是什么人，她曾经从窗户缝往外看过：微弱的街灯下，他们头戴圆圆的钢盔，迈着整齐的步伐行进。

头顶传来队列前进的声音，一直延续到房屋前。听脚步声有十来个人。一个男人的声音，沉闷但还算清晰，传入了女孩的耳中。他说的是德语。

德国人来了。他们是来抓她和蕾切尔的。她感觉自己的胆囊开始泄气。

脚步声就在她头顶上方。接下来的一段谈话含混不清，她没听清楚。之后传来了朱尔斯的声音："是的，中尉，我这儿是有一个孩子。"

"先生，生病的是一个雅利安儿童吗？"一个外国人问道，他的喉音很重。

"中尉，只是一个生病的孩子。"

"孩子在哪儿？"

"楼上。"朱尔斯的声音，此时已透出了厌烦。

她听到沉重的脚步震得天花板直晃。接着，蕾切尔细细的尖叫声从屋子的顶层传了下来。她被德国人从床上拖了起来。她不停地呻吟着，她太虚弱了，毫无反抗之力。

女孩用手捂住耳朵，她不想听到这种声音。她听不见了。这种她自己制造的突然安静让她觉得得到了保护。

躺在土豆下面的她看见一道光线划破了黑暗——有人打开了

地板门。有人在下地窖的楼梯。她把手从耳朵上移开了。

“地窖里没人，”她听到朱尔斯说，“那女孩是独自一人。我们在我家的狗窝里发现她的。”

女孩听到吉纳维芙在擤鼻涕，还听到了她的哀求声，带着哭腔，透着疲倦。

“求求你们，不要带走那个女孩！她病得太重了。”

喉音很重的那个声音不无讽刺：

“夫人，这孩子是犹太人，很可能是从附近的集中营里逃出来的，她没有理由待在您的家里。”

女孩看到橘黄色的手电筒光顺着地窖的石头墙壁慢慢下滑，一点一点地向她靠近。不一会儿，天哪，一个士兵的巨大黑色阴影出现在了她的面前，就像从漫画书上剪下来的士兵剪影。他是来找她的，要把抓她走。她尽量让自己缩小，同时屏住了呼吸。她觉得自己的心脏好像停止了跳动。

不，不能让他找到！如果被找到那也太不公平，太可怕了。他们已经抓到可怜的蕾切尔了，难道还不够吗？他们把蕾切尔带到哪儿去了？在外面的卡车上和士兵们在一起？她昏过去了吗？她心想，他们会把蕾切尔带到哪里去？去医院？还是带回集中营？这些嗜血的恶魔。恶魔！她恨他们。她希望他们都死掉。这群坏蛋。她用尽了所有她知道的诅咒，所有她妈妈禁止她使用的词语。他妈的肮脏的浑蛋。她在头脑里大声叫骂，用尽全身力气叫骂。她紧紧地闭上了眼睛，不去看那离她越来越近的、在她躲藏的麻袋堆上扫来扫去的橘黄色手电筒光柱。他们不会找到她的。永远找不到。杂种，肮脏的杂种。

朱尔斯的声音再次传来。

“里面没人，中尉。那个女孩就单身一人。她病得几乎站不起来了，我们得帮帮她不是吗。”

中尉瓮声瓮气的声音传入了女孩的耳朵：“我们得验证验证你所说的，搜查搜查你的地窖，之后你们还得跟我们去一趟司令部。”

女孩尽量保持不动，不叹气，不呼吸。手电筒光柱在她头顶晃来晃去。

“跟你们回去？”朱尔斯的声音显得很吃惊，“为什么？”

呵呵几声干笑。“在你们家里找到一个犹太人，你还问为什么？”

此时响起了吉纳维芙的声音，她镇定得让人吃惊，声音中已经没有了哭腔。

“中尉，你也看到了，我们并没有把她藏起来。我们只是帮她恢复健康，仅此而已。我们连她的姓名都不知道，她根本说不了话。”

“是的，”朱尔斯接着说，“我们还帮她请了医生，根本没有把她藏起来。”

一阵安静。女孩听到了中尉的咳嗽声。

“古勒明，就是那位优秀的医生先生，确实也是这样说的，你们并没有藏匿那个女孩。”

女孩感觉她头顶的土豆在被人翻动，她屏住呼吸，雕像一般纹丝不动。她鼻子里很痒，很想打喷嚏。

她又听到了吉纳维芙的声音，她的语气很平静、开朗，甚至有点强硬。女孩还没有听过她用这样的语气讲话。

“绅士们想来点酒吗？”

她周围的土豆停止了滚动。

楼梯上的中尉开心大笑：“来点酒？太棒了！”

"要不再来点酱肉片？"吉纳维芙开朗的声音建议道。

脚步声上了楼梯，地板门砰的关上了。危险解除，女孩几乎昏厥。她暗自庆幸自己躲过一劫，眼泪顺着脸颊泉涌而下。他们在上面待了多久？她只听到叮叮当当的碰杯声，凌乱的脚步声，一阵阵响亮的笑声，没完没了。她听到中尉大呼小叫，似乎越喝越高兴。她甚至还听到了酒足饭饱的打嗝声。她没有听到朱尔斯和吉纳维芙的声音。他们在上面吗？上面是什么样的情形呢？她急切地想知道。但她明白自己不能动弹，必须等朱尔斯或吉纳维芙来叫她。她的四肢已经僵硬了，但她仍然不敢动弹。

最后，屋子里终于安静了下来。狗叫了一两声后就没有声音了。女孩侧耳倾听。德国人把朱尔斯和吉纳维芙带走了吗？屋子里就剩她一个人了吗？此时，她听到了压抑的哭泣声。地板门嘎吱一声打开了，朱尔斯的声音飘进了她的耳朵。

"瑟卡！瑟卡！"

女孩回到了楼上。她的双腿疼痛难忍，眼睛里进了灰尘，被刺得红红的，脸上脏脏的满是泥。她看到吉纳维芙两手捂脸，整个人都崩溃了，朱尔斯在尽力安慰她。眼前的情景让女孩不知所措。老太太抬起了头，她的脸苍老了许多，干瘪了许多，女孩吓了一大跳。

"那个孩子，"她轻声说，"被带走了。她活不成了。我不知道她会死在哪里，是哪种死法，但我知道她会死的。他们不听我们的请求。我们努力让他们多喝酒，但他们的头脑很清醒。他们放过了我们，但他们带走了蕾切尔。"

吉纳维芙满布皱纹的脸上老泪纵横。她紧紧地抓着朱尔斯的手，绝望地摇着头。

“上帝啊，我们的国家成了什么样子？”

吉纳维芙招手叫女孩过来，用她饱经风霜的老手紧紧握住她的小手。女孩心里不停地想，他们救了我，他们救了我，救了我的命。也许某个他们这样的人救了迈克，救了爸爸和妈妈。或许还有希望。

“小瑟卡！”吉纳维芙揉捏着女孩的小手叹息道，“你在那下面是那么的勇敢。”

女孩笑了，美丽、勇敢的微笑，深深打动了老夫妇的心。

“请不要再叫我瑟卡了，那是我的乳名。”

“那我们该叫你什么？”朱尔斯问道。

女孩双肩一展，扬起下巴：

“我的名字叫莎拉·斯达任斯基。”

我去了一趟公寓，问了问安东尼工程的进展情况，然后来到了布列塔尼街。那个汽修厂还在，旁边有一块铭牌提示来往行人：一九四二年七月十六日早晨，第三区的犹太家庭先在这里集中，然后被送往第十五区的冬季赛车场，最后被移送到死亡集中营。我心想，莎拉奥德赛式的历险旅程就是从这里开始的，它的终点在哪儿呢？

我站在那里，思绪飞回了一九四二年，对身边来往的车辆和行人置若罔闻。我几乎能看到，那个闷热的六月的早晨，莎拉和她的父母在警察的押送下，正沿着圣通日大街缓缓走来。是的，我看得清清楚楚。我看到他们被推进汽修厂，就是我现在站的这个地方。我看到了那张惹人喜爱的心形小脸，以及小脸上的茫然和恐惧，被扎成马尾状的直发，一双微微倾斜的绿宝石般的眼睛，莎拉·斯达任斯基。她还活着吗？现在应该有七十岁了吧，我心想。不，她不可能还活着。她已经从地球表面上消失了，和被关押在第十五区冬季赛车场的其他孩子一起消失了！她没能从奥斯威辛回来。她已化为一抔尘土。

我离开了布列塔尼街，回到了自己的车上。我这个人很美国，一直不会使用换挡杆，我开的是一种颇遭伯特兰藐视的日产小型自动车。在巴黎市区跑来跑去时我从不动用它。巴黎的公交和地铁系统很发达，我认为在市区根本用不着车，对此伯特兰也不无嘲讽。

我和班贝尔计划下午去一趟伯恩–拉–罗兰德集中营。从巴黎到那里只需一个小时的车程。上午我跟吉尧姆去了德朗西。德朗西离巴黎很近，位于博比尼和潘廷两地的交界处，是一个灰白、破旧的郊区。二战期间，德朗西处于法国铁路系统的心脏位置，有六十多列火车从这里出发驶往波兰。我们经过一座巨大的、纪念这个地方的现代雕塑时，我发现营地里竟然有人居住。妇女们推着婴儿车，带着狗在散步，孩子们乱跑乱叫，窗帘在微风中飘动，窗台上摆满了植物。我惊诧不已，这样的屋子怎么能住人呢？我问吉尧姆这里有没有人住。他点点头。从他的脸色可以看出他很激动。他所有的家人就是在这儿被移送出境的。来这里对他而言是一件很痛苦的事，但他仍然坚持陪我一起来。

德朗西纪念馆的馆长是一位名叫梅涅茨基的中年男子，他的神情颇为疲惫。纪念馆比较小，要打电话预约才开放。我们到时馆长已在馆外等候我们了。我们在小且简朴的纪念馆内走了一圈，看看陈列的照片、文章和地图。一个玻璃柜里陈列着一些黄色星星。这是我第一次看到星星实物，我感到过目难忘，五内翻腾。

在过去的六十年里，这片营地几乎没发生什么变化。巨大的U形混凝土建筑建于二十世纪三十年代，当时是一个新式住宅项目，一九四一年被维希政府征用，来移交犹太人，现在被隔成了四百户人居住的一间一间的小型公寓，这种情形从一九四七年就开始了。在附近一带，德朗西的房租可能是最便宜的了。

我问一脸忧伤的梅涅茨基先生，无声城——这个地方的名字，奇怪的名字——里的居民是否知道他们现在所住的地方原来是什么样的。他摇摇头。住在这儿的大多数是年轻人。在他看来，这些人不知道这是一个什么样的地方，他们也不关心它是一个什么样的地方。我又问他是否有很多游客来参观纪念馆。学校会组织学生来，有时也有游客来，他答道。我们翻看了游客留言簿。

致母亲波莉特：

我爱你，永远都不会忘记你。我每年都会到这儿缅怀你。一九四四年你离开这里去了奥斯威辛，再也没有回来。

你的女儿

丹妮尔

我感到眼泪在眼眶深处涌动。

然后，我们被带到停放在纪念馆外的草坪中央的一节运牲畜的车厢旁。车门锁着，但馆长有钥匙。吉尧姆把我拉了上去，我们俩站在狭窄的、空荡荡的车厢里。我想象着当时的情形：车厢里拥挤不堪，到处都是人，有小孩、祖父母、中年夫妇、青少年，一起奔向死亡。吉尧姆的脸色苍白，后来他告诉我他从来没有进过这种车厢，他始终没有这个勇气。我问他是否还好，他点点头，但我知道他的内心万分痛苦。

离开纪念馆的时候，我胳膊下夹了一大沓馆长给我的宣传材料和几本书。我不由得想起了我所了解到的有关德朗西的种种描述——发生在那个恐怖时期的种种残暴行径，无数装满犹太人、直接向波兰驶去的列车。

我不由得想起了我看到的令人揪心的描述：四千名关押在第十五区冬季赛车场的孩子一九四二年夏末被押解到这里，没有父母陪伴，满身臭气，身染疾病，饿得面黄肌瘦。莎拉会不会和他们在一起呢？她是不是满怀孤独与恐惧，挤在满是陌生人的运牲畜的车厢里，从德朗西被运往奥斯威辛呢？

班贝尔站在我们的办公室前等我。把照相器材放进后备厢后，又高又瘦的他弯腰坐在了副驾驶位置上。我看得出，他有些担心。他把手轻轻放在我的前臂上。

“嘿，朱莉娅，你还好吧？”

我戴了墨镜，但估计起不了多大作用，昨夜糟糕的睡眠状况都写在了脸上。我和伯特兰一直谈到凌晨，后来他越来越强硬。不，他不想要这个孩子。在他看来，现在他还不是孩子，甚至不能算是人，它只是一小粒种子，没什么大不了的，他不想要。他不知道该如何应付，这个任务对他来说太艰巨了。他的嗓子沙哑了，显得苍老了许多，我大为吃惊。我那逍遥自在、踌躇满志、桀骜不驯的丈夫哪儿去了？我难以置信地看着他。如果我不顾他的意愿坚持要生这个孩子，他沙哑的声音说道，那我们就走到了尽头。什么尽头？我震惊地盯着他。我们的婚姻，他那陌生、沙哑的嗓音可怕地回答道。我们婚姻的尽头！当时我们面对面坐在厨房里的餐桌旁，我们沉默了。我问过他为什么生个孩子会把他吓成这样。他的头扭向了一边，叹了一口气，揉揉眼睛说他老了。他都快五十岁了，本来就够累的了，每天要跟那些豺狼般的年轻人在职场上竞争。看看他的相貌吧，日渐苍老。他花了好长一段时间才敢坦然面对镜子里自己的那张老脸。以前我从没和伯特兰谈过这个话题，我不知道他是如此害怕变老。“这个孩子二十岁时我都七十岁了，我不想那样。”他念叨了一遍又一遍，“我不能。我不想。朱莉娅，你听清楚了，如果你生下这个孩子，会要了我的命。你听见了吗？会要了我的命的。”

我深吸了一口气，我能告诉班贝尔什么呢？从哪里说起呢？他那么年轻，跟我们有太多的不同，能理解什么呢？然而，我很感激他的同情，他的关心。我挺了挺胸。

“嗯，在你面前我也不想掩饰什么，班贝尔。”我说。我没有看他，而是使出全身力气紧握方向盘。“昨天晚上简直是场噩梦。”

“你丈夫？”他试探性地问道。

“是的，我丈夫。”我不无嘲弄地说。

他点点头。过了一会儿他扭过头来。

“如果你想找人说说你的烦恼，朱莉娅，我就在这儿，”他说，“我们绝不屈服。”他的语气和丘吉尔一样低沉、有力。

我不由得笑了。

“谢谢你，班贝尔。你真棒。”

他咧嘴一笑。

“嗯，你的德朗西之行怎么样？”

我叹了一声。

“哦，天哪，太难过了。那是我见过的最让人难过的地方。那儿的营房里居然住着人，你能相信吗？我是和一个朋友去的，他的家人就是在那里被移送的。相信我，如果你去德朗西拍照片，你肯定高兴不起来，那儿的情形比奈拉顿大街要糟糕十倍。”

我沿着 A6 高速驱车出了巴黎。谢天谢地，这时候高速公路上的人还不是很多。一路上我们沉默着。我觉得我得尽快找个人倾吐我的烦恼，关于这个孩子的事，我没法自己一个人一直扛下去。找查拉！现在打电话给她太早了。作为一名成功律师，她每天很忙碌，但现在纽约还没到六点钟呢，她还没上班。她有两个小孩，长得跟她的前夫本一模一样。她现在的丈夫巴瑞很帅气，从事电脑行业，但我还不是很了解他。

我非常想听到查拉的声音。一听到是我，她在电话里的声音就会变得柔柔的，暖暖的。查拉和伯特兰一直处得不好。他们多多少少是在容忍对方，从一开始就如此。我知道伯特兰对她的印象：漂亮、聪明、傲气，女权思想重。而查拉呢，认为他有大男子主义，帅气、高傲。我想念查拉，想念她的精神头儿，她的笑，她的诚实。当年我离开波士顿来巴黎时她还是个小姑娘，刚开始时我并不是很想念她，她只是我的小妹妹。现在我想念她，发疯般地想念她。

"嗯，"班贝尔轻轻地说，"我们该在刚才那个出口出去吧？"

没错。

"该死！"我说。

"没关系，"班贝尔查看了一下地图说，"下一个也行。"

"对不起。"我咕哝道，"我太累了。"

他理解地笑了笑，然后又闭上了嘴。我喜欢班贝尔这一点。

伯恩-拉-罗兰德镇越来越近。它被包围在大片的麦田中央，显得死气沉沉。我们把车停在了镇中心——靠近教堂和镇政府旁边。我们在镇上转了一圈，班贝尔不时拍一两张照片。我发现镇上的人很少。这个地方有些荒凉，令人伤感。

我看过资料，集中营坐落在小镇的东北角，六十年代，人们在其原址上建了一所技术学校。火车站与当时的营地正好在小镇的两个相反方向，中间相距好几英里，也就是说被移送的家庭必须步行经过小镇中心。我对班贝尔说，这里肯定有人还记得当时的情形，肯定有人见过那样的大队人马拖着沉重的步子从他们窗前或门阶前走过。

火车站已经停用了，被改建成了日间托儿所。我透过窗户看见里面有色彩缤纷的图画和各种绒布动物，心里想，这也真够讽刺的！大楼右面，一群小孩正在一块用篱笆围起来的空地上玩。

一位二十七八岁的妇女走了出来，怀里抱着一个小孩，问有什么需要帮忙的。我告诉她我是一名记者，正在搜集有关四十年代这儿的战俘收容所的材料。她说从没听说这儿有过那样的收容所。我指了指钉在日托所大门上的铭牌。

> 纪念那些在一九四一年五月至一九四三年八月间经伯恩-拉-罗兰德镇火车站和战俘营中转至奥斯威辛死亡营并最终死难的成千上万的犹太儿童、妇女和男人。永远铭记。

她耸耸肩，歉意地笑了笑。她不知道这件事，她毕竟太年轻了。在她出生之前，这次事件早就发生了。我问她有没有人来这个昔日的火车站看这个铭牌。她告诉我，从她去年来这儿开始工作以来，没看见有什么人来过。

我绕着这幢白色的低矮建筑走了一圈，班贝尔咔嚓咔嚓拍了些照片。小镇的名字用黑色字母雕刻在车站的两旁。我的视线越过栅栏往里看。

老旧的铁路两旁杂草丛生，老式的枕木和锈迹斑斑的钢轨隐约可见，但形状基本完好。经由这条现已废弃的铁路，数列火车曾径直开往奥斯威辛。我凝视着那些朽木，突然感到心里阵阵发紧，呼吸也变得困难起来。

一九四二年八月五日，第十五次列车呼啸着将莎拉的父母送往了死亡终点。

当晚莎拉睡得很不好，在睡梦中不断听到蕾切尔的尖叫声，一遍又一遍。蕾切尔现在在哪儿呢？她还好吗？有人照顾她，帮助她康复吗？那些犹太家庭被带到哪里去了？她的父母又在哪儿呢？还有伯恩-拉-罗兰德战俘营里的那些孩子们，他们又被送到哪里去了？

莎拉仰面躺在床上，老房子里一片寂静。她有太多太多的问题，却没有答案。以前，她所有的问题都有父亲回答。为什么天空是蓝的，云是怎么形成的，小孩子是怎么来到这个世界的。为什么大海有潮汐，花儿是怎样生长的，人们为什么会相爱。父亲总会耐心、平和地用简单明了的词语回答，同时还辅以手势。他从没对她说他很忙，没时间回答她的问题。他喜欢她没完没了地问问题，还常说她是一个非常聪明的小女孩。

但是她回想起，最近父亲回答她的问题时跟以前不大一样了。她问了为什么他们要戴黄色星星，为什么他们不能去电影院和公共游泳池，为什么要实行宵禁。她还问起了德国的那个人，听到那人的名字她都会发抖。没有，他没有认真回答她的问题。他含糊其辞，要不就敷衍几句了事。后来，就在那些人来抓他们的那个黑色星期四之前，她再次——第二或第三次——问他，到底犹太人哪一点招别人恨了，肯定不会是因为犹太人跟他们“不同”。他把头扭向一边，假装没听见，但莎拉知道父亲听见了。

她不愿意再想父亲了，一想起来她就痛苦不堪。她甚至不记得最后一次见他是什么时候了。那还是在牢营里……但具体是什么时间，她不知道。和母亲倒是有过最后的分别，她和其他的泪水涟涟的妇女踏上那条通往火车站的长长的土路时回头看着她，她苍白的脸庞，空洞的蓝眼睛，鬼魅似的惨笑，照片似的印在了莎拉的脑海中。

而父亲离开时却未能和她见上一面，所以她脑海里没有父亲的最近形象供她想念，她也无法想象他最近的样子。她只好努力回忆，回忆他瘦削、黝黑的脸庞，忧郁、沧桑的眼神以及黑脸庞上白白的牙齿。她经常听人们说她长得像妈妈，迈克也如此。姐弟俩有母亲那种斯拉夫人的白皙脸蛋，高挺、宽阔的颧骨和有点斜的眼睛。她父亲以前经常抱怨，说没有一个孩子长得像他。她下意识地不让自己想起父亲的笑容。父亲的笑容让她感到太痛苦，太沉重。

明天她得去巴黎了，她要赶回家，去看看迈克到底怎么样了。或许他跟她一样安然无恙，或许有慷慨的好心人打开了壁橱的门把他放出来了。但谁会呢？她心想。谁会帮助他呢？她从不相信门房罗耶太太会。她眼神里透着狡黠，一副皮笑肉不笑的样子。不，她不会。那位好心的小提琴老师倒有可能。那个黑色星期四的早晨，他大声喝问：“你们要把他们带到哪儿去？他们很诚实，是好人！你们不能这样做！”是的，或许迈克被他救了出来，或许迈克现在正好端端地待在他家里，那个老师正在用自己的小提琴为他演奏波兰乐曲。迈克在呵呵大笑，脸颊通红，拍着手一圈又一圈地蹦着，跳着。或许迈克在等她，或许他每天早晨都对那个小提琴老师说：

“瑟卡今天会来吗？她什么时候来？她说过会回来找我的，她答应过的！”

第二天拂晓，她在雄鸡的啼鸣声中醒来，发现枕头已被她的泪水湿透了。她赶紧起床，快速地把吉纳维芙放在她旁边的衣服往身上套。衣服很干净，很结实，是旧式的男孩子衣服。她心想，这是谁的衣服呀？会不会是那位煞有介事地在所有的书上都写上自己名字的尼古拉斯·杜弗尔的？她把钥匙和钱放进了衣服兜里。

下了楼，凉爽、宽大的厨房里没有人。时间还早。猫蜷缩在一张椅子上继续睡觉。女孩拿了一条软软的面包吃，喝了一些牛奶。她不停地把手伸进口袋去摸那一沓钱和那把钥匙，生怕弄丢了。

这天早晨很热，天色有些灰暗。她知道，晚上会有暴风雨。以前那些令人恐惧的狂风暴雨把迈克吓得不轻。她不知道如何去火车站。奥尔良远吗？她不知道。她该怎么办？怎样才能找到回家的路？“我已经走了这么远了，”她不停地说，“我已经走了这么远了，所以现在我不能放弃，会找到路的，会有办法的。”她不能不辞而别，得跟朱尔斯和吉纳维芙夫妇道个别。于是她站在门阶上等待，一边丢些面包屑给母鸡和小鸡仔吃。

半个小时后，吉纳维芙从楼上下来了。她的脸上仍带有几分昨晚危机的痕迹。几分钟后，朱尔斯也下来了，他深情地在莎拉的平头上吻了一下。女孩看着他们准备早饭，两人的动作虽缓慢，却很细致。她已经喜欢上了这两位老人，她心想，甚至不仅仅是喜欢。她该怎么跟他们说她今天要走呢？他们会伤心的，她很肯定。但她别无选择，她必须回巴黎去。

后来她开口说出来时，他们已经吃完了早饭，正在收拾餐桌。

“哦，你不能那样做，”老太太张口结舌，手中正在擦拭的杯子差点滑落到地上，“路上到处有人巡逻，火车站有人盘查，而你甚至连身份证都没有。你会被拦住并送回营地的。”

“但我有钱。”莎拉说。

“但钱阻止不了德国人……”

朱尔斯扬手打断了妻子的话。他努力劝莎拉再多待些时候。他语气平和而坚定，跟她父亲以前一样，她心想。她听着，心不在焉地点着头。但她得让他们明白。她怎样才能向他们解释清楚她赶回家的急迫性呢？她怎样才能做到朱尔斯那样的平和与坚定呢？

她说出的话跟连珠炮似的，快速但含混不清。她不想装大人了，急得直跺脚。

“如果你们阻拦我，”她威胁道，“如果你们阻拦我，我就逃走。”

她站起来朝门口走去。他们没有动，只是呆呆地看着她。

“等等！”朱尔斯最后说，“再等一分钟。”

“不，我不等了。我这就去火车站。”莎拉握着门把手说。

“你连火车站在哪儿都不知道。”朱尔斯说。

“我会找到的。我会找到回家的路的。”

她打开了门。

“再见，”她对老两口说，“再见。谢谢你们。”

她转身走向大门。这很简单，很容易嘛。但当她走过大门，弯腰抚摩狗的头时，她突然意识到自己做出的是一个什么样的决定。她现在孤身一人，无依无靠了。她想起了蕾切尔刺耳的尖叫声，响亮的队列行进的脚步声和陆军中尉那令人不寒而栗的大笑声。她泄气了。她不情愿地回头看了看身后的老房子。

朱尔斯和吉纳维芙夫妇仍一动不动，只是透过窗玻璃注视着她。后来，两人几乎在同一瞬间有了动作。朱尔斯抓起他的帽子，吉纳维芙抓起她的钱包。两人快步走出来，然后锁上了前门。他们追上莎拉时，朱尔斯的一只手抚在了她的肩膀上。

“请不要阻拦我。”莎拉咕哝道，脸蛋变得红红的。老两口跟了出来，这让她既开心又有些恼火。

“阻拦你？”朱尔斯笑道，“我们不是来阻拦你的，倔犟的傻孩子，我们跟你一起去。”

烈日当空，我们向墓地走去。我突然感到一阵恶心，不得不停下来喘喘气。班贝尔有些担忧。我告诉他不用担心，只是没睡好而已。他再次表现出了怀疑，但还是没发表任何意见。

墓地很小，我们四处看了很长时间也没什么发现。我们正打算放弃，班贝尔发现其中一座坟墓上有些鹅卵石——犹太人的传统。我们走近了些。一块平整的白色石碑上写着：

> 一些被法国移送出境的犹太生还者获释十年后立下此碑，以永久纪念那些在希特勒野蛮行径中失去生命的犹太烈士及其他死难者。1941.5—1951.5

“希特勒的野蛮行径！”班贝尔冷冷地说道，“似乎法国跟这起事件一点关系也没有。”

石碑的一侧有一些名字和日期。我凑上前去看个仔细，是一些一九四二年七八月死在营地里的年仅两三岁的孩子的名字，他们来自第十五区冬季赛车场。

一直以来，我心里都痛苦地明白，所有我所读到的东西都是真实的。然而那一天，春季里炎热的一天，我站在那里，看着那座坟墓，我的心被深深刺痛，被整个事件的真相刺痛。我知道我再也无法停止对这一事件的探究，再也无法安宁，直至彻底查清莎拉·斯达任斯基的最终命运以及泰泽克一家知道但不愿告诉我的隐情。

在返回镇中心的路上，我们看见一位老人提着一篮蔬菜踯躅而行。他圆圆的脸红红的，满头银发，肯定有八十多岁了。我问他是否知道以前关押犹太人的营地的位置，他不大相信地看着我们。

“那个战俘营？”他问道，“你们想知道那个营地在哪儿？”

我们点点头。

“从来没有人问起过那个营地。”他嘟哝道，一边扒拉着篮子里的韭葱，借以躲开我们的视线。

“您知道它当时在哪个位置吗？”我继续问道。他咳嗽了两声。

“我当然知道。我在这儿住了一辈子。小时候我不知道那个营地是用来做什么的。人们不谈论它，我们就当它不存在。我们知道它跟犹太人有关，但从来都不问。我们也很害怕，所以就只关心自己的事情。”

“关于那个营地您还记得什么具体的事情吗？”我问。

“在我大约十五岁的时候，”他说，“我记得那是一九四二年的夏天，一大群一大群的犹太人从火车站方向走来，就沿着这条街往前走。”他弯曲的手指指着我们脚下的路，“拉盖尔大街。一大片一大片的犹太人。有一天，我们听到了很大的嘈杂声，让人很难受的嘈杂声。我们家离营地比较远，但我们听见了里面传出来的喧闹声。那声音响彻全镇，持续了一整天。我听见了我父母和邻居的谈话，他们说营地里的母亲和孩子被拆散了。为什么？我们不知道。我看到一群犹太妇女向火车站走去。不，她们不是自己走，是被警察推搡着往前走，一路跌跌撞撞，痛哭流涕。”

他扭头看着那条街，沉浸在自己的回忆当中。过了一会儿，他弯腰提起了篮子，嘴里嘟囔着：

“某一天，营地里一下子人去楼空。我以为犹太人已经走了，去了哪里我不知道。我不再想它了，人人如此，我们不再谈论它了。我们不想把它留在记忆中。这儿的一些人甚至都不知道这些情况。”

他转身走开了。我把他的话快速记了下来，这时胃里又一阵翻腾，但我不知道这一次是妊娠反应，还是我在那位老人眼里看到的冷漠和藐视所引起的反应。

我们沿着从马尔什广场延伸出去的罗兰德大街一直往前开，最后把车停在了那所技术学校前面。班贝尔告诉我，那条路叫做“被移送者路”。我心里很感激给它取了这样一个名字的人。如果把它叫做“共和路”，我会受不了的。

技术学校里的建筑很现代，但给人一种阴沉的感觉。一座旧水塔赫然耸立在它的正中央。很难想象，在这厚厚的水泥地面和众多停车位的下面曾是战俘营。学校的门口站着一圈学生在吸烟，现在是他们的午休时间。学校的前面是一块凌乱的草地，草地上有一些奇怪的弧形雕塑，雕塑上深嵌着一些人体。其中一个雕塑上有这样的文字：他们必须彼此关爱，团结互助。其他什么也没有。班贝尔和我你看我我看你，迷惑不解。

我问其中一位学生，这些雕塑是否跟那个营地有关。“什么营地？”他问道。他的一个同伴在窃窃嗤笑。我大致讲了一下那个营地的用途，他才稍稍严肃了一点。此时，另一位女学生说附近有一块碑，朝村庄的方向往回走一点就可以看到。我们开车来的时候没有注意。我问女孩是否是一块纪念碑，她说应该是的。

那块碑用黑色大理石做成，文字表面的烫金已经褪掉了不少，是一九六五年由伯恩-拉-罗兰德镇镇长竖立的。它的顶端刻有一颗金色的大卫王之星，碑面上是人的名字，一长串一长串的名字。我在上面找到了两个熟悉但令我心痛的名字：瓦拉迪斯罗·斯达任斯基，洛卡·斯达任斯基。

在大理石纪念碑的底座上，我发现了一个小小的方匣子，上面写着：这里存放着我们奥斯威辛集中营死难者们的骨灰。往上一点点，在一列列名字的下面，还有一行文字：纪念那些被从父母身边拖开，后来被关押在伯恩-拉-罗兰德和皮蒂维耶集中营，最后被移送至奥斯威辛并被屠杀的三千五百名犹太儿童。接着，班贝尔用他英国人的优雅口音大声读道："遭纳粹迫害致死的人们，葬于伯恩-拉-罗兰德墓地。"再往下，是刻在公墓墓碑上的那些名字——死在此营地里的第十五区冬季赛车场的儿童的名字。

"又一批被纳粹迫害死的无辜者，"班贝尔嘀咕道，"我觉得这是人们患有健忘症的很好证明。"

我和他站在那里，默默地看着。班贝尔拍了一些照片，但现在已经把相机放回了相机套里。这儿的营房里和铁丝网之内的事务当时是法国警察负责的，但是，黑色大理石纪念碑上面并没有提及。

我站在透着邪恶的暗色尖顶的教堂右边，回头朝村庄望去。

莎拉·斯达任斯基曾拖着两条沉重的腿从这条路走来，经过我现在站的位置旁边，向左拐进入那个营地。几天后她的父母又走了出来，被带往火车站，走向死亡。孩子们被孤零零地留在营地里好几个星期，然后被送往德朗西，再坐很长时间的火车去波兰，最后孤独地死在异国他乡。

莎拉怎么样了呢？她死在这儿了吗？墓地里和纪念碑上都没有她的名字。她会不会逃走了？我的视线越过矗立在村庄边上的水塔，一直向北望去。她还活着吗？

手机响了，我和班贝尔被吓了一大跳。是我妹妹查拉打来的。

“你还好吗？”她问道，声音出奇地清晰，仿佛她就在我旁边，而不是在几千英里之外的大西洋彼岸，“我觉得该给你打个电话了。”

我的思绪脱离了莎拉·斯达任斯基，转到了我怀的这个孩子身上，转到了伯特兰昨晚说的“尽头”上。

现实生活的沉重再次包裹了我。

奥尔良火车站人声鼎沸，繁忙异常，密密麻麻的人群中到处都是灰色的军警制服。莎拉紧紧跟在老夫妇的身边。她不想显露出内心的胆怯。她历尽千辛万苦来到了这里，那就意味着有希望回到巴黎。她必须勇敢，必须坚强。

在排队买去巴黎的火车票时，朱尔斯低声对她说："如果有人问，你就说是我们的孙女斯蒂芬妮·杜弗尔。把你的头发剃掉是因为在学校染上了虱子。"

吉纳维芙为莎拉理了理衣领。

"好啦，"她微笑着说，"你的衣服很干净，打扮得体，人长得也漂亮，真的像我们的孙女！"

"你们真有一个孙女吗？"莎拉问，"这些是她的衣服吗？"

吉纳维芙呵呵大笑。

"我们只有两个顽皮的孙子，名叫加斯帕德和尼古拉斯，还有一个儿子叫艾伦，现在四十多岁了，和他妻子亨丽塔住在奥尔良。这些是尼古拉斯的衣服，他比你大一点点，非常淘气！"

莎拉非常羡慕老夫妇俩的镇定自若，他们微笑着看着她，感觉这只是一个再平常不过的早晨，这只是再平常不过的巴黎之行。但她注意到他们的眼睛时不时快速地左右察看，身体在不停地转动，丝毫没放松警惕。看到士兵在检查所有上火车的乘客的证件，她更加紧张了。她伸长脖子观察他们。德国人？不，是法国人，法国士兵。她身上没有什么会暴露身份的东西，除了那把钥匙和那沓钱之外什么也没有。她悄悄地把那卷钞票塞给了朱尔斯。朱尔斯吃了一惊，低下头看她。她冲拦在上车通道前的士兵扬了扬下巴。

“莎拉，你把钱给我干什么？”他困惑不解地低声问道。

“他们会让你出示我的身份证，我没有，这钱或许能帮上忙。”

朱尔斯看了看站在火车前面的一排士兵，显得有些慌张。吉纳维芙用胳膊碰了他一下。

“朱尔斯！”她轻声提醒，“很可能行得通。别无选择了，我们得试试。”

老头直起了腰，朝妻子点点头，似乎恢复了镇定。票买到了，三人向火车走去。

站台上挤满了人，他们的前后左右都挤着乘客——抱着哇哇直哭的孩子的妇女，一脸木然的老人，西装笔挺的不耐烦的商人。莎拉知道自己该怎么做。她想起了从赛车场逃出去的那个男孩，他从混乱的人群中溜了出去。她现在就要那样做，要充分利用人们的拥挤、推搡和争吵，利用士兵们在声嘶力竭地维持秩序和黑压压的人群。

她松开朱尔斯的手，一猫腰钻入了人群。她觉得自己像是在水下潜行，身边是裙子、裤子、鞋子和脚踝的海洋。她用拳头为自己开道，使劲往前钻。不一会儿，火车出现在了她的眼前。

她爬上火车时，一只手抓住了她的肩膀。她当即稳住心神，嘴角一咧，变出了一张轻松的笑脸，一个普通小女孩的笑脸。她是一个乘火车去巴黎的普通小女孩，就像她在被带往营地的途中看到的站台上那个穿紫色连衣裙的小女孩。那一天仿佛已经过去了很久很久。

“我是跟奶奶一起的。”她指着车厢里说，脸上绽开的是天真的笑容。士兵点点头让她进去了。她气都没敢喘，一边慢慢挤上了火车，一边用眼角偷偷向窗外看。她的心怦怦直跳。朱尔斯和吉纳维芙出现在人群中，他们惊奇地抬头看着她。她得意地向他们挥手，她感到很自豪，她凭借自己的机智和勇敢登上了火车，士兵们没有拦她。

她的笑容消失了，她看到许多德国军官上了火车。经过拥挤的过道时，军官们旁若无人地大声交谈着，显得蛮横残暴。人们不敢看他们，纷纷低下头，尽可能地使自己显得藐小。

莎拉站在车厢的角落里，被朱尔斯和吉纳维芙挡在身后，只有脸露在老夫妇俩的肩膀上。她看着德国人渐渐走近，呆呆地无法移开视线。朱尔斯悄声叫她看别处，但她做不到。

其中有一个军官让她感到特别厌恶。那人高高瘦瘦的，面容白皙且棱角分明，眼睑粉红，眼睛呈透明的淡蓝色。军官们从他们身边经过时，那个人伸出缠着灰色绷带的长长的手臂揪住了莎拉的耳朵，莎拉吓得浑身哆嗦。

“好样的，小子，”那个军官呵呵笑道，“没必要怕我。以后你也会成为一个军人，对吧？”

朱尔斯和吉纳维芙的脸上挤出了僵硬的笑容。他们假装漫不经心地把莎拉搂进怀里，但莎拉感觉到他们的手在发抖。

“你们的孙子长得真好看。”那个军官咧嘴一笑，他的一只大手抚摩着莎拉的平头，“蓝眼睛，金色头发，就像我们老家的小孩，对吧？”

他那双厚眼睑的淡色眼睛看了莎拉最后一眼，然后转身跟那群军官走了。他以为我是男孩，莎拉心想，而且并不以为我是犹太人。

犹太人一眼就能被认出来吗？她不清楚。她曾问过艾美尔，艾美尔说她不像犹太人，因为她长着金色头发，蓝色眼睛。那么，今天是我的头发和眼睛救了我，她心想。

旅途中的多半时间她都依偎在老夫妇身旁，感受着温暖与柔软。没人和他们说话，也没有人问他们什么。她望着窗外，感到自己在一分钟一分钟地靠近巴黎，靠近迈克。她看着黑压压的云凝成团，豆大的雨点砸在车窗上，渐渐地形成细流，随后又被风吹成片状。

火车在奥斯德立兹站停住了。她和父母就是在天气炎热，尘土飞扬的那一天从这个车站被带走的。女孩跟着老夫妇下了火车，沿着站台直奔地铁站。

朱尔斯的脚步迟疑了。他们抬头一看，在正前方，一排排身着藏青色制服的警察在检查过往乘客的身份证。吉纳维芙没说什么，只轻轻地推着两人往前走。她的步伐很坚定，圆圆的下巴微微上扬着。朱尔斯紧紧抓着莎拉的手跟在后面。

排队等候时，莎拉观察着那些警察的脸。其中一个手上戴着硕大黄金婚戒的四十多岁的警察看似无精打采，但莎拉留意到他的眼睛在他手上的证件和他面前的乘客间快速地来回扫视。他的工作一丝不苟。

莎拉的大脑里一片空白。她不愿想象接下来会发生什么。她还不够坚强，不敢去想象。她任自己的思绪随意游走。她想起了以前养的那只猫，那只让她打喷嚏的猫。猫的名字叫什么她不记得了，好像叫“糖果”或“点心”之类的难听名字。他们把它送人了，因为猫让她的鼻子发痒，眼睛红肿。她一直为此感到难过，迈克则哭了整整一天。他说那都是她的错。

那个警察伸出了肥硕的手掌，朱尔斯把装着身份证的信封递给了他。警察低下头，翻看信封里的证件。他猛地抬起头，犀利的目光直射朱尔斯，然后又射向吉纳维芙，问道：

“孩子的呢？”

朱尔斯指了指装证件的信封。

“也在里面，长官，和我们的放在一起。”

那人熟练地用大拇指把信封捻开。信封底部有摞成三沓的一大沓钞票。那个警察并没做出什么动作。

他又看了那沓钱一眼，然后看着莎拉的脸。莎拉也看着他。她没有畏缩，也没恳求。她只看着那个警察。

那一刻，时间几近停滞，漫无尽头，莎拉想起了上次那个警察放她们出牢营的那漫长的一刻。

警察简略地点点头，把证件还给朱尔斯的同时顺手把信封塞进了衣服口袋。他站到一边，放他们通过。

“谢谢合作，先生。”他说，“下一位。”

查拉的声音在我耳边回响。

“朱莉娅，你说的是真的吗？他不能那样说话，不能把你陷于那种情形之中，他无权那样做。”

这是一位律师的声音，一位坚韧、激进的曼哈顿律师，她不惧怕任何事，任何人。

“他真那样说了。”我的情绪非常低落，“他说我们将要走到头了。如果我坚持要这个孩子，他就会离开。他觉得自己老了，应付不了这个孩子。他不想做高龄爸爸。”

一阵沉默。

“这事与那个第三者有关系吗？”查拉问道，“我记不起那个女人的姓名了。”

“没有。伯特兰一次也没提到她。”

“朱莉娅，不要屈服于他的压力。亲爱的，别忘了这也是你的孩子。”

妹妹的话在我脑子里响了整整一天。“这也是你的孩子。”我跟我的医生说起过此事，她对伯特兰的决定并不吃惊。她说伯特兰可能正在经历中年危机，再抚养一个孩子的负担对他来说可能过重了。此时他比较脆弱，这在五十岁左右的男人中较为常见。

伯特兰真的在经历中年危机吗？如果是真的，我怎么没有发现？它是何时来临的？这怎么可能呢？我认为他是自私，只为他自己着想，他一直都是这个样子。在那天晚上的谈话中我跟他说过这些，我把心里的想法都说了出来。我经历了那几次痛苦的流产，经历了那种疼痛，承受过希望的破灭，有过绝望的感受，他怎么还强迫我去做人流手术呢？他还爱我吗？我近乎绝望地问他。他真的爱我吗？他看着我，不住地点头。他说我怎么那么傻，他当然爱我。他爱我。我的耳边再次响起他破锣般的声音，流露出了他对衰老的惧怕。中年危机的表现，也许医生说得对。我之所以没有觉察，或许是因为过去的几个月里我心头积压了太多事情。我感到茫然无措，不知该如何对待伯特兰和他的焦虑。

医生告诉我得尽快作决定，我已经怀孕六个星期了，如果要做人流，就得在接下来的两个星期之内做。手术前还得做一系列的身体检查，还要找一家诊所。她建议我和伯特兰去找一个婚姻咨询师好好谈谈，必须好好谈谈，把心里的一切都说出来。“如果你违背自己的本意而流产，”我的医生指出，“那你将永远无法原谅他。而如果你不原谅他，他会坦诚地告诉你他难以忍受那样的生活。这些都需要解决，越快越好。”

她说得对，但是我无法让自己加快速度。每拖延一分钟，我就为腹中的孩子多争取了六十秒的生存时间。我已经爱上了这个孩子，虽然他现在跟一颗豆子差不多大，但我跟爱佐伊一样爱他。

我去了伊莎贝拉家一趟。她家装饰华美，是一套小型复式公寓，在德托尔比亚克街。我不想从办公室直接回家，然后呆呆地等着丈夫回来。我无法面对这种情形。我给临时保姆埃尔莎打了个电话，让她帮忙料理一下家里的晚饭。伊莎贝拉为我做了奶酪面包片，还快速拌了一盘颇为讲究的沙拉。她丈夫出差了。“来吧，烦心女士，”她坐在我对面较远的位置，边抽烟边对我说，“设想一下没有伯特兰的生活吧。想象一下。离婚，律师，种种后遗症。想想对佐伊的影响，想想你们以后的生活会是个什么样子。各自为家，各自生活，佐伊两头跑，一会儿在你这边，一会儿在他那边。那不再是真正的一家人了。不会再在一起吃早餐，一起过圣诞，一起度假了。你能这样吗？这能想象吗？”

我瞪大眼睛看着她。那种生活看似不可思议，好像没法过，在现实生活中却屡屡发生。其实，在佐伊的同学中，父母的婚姻持续了十五年以上的只有她一个人。我对伊莎贝拉说不想继续这个话题了。她给了我一些巧克力奶油慕思，然后我们在 DVD 机上看了《柳媚花娇》。我回到家时，伯特兰正在洗澡，佐伊已进入了梦乡。我钻进被窝，伯特兰去了客厅看电视。等他上床时，我早已睡熟。

今天是“探访玛玫日”。起初我几乎想打电话说不去了，我还是第一次有这样的念头。我感到疲惫不堪，想躺在床上睡一个上午。但是，我知道她会等我，她会穿上紫灰色的长裙，抹上深红色口红，洒上娇兰香水等我。我不能让她失望。上午我到达那里时，发现我公公的银色梅赛德斯车停在疗养院的院子里。我的心情低沉了下去。

他来是想见我，他从来不和我同时去看望他的母亲。我们都有各自的探访时间，罗芮和赛茜尔周末来，科莱特星期一下午来，爱德华排在星期二和星期五，我一般是星期三下午和佐伊一起来，星期四中午自己来。大家一直都遵守着这个安排。

他果然在，正襟危坐地坐在那里听他母亲讲话。她刚刚吃完午餐，这里的午餐出奇的早。突然间我感到很紧张，就像一个做错了事的学生。他找我干什么？如果他想见我干吗不直接打电话？为什么在这里一直等到现在？

我用热情的笑容掩盖了所有的怨气和焦虑，吻了他两边的脸颊，然后坐到玛玫身边，像往常一样拿起她的手放在我的手掌中。我暗暗期盼他离开，他却继续待在那里，脸上一副亲切的表情。我感觉颇不舒服，觉得自己的隐私遭到了侵犯——我对玛玫说的每一个字都被听了去，都受着他的评判。

半个小时后，他站起身，看了看手表，然后突然冲我奇怪地笑笑。

“朱莉娅，我想和你谈谈，可以吗？”他把声音压得很低，不让上了年纪的玛玫听到。我注意到他似乎突然有些紧张，脚在不停地挪动，看我时的神情显得焦躁不安。于是我跟玛玫吻别，跟着他来到他的车前。他示意我上车，然后他坐到了我旁边。他的手指拨弄着车钥匙，但并没有打火。我等待着，他焦躁的手指动作让我感到惊讶。沉默的味道越来越浓，弥漫在整个空间里，压得人喘不过气来。我四下看了看，平整的庭院里，护士用轮椅推着衰弱的老人进进出出。

最后，他终于开了口。

“最近过得好吗？”他问，脸上还是那种挤出来的笑容。

“还好。”我答道，“您呢？”

“我很好。科莱特也好。”

又是一阵沉默。

“昨晚我和佐伊通了电话，当时你不在。”他说，眼睛没看我。

我审视着他的侧面，威严的鼻子，高贵的下巴。

“是吗？”我警惕地问道

“她说你最近在调查……”

他停住了，手中的钥匙拨弄得叮当作响。

“……在调查那套公寓。”他说，现在把目光转向了我。

我点点头。

“是的，我找出了你们搬进去之前的住户。佐伊可能已经告诉你了。”

他叹了口气，下巴往下沉了沉，脖颈上的肉在衣领上压成了几层。

“朱莉娅，我警告过你的，还记得吗？“

我的血液流动速度加快了。

“你说不要问玛玫问题，”我回答道，声音变得生硬起来，“我照做了。”

“那你为什么还要死揪着过去不放？”他问道。他的脸色变得苍白，呼吸也显得很痛苦，好像受了很大的伤害。

谜底终于揭晓了。现在我知道他今天找我谈话的原因了。

“我搞清楚了以前谁住在那里，”我激昂地继续说道，“仅此而已。我有必要知道他们是谁。其他的我还不知道。我不知道你们家和这起事情有什么关系……”

“没关系！”他打断了我，几乎是冲我咆哮，“那家人被抓跟我们没有任何关系。”

我保持着沉默，只是看着他。他浑身发抖，我不知道是因为生气还是因为别的。

“那家人被抓跟我们没有任何关系。”他再次强调，“他们是在冬季赛车场事件中被带走的。我们绝对没有告发他们，也没做过其他类似的事情，听清楚了吗？”

我看着他，心里感到无比震惊。

“爱德华，我从来没有那样想过。从来没有！”

他哆嗦的手指摁着眉头，试图让自己平静下来。

“朱莉娅，你一直问这问那，你一直很好奇。我来告诉你事情的来龙去脉吧。听仔细了。我们当时住在蒂雷纳街，离圣通日街很近。那幢公寓楼的门房罗耶太太跟我们的门房关系很好，罗耶太太又很喜欢玛玫，因为玛玫对她很好。她第一时间告诉我父母有套公寓空出来了，租金也划算，很便宜。那套公寓比我们在蒂雷纳街的房子大。事实就是这样的。我们就搬进去了。这就是事情的全部经过。”

我继续目不转睛地看着他，而他仍旧不住地颤抖。我从未见过他如此心烦意乱，如此不知所措。我试探性地碰了碰他的衣袖。

“你还好吧，爱德华？”我感到他的身体在摇晃。我怀疑他是否病了。

“我很好。”他回答道，但声音嘶哑。我不明白他为何如此激动，脸色为何如此惨白。

“此事玛玫已经忘了。”他继续说道，但声音放低了，“没有人知道，懂吗？一定不能让玛玫知道，永远不能让她知道。”

我迷惑不解。

“知道什么？”我问，“你在说什么呀，爱德华？”

“朱莉娅，”他说，他的眼睛直直地看着我的双眼，“你知道那家人是谁，你看到过他们的名字。”

“我不明白你的意思。”我轻声说道。

“你看到他们的名字了，是不是？”他咆哮道，我差点被吓得跳了起来，“你知道了事情的真相，是不是？”

我肯定显得很茫然，因为他叹了一口气，把脸埋在了他的手掌中。

我坐在那里，哑口无言。他究竟在说什么？没人知道的事情指的是什么？

“那个女孩，”最后，他抬起了头，声音低得我几乎都听不见了，“关于那个女孩你有什么发现？”

“你指什么？”我茫然地问道。

他的声音和眼神中的某种东西让我害怕。

“那个女孩，”他重复道，声音模糊、异样，“她回来过。在我们搬进去的几星期后，她回到了圣通日街。当时我十二岁，我永远无法忘记。我永远也忘不了莎拉·斯达任斯基。”

令我惊恐的是，他的脸猛地扭曲了，眼泪开始顺着脸颊往下流。我无话可说，只好静静地等待，静静地听着。面前这位已不再是我那傲慢的公公大人。

他变了一个人，变成了一个多年来一直背负着一个秘密的人。他背负了整整六十年。

到圣通日街坐地铁只有两三站路，中间在巴士底换一次车，一路还算快捷。转入布列塔尼街后，莎拉的心跳加速了，她快到家了，再过几分钟她就到家了。或许她不在的期间父母已经回到了家中，已经在等她了，和迈克一起在他们的公寓里等她回来。她那样想是不是疯了？是不是有些癫狂？难道她不能心存希望，不允许吗？她才十岁，她的心中充满希望，她愿意相信。她坚强的信念超越了任何事物，超越了生活本身。

她拖着朱尔斯的手，催促他加快脚步。她觉得心中的希望越来越强烈，像野生植物一样疯长，再也不受她控制。此时，她的意识中有一个安静、低沉的声音对她说，莎拉，不要抱希望，信念不要太强，要有心理准备；试着想想没有人在等你，爸爸妈妈不在家，公寓里到处是厚厚的灰尘，迈克也……迈克……

二十六号门牌号出现在了他们面前。她发觉街上没有任何改变，仍旧那么平静，那么狭窄，就是她所熟知的那个样子。她心想，为什么街道和建筑都一如原样，而一些人的命运却发生了翻天覆地的变化？

朱尔斯推开了沉重的大门。庭院还跟以前一模一样，绿荫如盖，空气中湿湿的，有股发霉的尘土味。他们穿过庭院时，门房罗耶太太打开了她小屋的门，从里面探出个脑袋。莎拉松开朱尔斯的手冲入了楼梯间。现在得赶紧，她的动作得快点，至少已经回到家了，得抓紧时间。

她上气不接下气地跑上一楼时，听到了门房在问："请问找谁？"

朱尔斯的声音传了上来。"我们找斯达任斯基家。"

莎拉听到了罗耶太太的呵呵笑声，让人不舒服的刺耳的笑声。"没了，先生！消失了！你们在这里是肯定找不到他们了。"

莎拉已经到了二楼的楼梯平台。她透过窗户往下看，罗耶太太站在院子里，身上系着脏兮兮的围裙，小苏姗妮趴在她肩上。没了……消失了……她什么意思？什么消失了？什么时候？

没时间可浪费了，没时间来想这个问题了，女孩心想，再爬两层楼就到家了。她迅速往上爬，但门房尖厉的声音还是传入了她的耳朵。"先生，警察来把他们抓走了，附近的所有犹太人都被抓走了。用大巴运走的。先生，现在这里有很多空房子，你们要租房吗？斯达任斯基家的那套已经租出去了，但我可以帮你们另外再找。二楼就有一套很不错，如果您有兴趣我可以带您去看看。"

莎拉气喘吁吁地爬上了四楼。她已喘不过气来，不得不靠在墙上，用拳头摁在身体的两侧。

她使劲地拍打自家的门，用手掌快速、清脆地拍打。没有回应。她再次敲门，这次用的是拳头，使的劲也更大了。

门后传来了脚步声。门开了，一个十二三岁模样的男孩子出现在门口。

"什么事？"他问。

他是谁？在她家里干什么？

"我来找我弟弟。"她结结巴巴地说，"你是谁？迈克在哪里？"

"你弟弟？"男孩问道，语气很迟疑，"这里没有人叫迈克。"

她把他推到一边。她几乎没留意到门口的墙上已经漆成了新的颜色，还多出了一个书架和红绿色的地毯。惊讶的男孩大声叫喊着，但她没有停止脚步，而是冲过熟悉的过道，左转跑进了她自己的卧室。她没有注意房间里换上了新墙纸、新床、新书籍和一些物品，一些并不属于她的物品。

男孩大声呼喊父亲，隔壁传来一阵忙乱的脚步声。

莎拉一把掏出口袋里的钥匙，用手掌摁了一下墙上的机关，隐藏的锁孔露了出来。

她听到了一阵门铃声。接着，一阵惊慌的说话声渐渐逼近，其中有朱尔斯的声音、吉纳维芙的声音和一个陌生男人的声音。

快点，她得加快动作了。她嘴里一遍遍念着“迈克，迈克，迈克，是我，瑟卡”。她的手指颤抖得非常厉害，钥匙都掉在了地上。

她背后，那个男孩上气不接下气地跑了过来。

“你在干什么？”他气喘吁吁地问，“你在我的房间里干什么？”

莎拉没理他，捡起钥匙往锁眼里插。她太紧张，太心急了，好一会儿才插进去。锁芯里终于咔嗒一声响，她使劲推开了密室门。

一阵腐臭拳头般袭来，她闪到了旁边。她身旁的男孩往后退了几步，他被吓着了。莎拉扑通一声跪在了地上。

一位头发黑白夹杂的高大男子冲进了房间，朱尔斯和吉纳维芙紧随其后。

莎拉说不出话，浑身抖个不停。她用手捂住眼睛和鼻子，不想闻那种气味。

朱尔斯走到她身边，双手揽住了她的肩膀。他往壁橱里望了望，然后把莎拉揽在怀里，想带她离开。

他附在她耳旁轻声说："走吧，莎拉，我们走。"

她使出全身力气挣扎，手抓脚踢，像只疯狂的野兽。她跌跌撞撞地又回到了开着的壁橱门前。

在壁橱深处，她看到一个小小的身躯蜷曲着一动不动。接着，她看到那张可爱的小脸蛋已经发黑了，认不出来了。

她再次跪倒在地，声嘶力竭地哭喊着，喊妈妈，喊爸爸，喊迈克。

爱德华·泰泽克紧紧抓住方向盘，后来，他的指关节都变白了。我看着他，一时不知该说什么好。

“我现在都还能听见她的尖叫声。”他的声音很低，“我忘不了，永远也忘不了。”

爱德华的话让我感到非常震惊。莎拉·斯达任斯基逃出了伯恩–拉–罗兰德集中营，回到了圣通日街，却发现了一个骇人听闻的事实。

我说不出话来，只是看着我的公公，听他用嘶哑、低沉的声音继续讲述。

“那是一个恐怖的时刻。我父亲往壁橱里看了看，我也想看，但被他推开了。我不清楚到底发生了什么，但那种气味……像是什么东西腐烂了的恶臭味。过了一会儿，我父亲慢慢拖出来一具男孩的尸体。他还很小，三四岁的样子。在那之前我从没见过死尸，那是最让我难过的一幕。那个男孩长着卷卷的金发，人已经僵硬了，整个身体蜷曲着，脸俯在两个手掌里，皮肤已经变成了绿色，非常吓人。”

我公公的喉头哽咽，语不成句，我当时都以为他要呕吐了。我轻抚着他的胳膊肘以表示我的同情，向他传递温暖。这种情形让人难以置信——我居然在努力安慰我骄傲的公公。那时他老泪纵横，浑身颤抖，似乎变成了另外一个人。过了一会儿，他用哆嗦的手擦掉眼里的泪水，继续往下讲。

“我们都惊得呆立原地，那个女孩昏了过去，扑通一声摔倒在地。我父亲把她抱了起来，放到了我的床上。她醒过来后看到眼前是我父亲的脸，吓得连连往后退，并开始号啕大哭。后来听了父亲和跟女孩一道来的那对老夫妇的谈话，我才明白，死去的男孩是她的弟弟，我们的新公寓以前是她的家。那个男孩七月十六日——第十五区冬季赛车场圈押事件的当天——藏进了壁橱，女孩本以为能回来放他出来，但她被抓进了巴黎城外的集中营。”

又一次停顿。在我眼里显得无比漫长。

“然后呢？后来怎么样了？”我按捺不住，便开口问道。

“那对老夫妇是奥尔良人。女孩从他们附近的集中营里逃了出来，后来出现在他们家。老两口决定帮帮她，带她回巴黎的家。我父亲告诉他们我们是七月底搬进来的。他根本不知道有那样一个壁橱，而壁橱又位于我的房间里。我们大家都不知道。我只闻到一股很臭的味道，我父亲以为是下水管道出了问题，我们还请了水管工来修理。”

“您父亲是怎样处理那个……那个小男孩的呢？”

“我不知道。我记得他说过他会处理好一切的。他也吓得不轻，心情非常糟糕。很可能是老两口把尸体带走了。说不好，我也不记得了。”

“再后来呢？”我问道。我的呼吸都停止了。

他瞥了我一眼，眼神里不无嘲讽。

“再后来？还能有什么！”他一声苦笑，“朱莉娅，你能想象女孩离开时我们的感受吗？她看我们的那个样子。她恨我们，她诅咒我们。在她眼里我们负有责任，我们是罪犯，而且是最坏的那种。我们住进了她家。我们见死不救。她那种眼神……是那么的怨毒，那么的痛苦，那么的绝望。她只是个十岁的女孩，那双眼睛却完全是一个成年妇人的眼睛。”

我可以想象那样的眼睛，浑身不禁一阵颤抖。

爱德华一边叹息，一边用手掌摩挲着他那苍老的脸庞。

“他们离开后，父亲坐了下来，把头埋在两手之中哭开了，哭了很长一段时间。之前我从来没有见过他哭，之后也没有。他强壮、坚强。他平时教育我说泰泽克家的男人从来不哭，从不表露自己的情感。那一刻太可怕了。他告诉我发生了一件丑恶的事情，一件我和他今生难以忘记的事情。然后他跟我讲了一些以前从未提过的事。他说我已经长大了，该知道了。他说我们搬进那套公寓之前，他没问罗耶太太公寓前主人的情况。他知道是一家犹太人，在大圈押事件中被抓了。但是，他闭上了自己的眼睛，就像很多其他巴黎人在一九四二年那样，闭上了眼睛。圈押事件的当天他也闭上了自己的眼睛。他看见了那些人被押着往前走，被赶上一辆辆大巴，送往上帝才知道的地方。他甚至连那套公寓为什么空出来，里面的财物去哪儿了都没问。他跟其他巴黎人一样，急着搬进一个大一点的、好一点的住处。他对很多事情都视而不见，所以才发生了这样的事情——那个女孩回来了，小男孩死在了壁橱里。我们搬进去之前他可能就已经死了。父亲说我们永远无法忘记，永远。他说得没错，朱莉娅，这件事一直压在我们心中，压了我整整六十年。”

他停了下来，头依然垂在胸前。我试着想象了一下他的感受，那么长时间地背负那个秘密的感受。

我决意逼着他往下讲，把整个故事都讲出来，于是问道：“那么玛玫呢？”

他缓缓地摇摇头。

“那天下午她不在家。我父亲不想让她知道这件事。他感到非常非常内疚，认为这完全是他的错，但显然不是那么回事。玛玫知道这件事后或许会看轻他的为人，这是他无法忍受的。父亲说我已经到了保守秘密的年龄了，让我永远不要把这件事告诉她。当时他看起来非常痛苦，非常难过，于是我便答应了保守秘密。”

“这么说她至今都不知道？”我轻声问道。

他深深地叹了口气。

“朱莉娅，我也不大清楚。她知道圈押事件，我们大家都知道，它就发生在我们眼前。那天晚上她回来后，我和父亲的表现比较古怪，她可能感觉到了有什么事情发生。那天夜里，以及之后的许多夜晚，那个男孩的尸体不断出现在我的梦中。我时常做噩梦，一直做到二十多岁。后来我们搬出了那套公寓，我如释重负。我想我母亲大概知道。我觉得她大概知道我父亲所经受的痛苦，知道他的感受。也许父亲最终还是告诉她了，他一个人扛不过来，只不过我母亲没跟我说起过而已。”

“那么伯特兰呢？您的女儿们呢？还有科莱特呢？”

“他们对此一无所知。”

“为什么？”我问。

他抓住了我的手腕。他的手像冰一样冷，一阵寒意渗入了我的肌肤。

“因为我在父亲弥留之际答应过他，绝不会把这些告诉我的孩子和我的妻子。在他的后半生里，他把愧疚深埋内心，不愿别人分担，不和他人交谈，我很钦佩他这一点，你明白么？”

我点点头。

当然明白。

我有些迟疑地问道：

“爱德华，莎拉后来怎么样了？”

他摇了摇头。

“从一九四二年到父亲临终前，他从来没有提起过她的名字。莎拉成了秘密，成了一个一直萦绕在我脑海中的秘密。父亲可能都没意识到我有多想她，他没有意识到他的缄默对我而言是什么样的痛苦。我很想知道她的近况，她在哪里，命运如何。每次我想问都被他制止了。我不相信他不再关心此事了，已经把这一页翻过去了，莎拉在他眼里已无关紧要了。他似乎想把这件事埋藏起来。”

“对此你有些怨气？”

他点了点头。

“是的，我有怨气。我怨恨过他。他在我眼里的光辉形象受到了永久性的影响。但我不能告诉他，我一直这样。”

我们默默地坐了一会儿。来来往往的护士可能都开始怀疑了，泰泽克先生和他儿媳妇在汽车里坐了那么久，在干什么呢？

“爱德华，想不想知道莎拉·斯达任斯基后来怎么样了？”

他第一次露出了笑脸。

“但我不知道该从哪里着手。”他说。

我也笑了。

“这是我的强项呀，我可以帮你。”

他的脸似乎不那么憔悴，不那么苍白了。他的眼睛突然明亮起来，闪耀着一种新的光芒。

“朱莉娅，还有一件事情。三十年前我父亲去世时，他的律师告诉我他的保险柜里有一些机密文件。”

“你看过吗？”我问，我的脉搏加速了。

他垂下了视线。

“父亲去世后我粗略翻了一下。”

“结果？”我问道，我的呼吸都停住了。

“都是些古董店的单据，比如画啦，家具啦，银器啦，等等。”

“就这些？”

看着我一脸的失望，他笑了笑。

“大概吧。”

“您这话什么意思？”我有些困惑。

“我就看了那么一次，而且速度很快。我还记得自己当时非常愤怒，因为没发现任何有关莎拉的东西。我更加怨恨我父亲了。”

我咬着嘴唇。

“也就是说您不是很确定那里面有没有关于莎拉的东西，对吧？”

“是的，而且我再也没有去查验过。”

“干吗不查验一下？”

他抿起了嘴唇。

“因为我不愿意看到真的什么也没有。”

“但对父亲的怨恨更深了。”

“对。”他承认道。

“也就是说三十年来您一直不确定那里面有些什么。”

“是的。”他说。

我们四目相接，持续了数秒。

他发动了汽车，向着他们存放保险柜的银行——我估计——飞驶而去。我从未见过爱德华把车开得这么快。司机们冲他愤怒地挥舞着拳头，行人们惊恐地往旁边躲闪。疾驰途中我们一句话也没说，但我们的沉默中洋溢着温暖和兴奋。我们俩分享着这种感觉。这是我们第一次一起分享某种东西。我们不时地扭头去看对方，不住地微笑。

但是，等我们在伯世凯大道找到车位停好车冲进银行时，已是他们歇业吃午饭的时间了——又一个典型的让我恼火的法国习惯，尤其是在今天这种情况下。我非常失望，差点哭了起来。

爱德华吻了我两边的脸颊，轻轻地推我离开。

“忙你的去吧，朱莉娅，他们两点开门，到时候我再来。如果有什么发现，我会给你打电话的。”

我沿着伯世凯大道走了一段距离，然后上了一辆九十二路公交车。这路公交车可以把我送到塞纳河边上我的办公室附近。

公交车开动时我回头看了一眼，身穿深绿色外套的爱德华站在银行门前等候，僵直的身影显得有些孤独。

如果保险柜里只是一些名画和瓷器的单据，没有关于莎拉的东西，我不知道他会是什么样的感受。

我的心离开了我的躯体，向他飞去。

“嘉蒙德女士，打定主意了？”我的医生问。她抬头从半月形的眼镜上方看着我。

“没有。”我如实回答，“暂时先替我预约吧。”

她扫视着我的医疗档案。

“乐意为你效劳，但我不清楚你是否真想这么做。”

我的思绪回到了昨天晚上。伯特兰格外温柔、体贴，整个晚上一直把我拥在怀里，一次又一次告诉我他爱我，他需要我，只不过我们都这么大年纪了，还要去抚养一个新生命，他觉得无法面对。他觉得随着年龄的增长，我们会越来越亲近，佐伊渐渐地可以独立了，我们可以经常出去旅游。在他的想象中，等我们变成五旬老人时，我们的生活会如同第二次蜜月。

我一边听着，一边在黑夜中泪流满面。真是莫大的讽刺啊。他所说的一切，所说的每一个字，都是我一直梦想从他口中听到的。他温柔、投入、大度，让我如处梦境。但我腹中的孩子，一个他不想要的孩子，不时地将我拽回现实。这是我再为人母的最后机会。我的大脑中不断响起查拉的话：“这也是你的孩子。”

多年来，我非常渴望再为伯特兰生一个孩子，一为证明自己，二为做一个泰泽克家族认可和赞扬的完美媳妇。但我现在明白了，是我自己想要这个孩子。这是我的孩子，我的最后一个孩子。我渴望把他抱在臂弯里的感觉，渴望闻他芬芳的乳臭味。他是我的孩子。是的，伯特兰是他的父亲，但他是我的孩子，我的骨肉，我的血脉。我渴望把他生下来，渴望那种拼尽全身力气，把他的头部慢慢挤出身体的感觉。虽然分娩时可能疼得让人哭喊，但我渴望感受那种确凿、纯粹的疼痛感。我宁愿为此哭喊，为此承受痛苦，也不愿忍受空虚的痛苦和为贫瘠且伤痕累累的子宫而哭泣。

我离开了医生的办公室，朝圣杰曼大街走去，我和赫维及克里斯托弗约好了在花神咖啡馆喝咖啡。我本不打算透露什么的，但他们一看到我便满眼关切，于是我便和盘托出。跟往常一样，他们的观点相反。赫维认为我应该选择流产，婚姻才是最重要的。克里斯托弗则认为孩子至关重要，我是不可能舍弃这个孩子的，否则会后悔一辈子。

两人的争论越来越激烈，都忘了我的存在，后来竟吵了起来。我受不了了，便紧攥拳头捶打桌子喝止他们，桌上的杯子被震得叮当作响。他们吃惊地看着我，我以前不会这样的。我向他们表示了歉意，说自己太累了，不想再讨论下去了，然后便起身离开。他们有些不知所措，呆呆地看着我。我心想，没关系，下次跟他们赔个不是，都是老朋友了，他们会理解的。

我穿过卢森堡公园向家里走去。昨天分手后没收到爱德华的消息。难道他查看了他父亲保险柜里的材料但没发现有关莎拉的东西？我能想象他心里冒出的怨恨和酸楚，还有失望。我有些歉疚，这似乎是我的错，在他的伤口上撒了盐。

我慢步在蜿蜒曲折、花团锦簇的小径上，不时地左躲右闪，避让着慢跑者、漫步者、老人、园丁、旅游者、情侣、太极爱好者、法式滚球练习者、青少年、看书人和日光浴者这些卢森堡公园的常客。公园里还有很多小孩。当然，我看见的每一个孩子都让我想起我腹中的小不点儿。

今天早上去见医生之前我给伊莎贝拉打了个电话。她像往常一样，非常关注我的事。她说，无论我去见多少医生，跟多少朋友谈，无论从哪个角度看，无论仔细衡量谁的意见，最终还得我自己拿主意。自己拿主意，这是底线，正因为这样所以才更痛苦。

但我知道一件事：无论如何，不能把佐伊扯进来。再过几天她的假期就要开始了，她将先去长岛和查拉的孩子——库珀和亚历克斯——玩一段时间，然后去纳罕特和我父母住一段时间。

回到家中，我看到一个大大的米色信封躺在我的书桌上。佐伊在自己的房间里和一个朋友通电话，她大声告诉我信是门房送上来的。

信封上没写地址，只写了我姓名的首字母，蓝色墨水，字迹潦草。我打开信封，从中取出了一个退色的红色文件夹。

“莎拉”这个名字跃入了我的眼帘。

我当即明白那是什么了。谢谢你，爱德华，我热切地自言自语，谢谢你，谢谢你，谢谢你。

文件夹内有十几封信，写信时间从一九四二年九月延至一九五二年四月。蓝色薄信纸，笔迹整洁圆润。我仔细阅读了这些信件。这些信是住在奥尔良附近的一个名叫朱尔斯·杜弗尔的人写来的。信件很简短，都是关于莎拉的，她的近况，她的学业，她的健康状况。语句简短但文质彬彬。“莎拉近来表现很好。今年她在学习拉丁语。春季里她发了水痘。”“莎拉和孙子们夏天去了布列塔尼半岛玩，还登了圣米歇尔山。”

我估计这位朱尔斯·杜弗尔就是在莎拉从伯恩–拉–罗兰德集中营逃出来后把她藏起来的那位老先生，后来还陪她回到巴黎，发现了壁橱里可怕的秘密。但是，朱尔斯·杜弗尔怎么会把莎拉的情况写信告诉安德烈·泰泽克？而且还那么详细？我无法理解。难道是安德烈要求他那么做的？

后来我找到了原因——一张银行的结算清单。安德烈·泰泽克让银行每个月汇一笔钱给杜弗尔家，给莎拉的，一共持续了十年。我发现数目还不小。

十年里，爱德华的父亲以自己的方式努力帮助着莎拉。我不禁想到，当爱德华发现锁在保险柜里的这一切时，肯定感到莫大的欣慰。我相信，在仔细阅读这些信件的过程中，爱德华获得了一个又一个新发现。这些材料表明，他父亲最终采取了赎罪行动。

我留意到朱尔斯·杜弗尔没有把信寄到圣通日街，而是寄到了蒂雷纳街安德烈的旧店铺。这是为什么呢？我估计是因为玛玫的缘故，安德烈不想让她知道这件事。他也不想让莎拉知道是他一直在给她寄钱，朱尔斯·杜弗尔整洁的字迹中提到："按您的要求，我们未向莎拉透露钱是您寄的。"

文件夹里还有一个大大的淡黄褐色信封，我从里面取出了几张照片。熟悉的稍稍倾斜的眼睛，淡金色的头发。跟一九四二年六月的那张学校照相比，她身上的变化很明显，多了明显的忧伤，脸上的欢乐没有了。她已不再是一个孩子，变成了高挑、苗条、十八岁左右的年轻女子。尽管微笑着，眼里却忧伤难掩。海滩上，她跟两个年龄相仿的小伙子在一起。我翻看照片背面，上面有朱尔斯整洁的字迹："一九五〇年，特鲁维尔镇，莎拉、加斯帕德·杜弗尔和尼古拉斯·杜弗尔。"

我想起了她所有的遭遇——第十五区冬季赛车场，伯恩-拉-罗兰德集中营，她的父母，她的弟弟——一个孩子没法承受得了这些。

我想得太投入，都没感觉到佐伊的手放在我的肩上。

"妈妈，这女孩是谁？"

我赶忙用信封盖住了照片，嘴里嘟囔着说有个任务急需完成。

"她究竟是谁？"她问道。

"宝贝儿，你不认识。"我仓促地回答，而后便佯装清理桌面。

她叹了一口气，大人般一字一顿地说道："妈妈，你最近的行为有些怪异。你以为我不知道，你以为我没觉察，我都看在眼里。"

她转身走开了。一阵愧疚袭上心头，我起身跟了过去，跟着她进了她的房间。

"佐伊，你说得对，近来我是有些反常。对不起，我不该这样对你。”

我坐在她的床上，不敢直视她洞察一切、静若止水的双眸。

“妈妈，你为什么就不能告诉我？直接告诉我出了什么状况就行了。”

我感到一阵头痛袭来，非常剧烈的那种。

“你认为我才十一岁，理解不了，对吗？”

我点点头。

她耸了耸肩。

“你不相信我，对么？”

“我当然相信你。但有些事太难，太让人难过了，我不能告诉你。我已受伤不轻，我不想让它们再伤害你。”

她轻轻地触摸着我的面颊，眼睛闪闪发光。

“我不想被伤害。你做得对，别告诉我。知道了我会睡不着的。但你得答应我，你自己要尽快恢复过来。”

我把她拥入怀里，抱得紧紧的。我漂亮、勇敢的宝贝儿，我漂亮的女儿。拥有这样一个女儿是我的幸运。真的很幸运。尽管头疼得厉害，我的思绪却突然转到了腹中婴儿的身上，佐伊的妹妹或弟弟。对此她一无所知。她不知道我正在经历的情感纠葛。我咬着嘴唇，不让眼泪流出来。过了一会儿，她慢慢推开我，抬起头看着我的脸。

“给我讲讲那个女孩吧，你想藏起来不让我看到的那些黑白照片上的那个女孩。”

“好吧，”我说，“但你得保守秘密，好吗？不能告诉任何人，能做到吗？”

她点点头。

“以上帝的名义保证。”

“我告诉过你我弄清楚了玛玫他们搬进去之前是谁住在圣通日街的那套公寓里，还记得吗？”

她又点了点头。

“你说是一家波兰人。其中还有个女孩，年龄跟我差不多。”

“她叫莎拉·斯达任斯基，就是照片上的那个女孩。”

佐伊眯缝着眼睛看着我。

“可这算什么秘密呀？我不明白。”

“这是家族的秘密。其间发生了一些让人难过的事情。你爷爷不想把此事说出去，连你爸爸都一无所知。”

“是不是什么不幸降临到了莎拉身上？”她小心翼翼地问道。

“是的，”我平静地答道，“很不幸的事。”

“你想找到她？”她问道。我的语气让她严肃了起来。

“是的。”

“为什么？”

“我想告诉他我们家不是她想的那个样子。我想把事情的真相告诉她。你曾祖父帮了她整整十年，我估计她不知道这一点。”

“他是怎样帮助她的？”

“寄钱给她，每个月都寄，而且不让人告诉她钱是他寄的。”

佐伊沉默了许久。

“你打算怎样找？”

我叹了口气。

“宝贝儿，我不知道。我也希望知道该如何去找。这个文件夹里没有一点一九五二年以后的信息，没有信件，没有照片，没有地址。”

佐伊坐在我的腿上，把苗条的背靠在我身上，一头浓密、闪亮的头发香气袭人。这是我非常熟悉的佐伊的气味，总令我想起她小时候的模样。我用手指替她理顺了几缕凌乱的头发。

我想起了莎拉·斯达任斯基，噩梦降临到她头上时，她才佐伊这般年纪。

我闭上了眼睛，但警察在伯恩-拉-罗兰德集中营中将孩子们硬生生从母亲身边拖开的画面依然出现在我脑中，赶也赶不走。

我把佐伊抱得更紧了，勒得她气都喘不过来。

某些日期就那么神奇，甚至具有讽刺意味。二〇〇二年七月十六日，冬季赛车场圈押事件纪念日，也是约定好我去做人流的日子。那个诊所我以前从未去过，在第十七区的某个位置，离玛玫所在的疗养院很近。我觉得七月十六这个日子负载的意义太重，要求换个日子，但诊所说没法安排。

佐伊刚刚放假，正打算跟她教母艾莉森一起经纽约去长岛。艾莉森是我的一个老朋友，波士顿人，经常在曼哈顿和巴黎之间飞来飞去。我将于二十七日前往查拉家与女儿会合。伯特兰将在八月休假。我们一般会在勃艮第泰泽克家的老宅里住两三个星期。我从来没觉得在勃艮第度假是种享受，有公婆在，根本没法悠然自在。三餐必须按时吃，谈话得客客气气，孩子们不能离开大人的视线，而且不能大声喧闹。我不知道伯特兰为什么始终坚持我们要去那里度假，我们一家三口为什么不能去别的地方。幸运的是，佐伊跟罗芮和赛茜尔的儿子们相处得还不错，伯特兰则和两个妹夫没完没了地打网球。跟平常一样，我感觉自己像个局外人。数年来罗芮和赛茜尔始终和我保持着距离。她们邀请了些离异女友过来，几个小时几个小时地在游泳池边晒日光浴，主要是想把乳房晒成褐色。十五年了，我还是不大习惯这样的事。我从未像她们那样裸露过自己的乳房。我也知道她们在背后嘲笑我，说我这个美国女人假正经。因此，我大部分时间都和佐伊去树林里散步，要么就无休止地骑着自行车在附近转——后来我对那个地区的道路了如指掌，要么就在泳池里展示我无可挑剔的蝶泳泳姿。其他女人穿着小得不能再小的伊瑞斯牌泳装晒日光浴，一边懒洋洋地抽着烟，却从未下水游过泳。

“她们都是些嫉妒的法国胖女人，你穿比基尼迷死人了。”每当我抱怨那些痛苦的夏天时光时，克里斯托弗都会挖苦地安慰我说：“如果你身上冒出了一团团的脂肪或静脉曲张，她们就会乐意和你攀谈了。”我扑哧一声笑了出来，但心里不大相信他的话。说实话，我爱勃艮第的美，爱那古老、安静的宅子，即使在如火的夏日，那里面也清凉如水；爱那郁郁葱葱、长着许多老橡树的花园，爱婀娜多姿的约纳河以及附近的丛林。我经常和佐伊去丛林里漫步。她小的时候，鸟儿的啁啾，奇形怪状的树枝，或是林间某个隐秘的沼泽上的迷蒙雾气，都会令她欣喜万分。

伯特兰和安东尼说圣通日街的公寓将在九月初装修完毕。伯特兰和他的团队把房子装修得很漂亮，但我还没想过要搬去住。我已经知道了发生在里面的事情，要过去住就得有很强的心理承受能力。那堵墙已经被拆除了，但我还记得那个秘密壁橱。小迈克曾躲在里面眼巴巴地等姐姐回来，最后却是空等一场。

往事无情地折磨着我。我不得不承认我并不期盼搬过去住，我害怕在那里过夜，害怕想起往事，我不知道如何才能去除这种念头。

不把此事告诉伯特兰很难。我需要他切实的支持，渴望听他说虽然这事让人很难过，但我们一定能想办法摆脱阴影。可是我不能告诉他，我答应过他父亲要保守秘密的。伯特兰听了此事会怎么想呢？我不禁想道。他的两个妹妹又会怎样想呢？我尝试着去想象她们的反应，以及玛玫的反应。很难想象。法国人的嘴很紧，跟河蚌一样，不动声色，不露痕迹，一切都波澜不惊。就是这个样子，一直这样。我越来越觉得这一点难以忍受。

佐伊去了美国后家里空荡荡的，我在办公室待的时间更长了，忙着为九月刊准备一篇稿子。我打算就法国年轻作家及巴黎文学现状发表一点看法，很有意思，但也很耗时。到了傍晚，一想到家里空落落的我就越发不想离开办公室。回家时，我会挑一条较长的路线，一条被佐伊称做“妈妈的漫长捷径”的路线，乐滋滋地享受这个城市的夕阳美景。自七月中旬开始，巴黎便呈现出它的废弃美。店铺都落下了铁栅门，上面挂着一块牌子：假期休业，九月一日起开始营业。这期间，我得走很长的路才能找到一家药店、杂货店、面包店或洗衣店。巴黎人陆陆续续离开巴黎，开始他们的夏季狂欢，把这座城市留给了不知疲倦的外地游客。在这样温和的傍晚，我沿着香榭丽舍大道，悠然地朝蒙帕纳斯区走去。我终于觉得，没了巴黎人的巴黎才属于我。

是的，我爱巴黎，一直都爱。但是，当我黄昏时分在亚历山大三世桥上漫步时，看到荣军院[①]的金顶像一颗巨大的宝石般闪闪发光，对美国的思念会飓风般向我袭来。我想家——虽然我的大半生都在法国度过，但美国还是我的家。我想念美国的随意、自由、空间、舒适、语言和简单的打招呼的方式。大家彼此称呼“你”，不用费劲地想“你”和“您”的区别，在这方面我到现在都还会露马脚。我必须承认，我想念妹妹，想念父母，想念我的祖国，这种念头变得无比强烈。

①全称为荣誉军人院，是一座军事博物馆。

我离自家的小区越来越近，巴黎人讨厌的——但我喜欢，因为不管我在哪个区，都可以通过它找到回家的路——蒙帕纳斯大厦已经在向我招手。此时我脑子里突然冒出一个念头：德控期的巴黎，莎拉的巴黎，是个什么样子呢？到处是身穿灰绿色制服、头戴圆形头盔的军警，实行宵禁，人们得时时处处出示身份证明，到处是用日耳曼语写成的标语，堂皇的石头建筑上悬挂着巨大的纳粹万字旗。

此外，随处可见胸前戴着黄色星星的孩子。

这家诊所里的护士都笑脸迎人，接待员体贴备至，许多地方还精心摆放了鲜花，真是一个高档、舒适的地方。手术定在第二天早上七点钟进行，我需要在前一天晚上，也就是七月十五日晚，住进诊所。伯特兰去了布鲁塞尔，去落实一桩大买卖。我并没坚持要他陪在身边。不知怎么，他不在我反而觉得舒服些，一个人反倒更容易融入这杏黄色的房间。我的脑子里不时冒出这样的念头——为什么伯特兰的存在会显得多余。真令人费解，他可是我日常生活的一个重要组成部分啊。然而，现在我独自一人住进了诊所，正经历着这一生中最困难的时刻，他的缺席倒让我觉得更加轻松。

我仿佛变成了一个机器人，机械地叠着衣服，把牙刷放到水池上方的架子上，怔怔地看着窗户外面宁静街道的繁华外表。你到底在干什么？一个发自内心的声音轻声问道。这个声音质问我一整天了，只不过我一直试图充耳不闻。你疯了吗，真的想做这个手术吗？我没有告诉任何人我的最终决定，除了伯特兰谁也不知道。我真的不愿意想起他听到我说决定去做手术时那张欢快的笑脸。他把我揽进怀里，热烈地亲吻着我的头顶。

我坐在窄窄的床上，从包里拿出了莎拉的档案。莎拉是我现在唯一愿意想的人。找到她似乎是一个神圣的使命。当前能驱散我的哀愁，能让我抬起头来的似乎只有她了。要找到她，是的，但是怎么找呢？电话簿上没有莎拉·杜弗尔或是莎拉·斯达任斯基这个名字。要是有，那事情就太简单了。朱尔斯·杜弗尔信上的地址现在已经不用了，所以我决定去找他的子女，或是他的孙子辈，比如在特鲁维尔镇的那张照片上的两个年轻人——加斯帕德·杜弗尔和尼古拉斯·杜弗尔，我估计他们俩现在可能六十过半或七十出头。

真不走运，杜弗尔是一个普通姓氏。奥尔良地区有数百户人姓这个姓氏，那就意味着我得挨个给他们打电话。过去的一个星期里我全身心扑在了这上面，几小时几小时地在网上搜索，一页一页地翻看电话簿，一个接一个地打电话，得到的结果却是一次又一次的失望。

后来的一天上午，我拨通了一个叫娜塔莉·杜弗尔的人的电话，她的号码在巴黎的电话簿里。电话的那头传来了一个年轻、愉悦的声音，我按照以往的程序，重复着我对电话另一头的陌生人说过无数遍的话："我叫朱莉娅·嘉蒙德，是一名记者。我在查找一个名叫莎拉·杜弗尔的人，她一九三二年出生，我手头上只有加斯帕德·杜弗尔和尼古拉斯·杜弗尔的名字……"

她打断了我的话，说没错，加斯帕德·杜弗尔是她祖父，现住在阿斯切瑞斯-马切村，离奥尔良市不远，他的电话号码未登入电话簿。我握着听筒，一时间连气都不敢喘。我问娜塔莉是否记得莎拉这个人。那位年轻女士呵呵笑了，笑声听起来很悦耳。她说她是一九八二年出生的，不大知道她祖父小时候的事情。不，她没有听说过莎拉·杜弗尔这个人，脑子里也没有什么具体的印象。她说如果我很想知道，她可以打电话问问她祖父。她说她祖父的脾气不大好，不喜欢打电话，但她愿意为我做这件事情，问了以后再给我打电话。她要了我的号码。最后，她说："你是美国人吧？我喜欢你的口音。"

我一整天都在等她的电话，但没有音信。我不停地检查自己的手机，看看是不是没电了，是否处于正常状态，可就是没有电话打进来。或许加斯帕德·杜弗尔不愿意跟记者讲莎拉的事情，或许是我的说服力不够，又或许是我的说服力太强。我不该说自己是记者，应该说是那家人的朋友。但是不行，我不能那样说，因为那不是事实。我不能说谎。我不想说谎。

我在地图上查看过了，阿斯切瑞斯–马切村位于奥尔良和皮蒂维耶的中间位置，离皮蒂维耶的姊妹营伯恩–拉–罗兰德集中营也不远。这不是朱尔斯和吉纳维芙原来的地址，所以它不是莎拉生活了十年的地方。

我等得不耐烦了。我该打电话给娜塔莉·杜弗尔吗？我正犹豫时，手机响了。我一把抓起电话，轻轻“喂”了一声。是我丈夫从布鲁塞尔打来的。我感到失望的情绪穿透了我的每根神经。

我发觉自己不想和伯特兰说话。我能和他说什么呢？

短暂却不安宁的一夜过去了。清晨，一名主管似的护士出现在我面前，手里拿着一件叠好的蓝色纸袍。她微笑着说，这是给你手术时穿的。她还带来了一顶蓝色纸帽和一双蓝色纸鞋。她说半小时后回来，然后直接把我推入手术室。由于要麻醉，所以不能吃喝任何东西，她还是那样亲切地微笑着提醒我。然后，她轻轻地关上门走了。我心想，今天早上她要那样微笑着叫醒多少妇女，有多少孕妇将像我一样，把子宫里的孩子刮掉。

我温顺地穿上了长袍。那种纸贴在身上皮肤有些发痒。现在要做的事情就是等待。我打开了电视，把频道调至 LCI 台，这是一个不间断播放新闻的频道。我漫不经心地看着，内心感到麻木和空虚。大概再过一个小时，这一切都将结束。我准备好了吗？能够应付吗？我够坚强吗？我感觉自己回答不了这些问题，于是就穿好纸袍，戴好纸帽，躺在那里等待，等待被推入手术室，等待被麻醉入睡，等待医生们动手术。我不愿去想医生将在我体内，在我张开的两腿之间如何动作。我迅速将这些念头赶出大脑，把注意力转到了电视里一位苗条的金发女人身上。她那修剪得很精美的手在一张画着太阳的法国地图上很专业地比画着。我想起了上星期和主治医师的最后一次见面。伯特兰把手放在我的膝盖上。“不，我们不想要这个孩子。这是我们俩的意见。”我当时什么也没说。医生看了看我。我点头了吗？不记得了。但我记得当时我感觉好像被注射了镇静剂，或是被催眠了。后来上车之后伯特兰对我说："亲爱的，做得对。你会明白的。这件事很快就会过去的。"我还记得他很热情，很兴奋地亲吻了我。

金发女人消失了，出现了一位新闻主持人，他报道了我非常熟悉的新闻片头："今天是二〇〇二年七月十六日，十五区冬季赛车场大圈押事件六十周年纪念日。当时，成千上万的犹太家庭遭到法国警方逮捕。那是法国历史上的一段黑暗时期。"

我迅速调高了电视音量。摄影机镜头沿着奈拉顿大街向前推进。我想起了莎拉，她现在到底在哪里？根本不需要提醒，她肯定不会忘记今天这个日子。对于她，对于所有那些在七月十六日失去亲人的家庭来说，永远不会忘记今天。而且，今天早晨，他们睁开沉重的双眼时，会感到特别的痛苦。我想告诉她，告诉他们，告诉所有的人——以什么方式呢？我心想，我感到无助，感到我很没用——我想对她，对他们呼喊、尖叫，告诉他们我所知道的那件事，我还记得，我无法忘记。

一些幸存者——其中几个我已经见过并采访过了——出现在了十五区冬季赛车场的铭牌前面。我突然想到我还没有看这周的《塞纳风情》，这一期里面有我的文章，今天出来。我决定给班贝尔的手机发一条短信，叫他送一本到诊所来。我打开了手机，但眼睛仍盯着电视。一脸沉重的弗兰克·利维出现在屏幕上。他在讲纪念活动的日程安排。他指出，今年的纪念活动远比往年重要。我的手机发出了嘟嘟声，有语音邮件进来。其中一条是伯特兰昨天深夜发的，说他爱我。

另一条来自娜塔莉·杜弗尔，她说很抱歉，拖了这么久才打电话。她带来了一个好消息：她祖父很想见我，说可以把莎拉·杜弗尔的事情全告诉我。老人好像很激动，娜塔莉的好奇心都被勾出来了。她热情的声音压过了弗兰克·利维平淡的声调。“如果你愿意，我明天，星期二，可以开车带你去阿斯切瑞斯，没有问题的。我真想听听我祖父会说些什么事情。打电话给我吧，我们约个碰头的地方。”

我的心脏剧烈地跳动着，几乎让我感到了疼痛。新闻主持人再次回到屏幕上，播报的话题已然不同。现在打电话给娜塔莉·杜弗尔还太早，我不得不再等待几个小时。我无比期盼地穿着纸鞋跳起舞来。“……把莎拉·杜弗尔的事情全告诉我。”加斯帕德·杜弗尔会说什么呢？我将了解到什么呢？

一阵敲门声惊醒了我。那位护士夸张的微笑猛地把我拽回了现实。

“该走了，夫人。”她轻快地说道，嘴里的牙齿和齿龈都露出来了。

门外传来了轮床橡胶轮子的声响。

刹那间，一切变得无比清晰，从未有过的清晰和简单。

我起身面向她。

“对不起，”我平静地说道，“我改主意了。”

我扯下了纸帽。她瞪大眼睛看着我，连眨眼都忘了。

“但是，夫人……”她张嘴要说什么。

我刺啦一声把身上的纸袍撕裂开来，护士惊慌地把视线从我骤然裸露的身体上移开。

“医生们正在等您呢。”她说道。

“我不管，”我坚定地说，“我不做手术了。我要留住这个孩子。”

她的嘴唇愤愤地颤抖着。

“我马上叫医生来。”

她转身离开。我听见她的便鞋在亚麻油地毡上发出急促的啪嗒声，透出了她极大的不满。我往身上套了一条牛仔裙，穿好鞋子，拎起我的包离开了病房。当我快步走下楼梯，与一脸震惊的端着早餐盘子的护士们迎面而过时，我突然想起我的牙刷、毛巾、洗发水、肥皂、除臭剂、化妆包和面霜还在病房的盥洗室里。那又怎样，我一边想着，一边冲出了诊所雅致、整洁的入口。那又怎样！那又怎样！

街上空荡荡的，干净、整洁的巴黎人行道在晨光中格外醒目。我拦了一辆出租车回家。

二〇〇二年七月十六日。

我的孩子，我身体里的孩子安全了。我又想笑，又想哭。我真的哭了，也笑了。出租车司机在后视镜里看了我好几次，不过我没理睬他。我要生下这个孩子。

我粗略地估算了一下，大约有两千人聚集在塞纳河畔的贝哈钦桥旁——幸存者、圈押事件的受害家庭、他们的子女、他们的孙子辈、犹太学者、这个城市的市长、总理以及防卫部部长，还有众多的政治人物、记者和摄影师。弗兰克·利维也来了。成千上万的鲜花，一顶巨大的遮篷，一座白色的平台，真是一场令人难忘的聚会。吉尧姆站在我身旁，双目低垂，一脸肃穆。

奈拉顿大街的那位老妇人在我脑子里一闪而过。她说了什么呢？“没有人记得了。他们干吗要记住？那是我们国家最黑暗的日子。”

突然间，我希望她此刻能在这里，来看看我身边这千百张肃穆、哀伤的脸。平台上，一位长着一头浓密的赤褐色头发的美丽中年女人在歌唱。虽然附近的车流发出了较大的嘈杂声，她清澈的嗓音依然清晰可闻。之后，总理开始讲话了。

“六十年前，就在这里，在巴黎，以及法国的其他地方，那次骇人听闻的事件开始了。恐怖的阴霾加速蔓延。被圈押进十五区冬季赛车场的无辜的人们笼罩在犹太人大屠杀的阴影中。同往年一样，今年我们汇聚于此，来纪念这场悲剧，借此来提醒我们，不要忘记众多法国犹太人所遭受的迫害、追捕和他们的悲惨命运。”

站在我左侧的一位老人从口袋里掏出一块手帕，默默地哭开了。我的同情之心顿生。他在为谁而哭泣？我忖度着。他失去了谁？

总理在继续讲话，我扫视着身边黑压压的人群。这里面会有人认识或者记得莎拉·斯达任斯基吗？她本人会不会就在这里？此时，此刻？她会不会带着丈夫，或孩子，或某个孙子一起来了？在我身后，在我前面？我仔细打量着人群中七十来岁的老太太，在那些满是皱纹、神色沉重的脸上寻找一双有些斜的绿眼睛。但是，偷偷打量这些哀伤的陌生人让我觉得不大舒服，于是我垂下了眼睑。总理的语气和清晰度似乎更强了，他的声音在人群上方回荡。

“是的，十五区冬季赛车场、德朗西，还有那些中转营地，那些处决室，都是由法国人组织、管理和守卫的。是的，大规模屠杀犹太人事件的前期行动发生在这里，法国扮演了同谋犯的角色。”

我周围的人神色平静，认真聆听着总理的讲话。总理的讲话声还是那么响亮，我则观察着每个人的表情。每个人的脸上都隐含着哀痛，永远难以抹去的哀痛。总理的讲话赢得了人们长时间的鼓掌。我注意到有人在哭泣，有人在相互拥抱。我和吉尧姆过去和弗兰克·利维打招呼。他胳膊下夹着一本《塞纳风情》。他热情地向我打招呼，并把我们介绍给了一些记者朋友。过了一会儿我们便离开了。我告诉吉尧姆，我知道以前住在泰泽克家公寓里的人是谁了，这件事还缩短了我与我公公之间的距离；六十多年来，他一直保守着一个重大的秘密；我正在努力寻找莎拉——从伯恩–拉–罗兰德集中营逃出来的那个小女孩——的踪迹；再过半个小时左右，我将在巴斯德地铁站前和娜塔莉·杜弗尔见面，她会开车送我去奥尔良市见她的祖父。吉尧姆热情地亲吻和拥抱了我，祝我好运。

穿过繁忙的大街时，我用手摸了摸腹部。要是早晨我没有离开诊所，很可能现在正躺在舒适的杏黄色房间里慢慢恢复知觉，那个一脸微笑的护士在旁边看护着。早餐可能很精美，有羊角面包、果酱和牛奶咖啡。到了下午，我孤零零地离开那个诊所，走起路来可能还有些摇晃，两腿之间夹着一块卫生棉垫，小腹隐隐作痛，大脑里一片怅惘，心里则感到黑洞般的空虚。

此间我没收到伯特兰的任何消息。诊所给他打电话了吗，告诉他我没做手术就离开了？我不知道。他还在布鲁塞尔，今晚才回来。

我不知道该怎么跟他说，他会是什么样的反应。

我沿着埃米尔·左拉大街往前走，心里有些着急，生怕不能按时赶去和娜塔莉·杜弗尔碰面。与此同时我心里还有另一个感觉——我还在意伯特兰的想法和感受吗？这个念头让我感到不安，也吓了我一跳。

黄昏时分，我从奥尔良市返回到家中。公寓里又热又闷，我走到窗边去开窗户。探身窗外，下面的蒙帕纳斯大街繁忙而嘈杂。一想到要离开这里去安静的圣通日街住，我的心里就有种异样的感觉。我们在这里住了十二年，佐伊从未在别的地方住过。这是我们最后一个夏天住这儿了。我的思绪转得飞快。我已经喜欢上了这套房子：每天下午，阳光都会照进大大的白色客厅；沿瓦凡大街走不了多久便可到达卢森堡公园；置身于巴黎最富活力的行政区之一却显得非常从容。在这里你可以真切地感受到这个城市的心跳，感受到这个城市快速、热烈的脉搏。

我踢掉脚上的便鞋，在柔软的米色沙发上躺下了。忙碌了一天，我感到疲惫不堪。眼睛刚闭上，一阵电话铃声又把我拽回了现实。是我妹妹从她那可以俯瞰中央公园的办公室打来的。我估计她坐在宽大的办公桌后面，鼻梁尖上架着一副眼镜。

我简略地告诉了她我没做手术。

“哦，上帝啊，”查拉低声惊呼，“你没做！”

“我下不了狠心，”我说，“我没法做出那样的决定。”

我几乎可以听到她在电话那头微笑，那种让人不可抗拒的满脸微笑。我也笑了。

“你真是位勇敢的好女孩！”她说，“亲爱的，我为你感到骄傲。”

“伯特兰还不知道，”我说，“他要到深夜才回来。他可能以为我已经做了手术了。”

一阵横跨大西洋的沉默。

“你会告诉他的，是吗？”

“当然。从某种程度上讲我必须告诉他。”

和妹妹聊完电话后我在沙发上躺了很长时间。我两手叠放在腹部，像是在保护那里。渐渐地，我感到体内又慢慢生出了活力。

我的思绪习惯性地跑到了莎拉·斯达任斯基身上，跑到了我新了解到的事情上。其实我根本不需要录下和加斯帕德·杜弗尔的谈话，平时也不需要做笔记，一切都牢牢地印在了脑海中。

奥尔良市郊，小巧、清爽的一幢房子。花床修剪得很整洁，一条安详的老狗视力已然不佳。一位身材娇小的老妇人正在水槽边切菜，我进屋时她向我点头致意。加斯帕德·杜弗尔的嗓音粗哑。他用布满青筋的手拍抚着那条老狗干瘪的头，一边说道：

“我和哥哥知道那场战争中家里出了麻烦事，但我们当时都还小，不记得具体是什么麻烦事。直到我祖父去世后，我才从父亲那里得知，莎拉·杜弗尔其实姓斯达任斯基，是犹太人。那些年我祖父把她的真实身份隐藏了起来。莎拉的身世很悲惨，所以她一直不快乐，不大显露真实情感，外人很难接近她的真实内心。据我们所知，她的父母在战争期间遇害了，所以我的祖父母领养了她。我们就知道这些，但我们可以看出，她跟我们不一样。她虽然会和我们一起去教堂，但我们说‘上帝’时她的嘴唇从未动过。她从不祈祷，也没领过圣餐。她只是坐在那里，眼睛直勾勾地盯着前方，表情僵僵的，我都有些害怕。我的祖父母神色淡定，微笑着对我们说由她去，我父母也这样对我们说。渐渐地莎拉融入了我们的生活，我们凭空冒出个妹妹。她慢慢出落成一个稍稍有些忧郁的漂亮大姑娘。对于她的实际年龄而言，她显得过于严肃、成熟。战后，我们偶尔会和父母去巴黎，但莎拉从来都不愿去。她说她讨厌巴黎，还说她再也不想回巴黎了。”

“她提到过她的弟弟或父母吗？”我问道。

加斯帕德摇了摇头。

“没有。我是四十年前从我父亲口中得知她有个弟弟，以及发生在他身上的事。和她一起生活时倒没有听说过。”

娜塔莉·杜弗尔开口问道：

“她弟弟怎么了？”

加斯帕德·杜弗尔看了看听得入迷的孙女，然后又看了看他妻子。老妇人在我们整个谈话过程中一言未发，只是在一旁慈祥地看着。

“换个时间再跟你讲吧，娜塔莉，这个故事太揪心了。”

随后，一阵漫长的沉默。

“杜弗尔先生，”我说，“我需要知道莎拉·斯达任斯基如今身在何处，这是我此次前来见您的目的。能告诉我吗？”

加斯帕德·杜弗尔挠了挠头，然后向我投来狐疑的眼神。

“我倒是很想知道，嘉蒙德女士，”他咧嘴笑道，“你为什么这么看重这件事？”

电话铃声再次响起。这次是佐伊从长岛打来的。她说她过得很开心，那边的天气不错，她的皮肤已经晒得黝黑，还买了辆新自行车。她的表哥库珀待她不错，但她很想念我。我告诉她我也想念她，再过不到十天我就前去和她会合了。接着，她压低嗓音问我：“查找莎拉·斯达任斯基下落的事情有进展吗？”她那种严肃的口吻让我不由得笑了。我说我真的取得了一些进展，过些时间会告诉她的。

她迫不及待地问道：“哦，妈妈，什么样的进展啊？别吊我胃口了，现在就告诉我吧！”

我被她的热情打动。“好吧。我今天去见了一位男士，他跟莎拉年轻时很熟。他跟我说莎拉一九五二年离开法国去了纽约，在一个美国家庭当保姆。”

佐伊欢呼。

“你的意思是说她现在在美国？”

“我想是的。”我说。

一阵短暂的沉默。

“妈妈，那你要怎样才能在美国找到她呢？”她问道，声音的欢快明显少了几分，“美国可比法国大很多啊。”

“宝贝儿，我也不知道。”我叹着气说。我在电话里热情地亲吻了她，说我非常非常爱她，然后便挂了电话。

“嘉蒙德女士，我倒是很想知道，你为什么这么看重这件事呢？”冲动之下，我决定告诉加斯帕德·杜弗尔实情，告诉他莎拉·斯达任斯基是如何进入我的生活的，我是怎样发现她的惊人秘密的，以及她和我的丈夫家是怎样牵扯到一起的。还有，既然现在我已经知道了一九四二年夏天发生的事，包括公共事件——第十五区冬季赛车场大圈押事件和伯恩-拉-罗兰德集中营事件——和私人事件——迈克·斯达任斯基死在泰泽克公寓，因而找到莎拉便成了我的重大目标，成了我必须尽全力去做的事情。

我的执著让加斯帕德·杜弗尔感到惊讶。为什么要找她，找到她又能怎样？他摇着斑白的头问我，我回答了，说为了告诉她我们很在意，我们一直没有忘记。“我们，”他笑了，“‘我们’指谁？你的夫家？法国人民？”他的不屑表情让我有些恼火，我当即回答道：“不，指我，仅仅指我。我想说声抱歉，我想告诉她我没法忘记那次大圈押，集中营里的情形，迈克的死，还有那直接开往奥斯威辛集中营，将她父母永远带走的火车。”“抱歉什么？”他反击道，“你一个美国人，关你什么事？你感到抱歉，难道是因为你们美国人没能在一九四四年七月解放法国吗？你没什么好抱歉的。”他哈哈笑道。

我两眼直直地盯着他的眼睛。

“为无知感到抱歉，为活了四十五年但对这些事情如此无知而感到抱歉！”

一九五二年底，莎拉离开法国去了美国。

“为什么选择去美国？”我问道。

“她跟我们说她必须离开，她要去别的地方，去一个没有像法国那样受到大屠杀直接影响的地方。我们都很难过，尤其是我的祖父母，他们是那样爱她。他们没有女儿，却像亲生女儿一样疼她。但是她去意坚决，后来真的离开了，而且再也没有回来过。至少我不知道她曾回来过。”

“她后来怎么样了？”我问道，我的语气跟娜塔莉一样热情，一样急切。

加斯帕德·杜弗尔耸了耸肩，重重地叹了口气。他站起身，那只瞎眼老狗也跟着站了起来。他太太往我杯里续了些咖啡。咖啡的味道清冽、苦涩。他们的孙女默不做声，我蜷缩着身子窝在扶手椅中。女孩静静地来回打量着我和她爷爷，样子煞是可爱。我想她会记住今天的情形的，她会记住这一切的。

加斯帕德又回来坐下了。他嘴里一边嘟囔着，一边把咖啡杯递给了我。刚才他在小屋里环视了一圈，看了看墙上已经退色的相片和屋里陈旧的家具，然后挠挠头，叹息了一阵。我等待着，娜塔莉也等待着。终于，他又开始讲述了。

一九五五年以后，他们就再没收到莎拉的音信了。

“她给我祖父母写过几次信。一年后，她寄了一张明信片回来，说她要结婚了。我记得父亲告诉我她要嫁给一个美国佬。”加斯帕德笑了笑，“我们都为她感到高兴，但从那以后她就再没来电话了，也没有来过信，音信全无。我的祖父母试过联系她。他们什么方法都试了，打过电话去纽约，写过信，发过电报。他们想找到她的丈夫，可是毫无结果。莎拉消失了。这对他们来说太可怕了。他们等啊等啊，年复一年，哪怕只是丁点的蛛丝马迹也好，哪怕是一个电话，一张明信片也好，可什么都没等到。六十年代初，我的祖父去世了。几年后，我的祖母也随他而去。我估计当时他们的心都碎了。”

“知道吗，你祖父母可以获得‘国际义人’的称号。”我说道。

“那是什么东西？”他疑惑不解。

“那是耶路撒冷的普世济会为那些在二战中救过犹太人的非犹太人颁发的荣誉勋章，即使已过世的人也同样有资格获得。”

他清了清喉咙，把脸转开了。

“找到她就行了。嘉蒙德女士，请一定要找到她。告诉她我很想念她，我弟弟尼古拉斯也很想她。请告诉她我们很爱她。”

在我离开前，他递给我一封信。

“这封信是战后我祖母写给我父亲的，或许你想看看，看完之后把它给娜塔莉就行了。”

稍晚，我独自在家仔细辨读信里的老式字体。我一边看，一边掉泪。后来，我擦去眼泪，擤了鼻涕，努力让自己平静下来。

然后，我拨通了爱德华的电话，把信大声念给他听。他好像也哭了，却在竭力掩饰，不想被我察觉。他说了声谢谢，声音像是挤出来的，然后就挂掉了电话。

艾伦，我亲爱的儿子：

莎拉在你和亨丽塔那儿过了一个夏天，上个星期回来时脸色竟然红润了，还有了笑容！我和朱尔斯很吃惊，也有些激动。莎拉自己也将写信向你们表示感谢，但对于你们的帮助及对她的盛情款待，我想表达我自己的感激。你也知道，这四年是残酷的四年，充满着囚禁、惊恐和沦陷。对于我们所有人，对于我们的国家，都如此。虽然这四年让我和朱尔斯感到身心疲惫，但最不容易的是莎拉。一九四二年夏天我们带她回了她在玛蕾区的家，其间发生的事对她的打击很大，我估计她一直没能从那件事的阴影中摆脱出来。那一天，她的心碎了，她的精神崩溃了。

这一切是那么的艰难。在此期间，你们的帮助起到了至关重要的作用。把莎拉藏起来不让敌人发现，从很久之前的那个夏天一直到战争结束，一直要让她安安全全的，这是一个难以想象的过程。但是，莎拉现在有家了，我们就是她的家人，你的儿子加斯帕德和尼古拉斯就是她的兄弟。她是杜弗尔家的一员，她姓我们的姓氏。

我知道她永远都忘不掉她的过去，她那红润的脸庞和笑容背后掩藏着坚韧。她不再是一个普通的十四岁孩子了，她像一个女人，一个辛酸的女人，有时候她显得比我还老。她从来不提她的家庭和弟弟，但我知道她一直把他们深藏在心中。我知道她每星期都会去墓地看她弟弟，有的时候还不止一星期一次。她要求一个人去，不让我陪着去。有时候我会跟在后面，害怕她会出什么意外。她坐在那块小小的墓碑前，一动不动，一坐就是好几个小时，手里攥着那把她一直带在身边的黄铜钥匙，那个她弟弟死于其中的壁橱的钥匙。回家后，她的脸色木然、冰冷，说话都困难，也不愿和我交流。我把全部的爱都倾注到她身上，她虽非我亲生，我却视若亲骨肉。

她从未谈起过她在伯恩–拉–罗兰德集中营里的经历，但只要我们的车一驶近那个村庄，她的脸就变得煞白。她把头扭向一边，闭上眼睛。我心想，此事的真相会昭示天下吗？发生在那里的事情会大白于天下吗？或是将成为一个永远的秘密，被封存于黑暗、混沌的过去。

去年，战争结束后，朱尔斯经常去鲁特西亚，有时候带莎拉一起去，和那些集中营生还者一道，期盼着，一直期盼着，我们都在期盼，望眼欲穿。但是，现在我们知道了，她的父母永远都不会回来了。一九四二年那个骇人的夏天，他们在奥斯威辛被杀害了。

有时候我在想，像她这样的孩子到底有多少？他们经历了地狱般的日子但活了下来，现在要继续活下去，身边却已没了至亲至爱之人，有的只是无边的苦楚，无尽的伤痛。莎拉不得不放弃了她的一切：她的家庭，她的姓氏，她的宗教信仰。我们没有谈过这些，但我知道这种空缺是多么深刻，她所失去的东西对她而言是多么残酷。她说要离开这个国家，去一个新的地方重新开始。她要远离她所熟悉的一切，远离她噩梦般的经历。现在她还太小，太脆弱，不能离开农场，但那一天总会来临的。到那时，我和朱尔斯会放她走的。

是的，战争结束了，终于结束了，但对于你父亲和我来说，一切都变了样，一切都不同了。和平了，却让人很苦涩，未来也让人惴惴不安。此前发生的那些事情已让这个世界面目全非，法国也是如此。她仍在努力从那段最黑暗的时光中恢复过来。最终能恢复过来吗？我心里没底。现在的法国已经不是我小时候所熟悉的那个法国了，她变样了，变得我不认识了。我现在老了，我也知道自己的日子不多了，但是，莎拉、加斯帕德和尼古拉斯还年轻，他们还将在这个新的法国生存下去。我同情他们，对他们的将来感到不安。

我亲爱的孩子，动笔之初我并没想要如此伤感，唉，收笔时却成了这样，非常抱歉。花园还得打理，鸡也等着喂，就此搁笔吧。对于你为莎拉所做的一切，我想再次表示感谢。你们那么慷慨，而且始终如一，上帝会保佑你们的。另外，愿上帝也保佑你的孩子们。

爱你的母亲

吉纳维芙

一九四六年九月八日

电话又响了，这次打的是我的手机，之前把手机关掉就好了。是乔舒亚。我有些吃惊，他一般不会这么晚打电话。

“亲爱的，刚才在新闻里看到你了，”他慢吞吞地说，“美得跟画一样，略显苍白，但依然艳光四射。”

“新闻里？”我颇感惊讶，“什么新闻？”

“打开电视，调到 TF1 的八点档，你就能看到我的朱莉娅了，就在总理身边。”

“哦，是十五区赛车场圈押事件纪念大会。”

“总理的演讲很不错，你说呢？”

“很不错。”

一阵停顿。我听到了打火机打着的声音，他点燃了一根淡味万宝路，银色包装的那种，只在美国有售。我不知道他要对我说什么，他一向很直接。太直接了。

“乔舒亚，到底什么事啊？”我小心翼翼地问道。

“没什么，真的。我只是想打电话告诉你，这次你干得很漂亮。你那篇圈押事件的文章引起舆论的关注了。就想告诉你这些。班贝尔的照片拍得也很棒，这件事你们俩干得很不赖。”

“哦，谢谢。”我说。

但是，我知道他要说的不止这些。

“还有别的事吗？”我小心地又问了一句。

“我脑子里有点想法。”

“说来听听。”我说。

“我觉得你漏了点什么。你采访了幸存者，目击者和伯恩-拉-罗兰德那位老人，不错，很不错，但是你忘了点什么。警察，那些法国警察。”

“是吗？”我反问道，我感觉一丝不快爬上了心头，“那些法国警察怎么了？”

“如果你的采访将圈押事件的警察也包含进去那就完美了。找几个当值警察问问，听听他们对自己的孩子说了什么。他们现在应该都是老人了，他们的家人是否知道那些事呢？”

毋庸置疑他是对的，我没想到这一点。心中的不快平息了，我无话可说，心中升起的是强烈的挫败感。

“喂，朱莉娅，没问题的，”乔舒亚哈哈笑道，“你做得很不错了。再说了，那些警察或许永远也不会开口的。估计你也没看到多少这方面的文字吧？”

“是，确实不多。”我说，“仔细想想，我还真没看到有关法国警察看法的文字。他们只是在尽责而已。”

“对，尽责而已，”乔舒亚答道，“但我倒是真的很想知道他们是如何想的。想想吧，那些把一列列长长的火车从德朗西开到奥斯威辛的家伙心里是怎么想的。他们不知道火车上载的是什么吗？真的以为是牛吗？他们是否知道他们将把那些人带去哪里？那些人接下来的命运又将如何？还有那些开巴士的人，他们又如何？他们是否知道些什么？”

毫无疑问，他又是对的，我依然无言以对。一个优秀的记者是会探究这些敏感话题的——法国警察、法国的铁路和公交系统在那次事件中所扮演的角色。

但是，当时我的全部心思都被圈押事件中的孩子们占据了，尤其是其中的一个孩子。

“朱莉娅，你还好吧？”耳边响起他的声音。

“我很好。”我谎称。

“你需要好好休息一下，”他说，“飞回老家休息休息吧。”

“我也正有此意。”

这一晚的最后一个电话是娜塔莉·杜弗尔打来的。她听上去欣喜不已，我可以想象出她瘦小脸蛋上的兴奋神色和褐色眼眸中的熠熠光辉。

“朱莉娅，我查了爷爷所有的信件，我找到了！我找到了莎拉的那张明信片！”

“莎拉的明信片？”我重复道，不明所以。

“就是她寄来说她要结婚了的那张，最后的那张。卡片上有她丈夫的名字。”

我抓起一支笔，手忙脚乱地找纸却没找到，我把圆珠笔对着自己的手背。

“他的名字叫？”

“上面写的是她嫁给了理查德·J. 兰斯福德。”她把那人的名字一个字一个字地读给我听，“明信片上的日期是一九五五年三月十五日，没写地址，其他什么也没有，就这些。”

“理查德·J. 兰斯福德。”我重复道，一边把每个字母都大大地写在了手背上。

我向娜塔莉表示了感谢，并向她承诺，我会随时告诉她事情的进展。然后，我拨通了查拉在曼哈顿的电话。她的助理蒂娜接的电话，她让我稍等片刻。过了一会儿，查拉的声音传了过来。

“亲爱的，又有什么事？”

我直奔主题。

“如果你要在美国找一个人，该怎么找？”

“查电话簿。”她说。

“就那么简单？”

“还有别的途径。”她神秘兮兮地说道。

“如果是一个在一九五五年消失的人呢？”

“你有那个人的社会保险号、车牌号或地址吗？”

“没有，什么都没有。”

她吹了声口哨。

“那就难办了。不一定找得到，但我会尽力的，我有几个帮得上忙的朋友。把那人的名字给我。”

这时，我听到了关前门的声音和钥匙被扔在桌上发出的刺耳的声响。

是我丈夫从布鲁塞尔回来了。

“我再打给你。”我低声对妹妹说，然后便挂了电话。

伯特兰走了进来。他整个人好像绷得很紧，拉长着脸，面色苍白。他走过来把我揽入怀里，下巴依偎在我头顶上。

我觉得必须尽快说出鲠在心里的话。

“我没做手术。”我说。

他一动没动。

“我知道，”他回答，“医生给我打电话了。”

我挣开了他的怀抱。

“伯特兰，我下不了那个狠心。”

他笑了笑，笑得有些怪异，有些绝望。他走到我们放酒的窗前，倒了一杯白兰地。我注意到他喝得很快，一仰脖全喝下去了。那是一个难看的动作，我感到一丝不快。

“那现在怎么办？”他啪的一声放下了酒杯，说，“我们现在怎么做？”

我强展笑颜，但我觉得我的笑容很假，很呆板。伯特兰在沙发上坐了下来，松开了领带，解开了衬衫最上面的两颗纽扣。

他继续说道：“朱莉娅，我一想到这个孩子就觉得受不了。我努力过了，想把我的真实想法告诉你，可你根本不听。”

他的语气怪怪的，我不禁更加认真地看着他。他似乎弱不禁风，疲惫不已，那一瞬间，我看到了爱德华·泰泽克那张憔悴的脸，就是他在车里告诉我莎拉回了他们公寓一事时的表情。

“我无法阻止你要这个孩子，不过我想让你知道的是，我没法接受这个事实。这个孩子会毁了我。”

我本想表示同情——他看上去很失落，似乎毫无招架之力——但是，一股憎恨冒了出来。

“毁了你？”我问道。

伯特兰站了起来，又给自己倒了杯酒。他仰脖喝的时候我把头扭开了。

“亲爱的，听说过‘中年危机’吗？这是你们美国人喜欢用的术语。你全部的心思都花在了你的工作、朋友和女儿身上，根本没有注意到我最近所遭受的折磨。说实话，你根本不在乎我，对吧？”

我惊呆了，瞪大眼睛看着他。

他往后一仰，把身体靠在了沙发上。他的动作很慢，小心翼翼的，眼睛盯着天花板，我以前还从没见过他这么小心、谨慎的动作。他的脸上似乎已经有皱纹了。突然间，我面前的丈夫苍老了，那个年轻的伯特兰已经不见了。伯特兰总是那么年轻，永远都那么热情洋溢，精力充沛，是那种永远静不下来，永远都在忙，永远都不会累，永远都保持快节奏，永远都那么迫不及待的人。我眼前的这个男人仿佛只是以前那个伯特兰的幻影。这个变化是何时发生的？我怎么没注意到？伯特兰总发出放肆的笑声，有层出不穷的玩笑，一直狂放不羁。那是您的丈夫？身边的人悄悄问我，钦慕和敬畏之情溢于言表。各种晚宴上，就听到伯特兰在那儿滔滔不绝，海阔天空。但人们并不讨厌他这样，他太有魅力了。他看你的那种方式，他蓝色眼眸中那种勾人的眼神和他邪邪的、玩世不恭的微笑，会让你魂不守舍。

今晚，他整个人显得松垮垮的，没有一点精神。他似乎已经想开了，软塌塌地坐在那里，眼神黯然，眼睑低垂。

“我所经受的苦楚你一直都没有发现，对吧？没留意吧？”

他的声调平直，语气很淡。我坐到他身边，摩挲着他的手。我确实没发现，但我该如何承认呢？我如何才能表达出我的歉疚？

“伯特兰，你为什么不告诉我呢？”

他撇了撇嘴。“我试过了，没用。”

“为什么？”

他的脸色变得难看了，嘴里呵呵一声干笑。

“朱莉娅，你从来不听我说的话。”

我知道他说得没错。那个糟糕的晚上，他的声音变得嘶哑，他流露出了恐惧，说他害怕变老。当时我意识到了他的脆弱，比我以前想象的还要脆弱很多，我却视而不见。因为他的表现令我颇为不快，心生厌恶。他肯定感觉到了，而且也没敢告诉我他的心里有多难过。

我什么也没说，只是坐在他身边，把他的手握在我手里。我突然发现：眼前的情况真够讽刺的——丈夫委靡不振，婚姻走向没落，一个新生命却孕育腹中。

“我们去精英或旋转餐厅吃饭吧？”我柔声说，“我们好好谈谈。”

他费力地站了起来。

“下次吧。我累了。”

我突然想起，这几个月里他经常说累。太累了，不去看电影了；太累了，不去卢森堡公园跑步了；太累了，星期日下午也不带佐伊去凡尔赛宫玩了；太累了，也不做爱了。做爱……上一次是什么时候呢？好几个星期之前吧。我看着他费劲地走过房间，步履沉重。他胖了。这一点此前我也没察觉。伯特兰很注重仪表。“你的全部心思都花在了你的工作、朋友和女儿身上，根本没有注意到我最……朱莉娅，你从来就不听我说的话。”我感到阵阵羞愧。我不需要面对现实吗？过去的几星期里，伯特兰似乎不是我生活的一部分，虽然我们同睡一张床，生活在同一屋檐下。我没对他讲过莎拉·斯达任斯基的事，也没讲过我和爱德华之间关系的变化。在每件对我而言很重要的事情上，我是不是都将伯特兰排除在外了？我将他排挤在我的生活之外，但很讽刺的是，我怀着他的孩子。

厨房里传来开冰箱的声音和拆锡箔纸的“沙沙”声。他回到了客厅，一手拿着鸡腿，一手拿着锡箔纸。

“朱莉娅，再说最后一点。”

“你说。”

“我跟你说过我无法面对这个孩子，我是认真的。你已经下定决心了，很好，我的决定是这样的——我需要给自己点时间，需要时间单独考虑考虑。夏天过后你和佐伊搬去圣通日大街的公寓住吧，我就在附近找个地方住。我们看事情会怎样发展，也许慢慢地我能接受这个孩子。如果不能，我们就离婚吧。”

我没感到惊讶。很长一段时间以来，我就估计他会跟我说这个。我站了起来，理了理衣服，平静地说：“现在最棘手的是佐伊。不管我们俩之间的结果如何，我们——我们俩——都得把实情告诉她，得让她有心理准备。必须小心处理才行。”他把鸡腿放回了锡箔纸中。

“朱莉娅，你真是铁石心肠啊。”他说，语气中没有挖苦的味道，只有苦涩的味道，“你的腔调跟你妹妹一个样。”

我没有回答，径直走出了客厅。我走进浴室，打开了水龙头。这时，整件事情才袭上心头：我做出选择了吗？我选择了孩子而非伯特兰。我没有因为他的观点，因为他内心的恐惧而心软。我没有因为他将搬出去好几个月而惊慌失措。或许——我也不确定——伯特兰不会离开我们。他是我女儿的父亲，是我肚子里的孩子的父亲。他不可能完全逃离我们的生活。

但我看到镜中的自己时，水汽已慢慢填满了浴室，我在镜中的影像变得模糊了，我觉得一切都彻底变了。我还爱伯特兰吗？我还需要他吗？我怎么能选择他的孩子而放弃他呢？

我想哭，却没有眼泪流出来。

他进来的时候我还泡在浴缸里。他手里拿着我放在包里的红色文件夹，里面是有关莎拉的一些文件。

“这是什么？”他扬起文件夹问。

我吃了一惊，身体猛地一晃，晃得浴缸里的水都从一侧漫了出去。他脸红红的，一脸疑惑。他啪地坐在了盖着的马桶上。换了其他时候，他那滑稽的姿势肯定会令我忍俊不禁，笑出声来。

“听我解释……”

他抬手止住了我。“你割舍不下，对吧？你没法让过去就那样过去。”

他翻看了文件，浏览了朱尔斯·杜弗尔写给安德烈·泰泽克的信，仔细看了莎拉的照片。

“这些是什么？谁给你的？”

“你父亲。”我平静地回答道。

他吃惊地盯着我。

“我父亲和这件事有什么关系？”

我跨出浴缸，抓起一条毛巾，背对着他擦干身体。不知为什么，我不想让他看我的裸体。

“伯特兰，说来话长。”

“你为什么要把这些带回来？这都是六十年前的事了！都过去了，早被忘了。”

我刷地转身对着他。

“不，它没被忘记。六十年前你家里发生了一些事，你不知道而已。你和两个妹妹都不知道，玛玫也不知道。”

他的嘴大张着，似乎很震惊。

“发生了什么事？告诉我！”他咄咄逼人。

我一把夺过文件夹，把它抱在胸前。

“你先告诉我，你干吗翻我的包？”

我们听起来就像两个在课间休息时吵架的孩子一般。他的眼珠骨碌碌转了两圈。

“我看到你包里有个文件夹，想看看是什么内容，仅此而已。”

“我包里经常有文件夹，你以前从来没看过。”

“那说明不了什么。快告诉这究竟是怎么回事。现在就告诉我。”

我摇了摇头。

“伯特兰，打电话问你父亲吧。就说你发现了这个文件夹。去问他吧。”

“你不相信我，是不是？”

他的脸色沉了下来，似乎受到了伤害，一脸狐疑的神色。我心里突然升起一阵同情。

“你父亲不让我告诉你。”我柔声说道。

伯特兰怏怏地从马桶上站了起来，手伸向了门把手，整个人显得很泄气，很疲惫。

他转身回来，轻柔地抚摩着我的面庞。他的手指很温暖。

“朱莉娅，我们到底怎么了？以前的柔情蜜意都哪儿去了？”

然后，他走出了浴室。

眼泪这次出来了，我任其在脸上流淌。他听见了我哭泣，却没有转身回来。

二〇〇二年夏天，得知五十年前莎拉离开巴黎去了纽约，我就像一块钢铁，受到了磁铁的强劲吸引，急切地想要跨越大西洋回美国。我迫不及待地离开小镇，迫不及待地想见到佐伊，迫不及待地想去找理查德·J. 兰斯福德，迫不及待地想登上飞机。

我不知道伯特兰是否打电话问了他父亲多年前发生在圣通日街公寓里的事。他什么也没说，人显得挺兴奋，但对我有些冷淡。我感觉他也有些迫不及待，希望我早点离开，那样他就可以好好考虑考虑我们之间的事情？他好去见艾米丽？我不知道。我也不介意。我对自己说我不介意。

离开巴黎飞纽约的两个小时前，我给公公打了个电话告别。他没提和伯特兰谈过，我也没问。

“为什么莎拉后来不给杜弗尔家写信了？”爱德华问，“朱莉娅，你觉得发生什么事了？”

“爱德华，我不知道，不过我会尽力去弄清楚的。”

无论白天黑夜，这样的问题一直萦绕在我脑际。几小时后我登上了飞机，我还在问自己同样的问题。

莎拉还活着吗？

我的妹妹，一头闪亮的栗色头发，一对小酒窝，漂亮的蓝眼睛，运动员般健壮的体格，跟我们的母亲一样。高个子嘉蒙德女士，她比泰泽克家所有女人的个子都高，她们灿烂的笑容中夹裹着疑惑和羡慕。你们美国人的个子怎么这么高啊？跟你们的食物，吃的维生素或荷尔蒙有关吗？查拉比我还高。几次生育丝毫没有让她健壮、优美的体形变胖。

查拉在机场看见我的那一刻，就知道我心中有事，而且这件事跟我决定把孩子生下来无关，也跟我的婚姻窘境无关。我们开车回城的路上，不断有人打她的手机，一会儿是她的助手，一会儿是她的老板，一会儿是她的客户，一会儿是她的孩子，一会儿是她的保姆，要不就是她住在长岛的前夫巴瑞，要不就是在亚特兰大出差的现任丈夫——似乎有没完没了的电话。见到她我很开心，我不介意那些电话。能坐在她身边，和她肩挨着肩我就感到很开心了。

等我们到了她位于东街八十一号的褐色砂石小楼里，坐在她一尘不染的镀铬厨房里，身边没了其他人，她为自己倒上白葡萄酒，为我倒了苹果汁——因为我怀孕了——我才开始把整个故事倒了出来。查拉不太了解法国，只会讲一点点法语，她唯一熟练的外语是西班牙语。她对法国的德控期不甚了解。我给她讲圈押事件、集中营、开往波兰的火车、一九四二年七月的巴黎、圣通日街公寓的秘密、莎拉和她的弟弟迈克时，她坐在那里静静地听着。

我看到她可爱的脸吓得煞白，她杯子里的白葡萄酒动也没动。她的手使劲地捂在嘴上，一边不住地摇头。我很快讲到了故事的结尾处，讲到了莎拉寄的最后一张卡片，一九五五年从纽约寄出的那张卡片。

此时，她说："哦，上帝。"她快速抿了一口酒，"你是为了她的事来的，对吧？"

我点了点头。

"那你究竟打算从何着手呢？"

"还记得我在电话里跟你说过的那个名字吗，理查德·J.兰斯福德？那是她丈夫的名字。"

"兰斯福德？"她念叨着。

我一个字母一个字母地拼了一遍。

查拉刷地站起来，拿起了无绳电话。

"你要干什么？"我问。

她扬起手，让我别出声。

"接线员你好，我想找纽约州的理查德·J.兰斯福德。是的，R.A.I.N.S.F.E.R.D.没这个人？好的，能帮我查一查新泽西州吗……没有……康涅狄格州呢……太好了。是的，谢谢你。请等一下。"

她在一张小纸片上写下了几个字，然后手一挥递给了我。

"找到她了。"她得意地说。

难以置信！纸片上写着一个电话和地址：兰斯福德先生和太太，康涅狄格州罗克斯伯利镇谢普波格大道二二九九号。

“不大可能吧，”我喃喃自语，“这也太容易了。”

“罗克斯伯利镇？”查拉眉头一皱，“那不是在利奇菲尔德郡吗？我以前有个情人是那儿的人，那时你已经去法国了。格雷格·坦纳，大帅哥一个，他的父亲是医生。罗克斯伯利镇很漂亮，离曼哈顿大概一百英里。”

我坐在高脚凳上，惊愕不已。我真的不相信这么容易，这么快就把莎拉给找着了。我才刚下飞机，都还没来得及跟我女儿说上话，却已经找出了莎拉的所在，而且知道了她还活着，这不大可能吧，太不真实了。

“喂，”我问道，“我们怎么知道这个人就是她？”

查拉坐在桌边，正忙着给她的手提电脑充电。她在包里摸索了一阵子，找出眼镜戴在鼻梁上。

“马上就可以搞清楚。”

我走过去站在她身后，看着她的手指在键盘上熟练地敲击着。

“你在干什么？”我迷惑不解。

“别着急。”她大声说了一句，继续打字。我的视线越过她的肩膀，看到她已经在网上了。

屏幕上出现了一行字：“欢迎来到康涅狄格州罗克斯伯利镇。重大事件，社会活动，人物志，房地产。”

“太好了，正是我们想要的。”查拉看着屏幕说。接着，她把那张纸片从我手里一把扯过去，再一次拿起电话，拨打了纸片上的号码。

事情进行得太快了，我有些不知所措。“查拉！等一下！天哪，你打算说什么啊！”

她用手捂住听筒，蓝色的眼睛越过镜框上缘射出恼怒的神色。

“你相信我，对吧？”

她一副律师的口气，让人感觉力量十足，运筹帷幄，我只有点头的份。我感到有些无助，有些惊慌。我站起身，在厨房里走来走去，触摸着家用电器光滑的表面。

我回头看她时，她咧嘴一笑。

“或许你应该喝一点葡萄酒。别担心，不会显示具体号码的。”她突然伸出食指指了指电话，“喂，你好，晚上好。你是，嗯，兰斯福德太太吗？”

听着她装出的重重鼻音，我不禁笑了。她很擅长变换她的声音。

“哦，很遗憾……她出去了？”

兰斯福德太太出去了。那里真有一位兰斯福德太太！我继续听着，不大相信这是真的。

“哦，嗯，我是南街的附属纪念图书馆的莎伦·波斯托。我们的第一次夏季集体活动安排在八月二日进行，不知您是否有兴趣……哦，明白了。唉，非常遗憾。好的，很抱歉打搅您了，太太。谢谢您，再见。”

她放下电话，得意扬扬地看着我。

“怎么样？”我急切地问。

“跟我说话的是理查德·兰斯福德的护士。兰斯福德年纪大了，卧病在床，需要精心护理，这个护士每天下午都去他家。”

“兰斯福德太太呢？”我急迫地问。

“她随时可能回来。”

我看着查拉，茫然不知所措。

“我该怎么办？”我说，“就直接过去吗？”

我妹妹哈哈一笑。

“你有别的主意吗？”

到了，谢普波格大道二二九九号。我关掉引擎，坐在车里，汗涔涔的双手搁在膝盖上。从我现在的位置——大门前一对灰石柱子下边——我可以看见整幢房子。房子较为低矮，殖民时期的风格，大约建于三十年代后期。比起一路上看到的那些价值百万美元的豪宅，这幢房子虽然不起眼，但很有味道，跟周围环境也很协调。

刚才行驶在六十七路段时，利奇菲尔德郡未遭破坏的乡村美景给我留下了深刻的印象：山峦起伏，河溪流彩，虽然已是夏末秋初，却依然草木苍翠。我忘了新英格兰地区的气候是如此炎热，尽管车里的空调已经开得很足了，我还是感到闷热。当时真该带上一瓶矿泉水，口干得快冒烟了。

查拉说起过，罗克斯伯利镇的人很富有。她给我解释了一番，说罗克斯伯利是那种很特别、很时尚、很讲究怀旧艺术的场所之一，它不会让人感到乏味的。很显然，这里住着很多艺术家、作家和影星。我当时心想，理查德·兰斯福德靠什么谋生呢？他在那里本来就有房子吗？还是和莎拉从曼哈顿搬过去的？他们的孩子是什么情况？有几个孩子？我透过挡风玻璃看着房屋的木质外部结构，数了数窗户。我估计里面有两到三个卧室，要不然屋子的后部就得比我想象的大。他们的孩子年龄跟我相仿，应该有孙子辈了吧。我伸长脖子，想看看屋子前是否停有车辆。结果，我只看到一个关着的独立车库。

我看了看手表，两点刚过。从纽约开车到这里只用了两个多小时。查拉把她的沃尔沃借给了我。她的车跟她的厨房一样，无可挑剔。我突然觉得，要是她现在陪在我身边那该多好啊。但是，她的那些预约没法取消。“姐姐，你肯定会处理得很棒的。”她把车钥匙抛给我时说，“可得把事情的进展告诉我，好吗？”

我坐在车里，心里的焦躁跟着车里的闷热一起攀升。我究竟该跟莎拉·斯达任斯基说些什么呢？我甚至不能称呼她莎拉·斯达任斯基，也不能叫杜弗尔。她现在是兰斯福德太太，过去的五十年里她一直是这个称呼。我从车里走了出来。大门的右侧有个铜门铃，但我不可能直接去摁门铃。“喂，你好，兰斯福德太太。你不认识我，我叫朱莉娅·嘉蒙德。我想和你谈谈圣通日大街和发生在那里的事，以及泰泽克家和……”

这样的话听起来很僵硬，很做作。我大老远跑来这里干什么？应该先给她写封信，等她回复后再采取相应行动。直接跑过来太唐突了。真是个荒唐的决定。我当时是怎么想的？希望她张开双臂欢迎我，给我倒茶，柔声对我说“我当然原谅泰泽克一家了”？简直太离谱，太不实际了。我跑到这儿来却什么也干不了。我应该打道回府，立马就走。

我正要倒车离开，一个声音吓了我一跳。

“你在找人吗？”

我在湿乎乎的座位上刷地转过身来，眼前是一个三十多岁的女人，茶褐色皮肤，黑色短发，看上去很敦实。

“我找兰斯福德太太，但我不确定是不是这一家。”

那个女人笑了。

“没错，但是我母亲出去了。去买东西了，十分钟后回来。我叫欧蕾拉·哈里斯，就住隔壁。”

眼前这位是莎拉的女儿，莎拉·斯达任斯基的女儿。

我努力保持冷静，很礼貌地冲她笑了笑。

“我叫朱莉娅·嘉蒙德。”

“很高兴认识你，”她说，“要帮忙吗？”

我搜肠刮肚地找话说。

“嗯，我就是想见见你母亲。本该先打个电话什么的，但我正好路过罗克斯伯利，所以想顺便打声招呼。”

“你是我母亲的朋友？”她问。

“确切地说也不是。我最近碰到她一个堂兄，他说你母亲住在这里。”

欧蕾拉的脸上一亮。

“哦，你碰到的肯定是洛伦佐！是在欧洲碰到的吗？”

我努力装出煞有介事的样子，心里却在想，洛伦佐是谁啊？

“是的，在巴黎碰到的。”

欧蕾拉呵呵笑了起来。

“哇，洛伦佐叔叔可是个人物。我母亲很喜欢他。他不常来看我们，但经常打电话。”

她朝我扬了扬下巴。

“嘿，进去喝点冰茶吧，外面热死了。你可以在我屋里等我母亲，能听见她回来时的汽车声。”

“我不想给你们添麻烦……”

“孩子们和他们的父亲去划船了，所以不用担心，进来吧。”

我下了车，心里越发紧张。我跟着欧蕾拉进了隔壁小院。这幢房子的风格跟兰斯福德家的一样。草地上到处是塑料玩具、飞盘、没了头的芭比娃娃和各种拼装玩具。坐在凉爽的树荫下，我心想，莎拉·斯达任斯基或许经常来这里看外孙外孙女们玩耍。她就住在旁边，也许每天都来。

欧蕾拉递给我一大杯冰茶，我很感激地接下了，然后两人静静地喝茶。

“你住附近吗？”她终于开口了。

“不，我住在法国，在巴黎。我嫁给了一个法国人。”

“巴黎，哇，”她低声欢呼，“那儿很漂亮，不是吗？”

“是的，但这次回来我感到很开心。我妹妹住在曼哈顿，我父母住在波士顿，我这次是回来和他们过暑假的。”

电话响了。欧蕾拉起身进去接电话。她轻声说了些什么，然后回到了院子里。

“是米尔德丽德。”她说。

“米尔德丽德？”我不明所指。

“我父亲的护士。”

昨天和查拉通话的那个女人。她说起过一个卧病不起的老人。

“您父亲……好点了吗？”我试着问她。

她摇了摇头。

“不，不好。癌症晚期，估计挺不过去了。话都说不出来了，一直神智不清。”

“很抱歉。”我低声说。

“感谢上帝，我母亲很坚强。她使我鼓起勇气面对这一切，而不是成天愁眉苦脸。她太棒了。我丈夫艾里克是我的另一支柱。如果没有他们俩，我都不知道该怎么办好。”

我点了点头。此时，我们听到了汽车轮子轧在碎石路面上的嘎吱声。

“我母亲回来了！”欧蕾拉说。

我听到了关车门的声音和脚踩在鹅卵石路面上的啪嗒声，接着从树篱那边传来了呼喊声，声音高但悦耳。“欧蕾拉！欧蕾拉！”

声音中有一种轻快的外国口音。

“来啦，妈妈。”

我的心在胸腔中一阵狂跳，我不得不把手摁在胸前让它平静下来。我跟在欧蕾拉浑圆的臀部后面穿过草坪，心里感到无比兴奋、激动，几乎要昏倒了。

我就要见到莎拉·斯达任斯基了！我就要亲眼见到她了！上帝啊，我该和她说些什么呢。

尽管欧蕾拉就站在我旁边，她的声音却似乎是从很远的地方飘过来的。

“妈妈，这位是朱莉娅·嘉蒙德，是洛伦佐叔叔的朋友，从巴黎来。她正好路过罗克斯伯利。”

那个女人一脸微笑向我走来。她穿着过膝的红色长裙，快六十岁了吧，身材和她女儿一样结实：圆圆的肩膀，胖胖的大腿，粗壮的手臂。黑发中夹杂着银丝，盘成了一个圆髻。皮肤光滑，茶褐色。眼睛乌黑发亮。

黑色眼睛。

我敢肯定，这位不是莎拉·斯达任斯基。

“你是洛伦佐的朋友，嗯？很高兴认识你！”纯正的意大利口音，错不了，这个女人是地地道道的意大利人。

我后退了两步，嘴里结结巴巴地说道：

“非常抱歉，非常抱歉。”

欧蕾拉和她母亲瞪大眼睛看着我，脸上的笑容渐渐消失了。

“我想我找错人了。”

“我母亲不是你要找的人？”欧蕾拉问道。

“我找的人名叫莎拉·兰斯福德，”我说，“我搞错了。”

欧蕾拉的母亲叹了口气，拍了拍我的手臂。

“请不要着急。这种事情经常发生。”

“我得走了，”我咕哝道，脸涨得通红，“很抱歉浪费了你们的时间。”

我转身朝汽车走去。我感到既尴尬又失望，整个身子都在发抖。

“等一下！”身后传来兰斯福德太太清晰的声音，“女士，等一下！”

我停住了脚步。她走上前来，胖乎乎的手握住了我的肩膀。

“嘿，女士，你没有搞错。”

我皱起了眉。

“您什么意思啊？”

“那个法国女孩，莎拉，她是我丈夫的第一位妻子。”

我错愕不已。

“您知道她现在在哪里吗？”我急促地问道。

那只胖乎乎的手又拍了我一下。她黑色的眼睛里透出了哀伤的神色。

“亲爱的，她死了，一九七二年死的。很抱歉告诉你这个消息。”

我的大脑许久之后才接受了她的话，脑袋里晕晕乎乎的，或许是高温所致吧，太阳正毒箭般射在我身上。

“欧蕾拉！快去倒点水来！”

兰斯福德太太挽着我的手臂把我带回门廊，让我坐在放了垫子的木椅上。她递给我一杯水。喝水时，我颤抖的牙齿碰到杯沿上，咔哒咔哒作响。喝完之后，我把杯子递还给了她。

“很抱歉告诉你这个消息，但我说的是真的。”

“她是怎么死的？”我的声音嘶哑了。

“出了车祸。理查德和她六十年代初就来罗克斯伯利住了。莎拉的车在薄冰上打滑了，撞到了树上，当场就死了。冬季这里的路非常危险。”

我无法言语，整个人都崩溃了。

“你现在肯定很难过，可怜的孩子。”她柔声说道，一边慈母般地抚摩着我的脸庞。

我摇着头，嘴里咕哝着。我感到体内仿佛被掏空了一般，只剩下一具空躯壳。一想到还要长途驱车回纽约，我真想尖叫一番。再之后呢……我该跟爱德华和加斯帕德说些什么？怎么说？就说她死了？仅此而已？我们能做的只有这些了？

她死了，死的时候才四十岁。她走了，离开了这个世界。

莎拉死了。我连和她说话的机会都没有了。我永远没有机会向她致歉了，代爱德华向她致歉，告诉她泰泽克一家是多么牵挂她。我永远也没法告诉她，加斯帕德和尼古拉斯有多么想念她，他们让我告诉她他们很爱她。太晚了。晚了三十年。

“知道吗，我没见过她，”兰斯福德太太说，“我是出事几年后才碰到兰斯福德的。他当时非常悲伤，他的小儿子也……”

我抬起头，一下子来了精神。

“小儿子？”

“是的，名叫威廉。你认识威廉？”

“莎拉的儿子？”

“是的，莎拉的孩子。”

“和我同父异母。”欧蕾拉说。

希望又升腾起来了。

“不，我不认识他。跟我说说他的情况吧。”

“可怜的孩子。嗯，他母亲去世时他才十二岁，幼小的心灵受到了极大的创伤。我把他当做自己的亲生孩子一样抚养。我给了他意大利式的爱。他后来娶了一个意大利姑娘，我们村的。”

她笑了，笑中透着骄傲。

“他住在罗克斯伯利吗？”我问。

她笑了，又拍了拍我的脸。

“哦，不，亲爱的，威廉住在意大利。他是一九八〇年离开罗克斯伯利的，那时他二十岁。一九八五年和弗朗西斯卡结的婚，现在已有两个可爱的女儿。他们偶尔回来看望他父亲、我和欧蕾拉，但不常回来。他讨厌这个地方，因为会让他想起他母亲的死。”

突然间，我感觉好了很多。天气不那么热了，也不那么闷了。我发觉我的呼吸也轻松些了。

“兰斯福德太太……”我刚开口。

“请叫我玛拉好了。”她说。

“玛拉，”我听从了她的建议，“我想和威廉谈谈。我要见他本人，有要事相谈，请把他在意大利的地址告诉我好吗？”

电话的信号很差，我只能断断续续地听到乔舒亚的声音。

“夏季才刚过了一半，你就想预支薪水了？”他问道。

“是的！”我大声回答道。他语气中的不相信让我有些畏缩。

“想预支多少？”

我把数目告诉了他。

“嘿，朱莉娅，怎么了？你那个掌管钱财的好说话的丈夫变得抠门了吗？还是有其他原因？”

我不耐烦地叹了口气。

“乔舒亚，你答不答应啊？我有急用。”

“当然答应，”他回答得很干脆，“这么多年来你第一次开口跟我要钱，我只是希望你没有遇到什么麻烦。”

“没有。我要出一趟远门，需要用钱，仅此而已。请尽快打到我卡上吧。”

“哦，”他说道，我可以感觉到他的好奇心在膨胀，“你要去哪里玩？”

“我要带我女儿去托斯卡纳。回头再跟你细说吧。”

我的语调平淡且透着不想再说下去的意味，估计他也觉得从我嘴里打探不到什么了，我感觉到他的不快从巴黎传了过来。他很利落，说钱晚些时候就会打到我的账户里。我说了声“谢谢”便挂了电话。

之后，我托着下巴陷入了沉思。如果我把行动计划告诉伯特兰，他肯定又要横加干涉，会让事情变得更加复杂和困难。我可不愿那样。倒可以跟爱德华说说……不，太早了。我得先和威廉谈谈。我有了他的地址，找到他很容易，和他交谈却不一定容易。

还有佐伊，她欢快的长岛之行将受到影响，她会怎么想？没法去纳罕特见外公外婆了，她会不会难过？刚开始我有些担心。后来，不知怎么我认为她不会介意的。她从来没去过意大利，而且我会把那个秘密告诉她，告诉她事实，告诉她我们要去见莎拉的儿子。

那我父母呢？我跟他们怎么说？从哪里开始？他们在纳罕特等着我们，说好我们在长岛待一阵后去见他们的，我到底该跟他们怎么说呢？

后来，我把自己的想法告诉了查拉。她拖长了腔调说："嗯，很好，带着佐伊跑到托斯卡纳去，找到这个人，就为了对六十年前的事说声抱歉？"

她不无挖苦，我开始退缩。

"真是的，为什么就不能那样做呢？"我问道。

她叹了口气。我们坐在她家二楼靠前的大屋里，她把这间屋子当做办公室。今天晚上她丈夫会回来。晚餐已经准备好了，刚才我们俩一起做的，放在厨房里。查拉跟佐伊一样，喜欢明亮的颜色。这间屋子简直就是艳色的熔炉，有黄绿色、宝石红和鲜橙黄。第一次进这间屋时，我的脉搏都突突直跳，现在我已习惯了，心里倒觉得它颇具异国情调。我倾向于喜欢中性、柔和的颜色，像褐色、米黄色、白色或灰色。我的衣服都是这些颜色。查拉和佐伊都酷爱亮色，而且把颜色搭配得也很恰当。对于她们的大胆和热烈，我既羡慕，又钦佩。

“别再一意孤行了。别忘了，你怀孕了。我不知道这时候跑那样一趟是否合适。”

我没再说什么。她说得有道理。她起身放了一张卡利·西蒙的老唱片。

“你是如此自负。”米克·贾格尔在背景音乐中唱道。

接着，她转过身，直直地看着我的眼睛问：

“你非得现在就去找那人吗？非得在这个时候？我的意思是，你不能再等等吗？”

她的话再次戳中我的软肋。我看着她。

“查拉，事情不是那么简单。不，这件事不能再等了。我也没法解释。这是一件要紧事。目前对于我而言，除了腹中的孩子，就数它最重要了。”

她又叹了口气。

“凯利·西蒙的这首歌经常让我想起你的丈夫。‘你是如此自负。你肯定以为这首歌唱的就是你……’”

我不无讽刺地哈哈一笑。

“你打算怎么跟爸妈说呢？”她问，“你为什么不去纳罕特了？还有你肚子里的孩子？”

“天晓得。”

“那就好好想想。仔细想想。”

“我在想。一直在想。”

她走到我身后，揉捏着我的肩膀。

“也就是说你已经安排好了，准备动身了？”

“是的。”

“性子真急啊。”

她的手搭在我肩上，我感觉很舒服，很温暖，让我慵然欲睡。我环顾了一下查拉亮丽的工作间。桌上摆满了文件和书籍，淡宝石红的窗帘在微风中摇曳。她的孩子不在家，屋子里很安静。

“那人住在哪里？”她问。

“他有名字，叫威廉·兰斯福德，住在卢卡。”

“卢卡在哪里？”

“一个小镇，在佛罗伦萨和比萨之间。”

“他靠什么生活？”

“我在网上查过他，而且他的继母也告诉了我一些情况。他是一名美食评论人，他的妻子是一名雕刻师。他们有两个孩子。”

“这个威廉·兰斯福德有多大年纪了？”

“你怎么像个警察？他是一九五九年出生的。”

“你就这样翩然闯入他的生活，把他的生活搞得面目全非？”

我一阵恼怒，把她的手推开了。

“怎么这样说！我只是想让他知道故事的另一个侧面。我只是想让他知道我们大家都没有忘记所发生的事。”

一丝嘲笑。

“或许他也没有忘记。那段往事他母亲背负了一生。或许他不愿意别人再提这件事。”

楼下传来砰的关门声。

“家里有人吗？那个来自巴黎的漂亮女士和她的妹妹在吗？”

脚步声啪嗒啪嗒上楼了。

是巴瑞，我的妹夫。查拉的脸上顿时放光。真是爱意切切啊，我心想。我为她感到高兴。她有过一次痛苦的离婚经历。现在，她又拥有了幸福的生活。

看着他们亲吻，我想起了伯特兰。我的婚姻将变成什么样呢？它会朝什么方向发展呢？会挺过眼前这道难关吗？我跟着查拉和巴瑞往楼下走，将思绪暂时放到了一边。

后来，我躺在床上，脑子里又想起了查拉说过的关于兰斯福德的话。“或许他不愿意别人再提这件事。”那晚，我在床上辗转反侧，难以入眠。第二天早上我对自己说，很快就可以弄清楚威廉·兰斯福德是否愿意谈及他母亲和他母亲的过去。不管怎么说我要去见他，要去跟他谈。两天后我就和佐伊从肯尼迪国际机场飞巴黎，然后转机去佛罗伦萨。

威廉·兰斯福德总是在卢卡过暑假，玛拉把他的地址给我时就告诉我了。玛拉还给他打了电话，说我会去拜访他。

威廉·兰斯福德知道有个叫朱莉娅·嘉蒙德的人会打电话给他，仅此而已。

托斯卡纳的热跟新英格兰地区的热是两回事。这里的热完完全全是一种干热，没有一丝湿气。我和佐伊拖着行李走出佛罗伦萨的机场时，热浪迎面袭来，我差点当场脱水枯萎。我不断安慰自己，自己这么难过是因为怀有身孕，平常我不会感到这么精疲力竭、干渴难忍的。时差并没缓解我的难受。尽管我戴着草帽和墨镜，太阳似乎依然射进了我的皮肤，我的眼睛。

来之前我已租好了车，一辆朴素大方的菲亚特。我们到达时，它已经停在了一个阳光炙烤下的停车场中央了。车里的空调开得很足。我把车倒出停车场时心里还直犯嘀咕,开车去卢卡要四十分钟，我行吗？我渴望躺在阴凉的房间里，拥着轻薄的被单慢慢入睡。佐伊劲头十足，鼓舞着我不断前行。她一路上没停过嘴，一会儿说天空好蓝啊，深邃清澈，万里无云，一会儿赞美高速公路旁的苍松翠柏和远处林边、山旁的古老房舍。“这儿就是蒙特卡蒂尼，”她一边指着旅游指南一边唧唧喳喳地说，“这儿的高档温泉浴场和葡萄酒很有名。”

我一边开车，一边听佐伊大声念关于卢卡的描述。卢卡是托斯卡纳地区少有的古城镇之一。它拥有著名的中世纪城墙，城墙围起来的区域保存完好，基本上不允许车辆进入。“这里有很多东西可以观赏，”佐伊继续说，“比如大教堂啊，圣·米迦勒教堂啊，圭尼吉塔、普契尼博物馆、豪华宫殿……”她兴致勃勃，我不禁笑了。

她侧脸看我。

“我估计我们没有多少时间去游览吧？”她笑盈盈地问道，“我们有事情要做，是吗，妈妈？”

“对。”我答道。

佐伊已经在卢卡的地图上找到了威廉·兰斯福德的准确位置。那儿离卢卡的主干道菲朗戈大道不远，位于一条宽阔的步行街上。我已经在那条街上的一个名叫卡萨·乔凡娜的小旅馆里订好了房间。

我们离卢卡越来越近，渐渐驶入了它迷宫般的环形道路。我发觉自己必须全神贯注开车，因为周围的车辆胡乱行使，要么从旁边猛冲出来，要么就急刹车，要么就猛地转弯，也不打转弯灯，这里的交通比巴黎明显糟糕多了。我开始感到慌乱，也有些恼火。另外，肚子里还感到一阵阵坠痛，就像月经前的那种感觉，很不舒服。在飞机上吃了什么不适的东西？或者是其他更糟糕的原因？我感到阵阵不安。

查拉说得对，我这种情况——怀孕不到三个月——还来这里实在太不理智了。我应该再等等，六个月之后再来拜访威廉·兰斯福德。我扭头看佐伊。她漂亮的脸蛋上写满了兴奋和开心。她还不知道我和伯特兰分居的事。我们还没让她知道，她对我们的所有安排都一无所知。这个夏季将是她永难忘记的夏季。

我把菲亚特开到城墙附近的一个免费停车场时，心里有了一个明确的念头——为了她，我要把这次旅行安排得尽量精彩。

我告诉佐伊我需要休息一会儿。她去了大厅跟体态丰满、言语热情的乔凡娜闲聊，我冲了一个冷水澡后躺上了床，小腹里的疼痛慢慢退去了。

我们的房间小但很舒适，位于这幢古老、高耸的宾馆楼房的高层。我脑子里不断回想起母亲说话时的语气。我在查拉家给她打电话，告诉她我不去纳罕特了，我打算带着佐伊回一趟欧洲。从她短暂的沉默和不断清喉咙的声音中可以听出，她有些担忧。后来她还是问了我，一切都还好吧。我欢快地回答道："一切都好。我现在有一个机会可以带佐伊去佛罗伦萨玩，过一段时间再回美国来看你和父亲。""但你刚到啊，才和查拉住了一两天又要走，为什么啊？"母亲反对道。"为什么要打扰佐伊在这儿的假期？我不明白，而且你还说你有多么想念美国。干吗这样着急忙慌的？"

我觉得很内疚。但是，我不知道该怎么在电话里向她和父亲解释整件事情。我想，总有一天我会跟他们解释的，但不是现在。我躺在有淡淡薰衣草香味的淡粉色床单上，心中仍有歉意。我甚至连怀孕的事都没告诉母亲，也没告诉佐伊。我很想把这个秘密告诉他们，包括父亲，但某种念头——某种异样的恐惧，一些我以前从未有过的焦虑——阻止着我。过去的几个月中，我的生活似乎已发生了微妙的变化。

跟莎拉有关？跟圣通日大街的公寓有关？又或者只是迟到的

对衰老的恐惧？我说不清楚，只觉得自己好像从长久以来一直保护着我的柔美的浓雾中走了出来。现在，我的感觉变得锋利而敏锐。浓雾已经不复存在，温情的外衣消失了，只剩下赤裸裸的事实。找到那位男士，告诉他泰泽克家一直没忘记他的母亲，杜弗尔家也一样。

我急切地想见到他。他就在这里，就在这个镇上，也许此刻正走在熙熙攘攘的菲伦戈大道上。我躺在自己的小房间里，外面狭窄的街道上的说话声、笑声，夹杂着阵阵小型摩托车的咆哮声和自行车的清脆铃声，从开着的窗户里涌了进来。不知何故，我觉得自己和莎拉离得更近了，比以往任何时候都近，因为我就要见到她的儿子，她的骨肉，她的血脉了。这是我和那个戴黄色星星的小女孩距离最近的一次。

伸手拿起电话打电话给他，就这么简单，就这么容易。但是，我不能这么做。我盯着那个黑色的旧电话，无计可施，只好绝望而烦恼地叹气。我躺了回去，觉得自己真傻，甚至有些丢人。后来我意识到，我的全部心思都被莎拉的儿子占据了，对美丽迷人的卢卡置若罔闻。我就像一个梦游者一样跟在佐伊的身后在这个城市里行走，佐伊却优哉游哉地在那些错综复杂、蜿蜒盘绕的古老街道间穿梭，仿佛她一直就生活在这个城市里。我在卢卡什么也没欣赏到。除了威廉·兰斯福德，我眼里没有任何东西。然而，我连电话都不能打给他。

佐伊走了进来，在我床边坐下。

“你还好吧？”她问道。

“我休息得很好。”我说。

她紧盯着我看，浅褐色的眼睛在我脸上扫来扫去。

“妈妈，或许你的休息时间应该再长一点。”

我皱起了眉。

“我看上去很疲惫吗？”

她点点头。

“好好休息吧，妈妈，乔凡娜给了我一些吃的，不用担心我，一切都在掌握之中。”

看着她庄重的神情，我不由得笑了。当她走到门口时，却突然转过身来。

“妈妈……”

“嗯，宝贝儿，什么事？”

“爸爸知道我们来这儿了吗？”

我没有把带佐伊来卢卡的事告诉伯特兰。毫无疑问，他如果知道了，肯定会勃然大怒的。

“不，亲爱的，他不知道。”

她拨弄着门柄。

“你和爸爸吵架了吗？”

在她那双明亮、庄重的眼睛面前，我无法说谎。

“是的，我们吵架了，亲爱的。你爸爸不同意我继续调查莎拉的事，如果他知道我把你带到这儿来了会不高兴的。”

“但爷爷知道。”我大吃一惊，一下子坐了起来。

“你把我们的行踪告诉爷爷了？”

她点了点头。

“是的，知道吗，他真的很关心莎拉的事。我是在长岛给他打电话的，我告诉他你和我要来这儿见莎拉的儿子。我知道你总要打电话告诉他的，但当时我实在太兴奋了，就忍不住说了。”

“那他说什么了？”我问道。女儿的直率让我有些吃惊。

“他说我们做得对，应该来的。如果爸爸小题大做的话他来跟爸爸说。他还说你很棒。”

“爱德华真这么说了？”

“他真这么说了。”

我摇摇头，既困惑又感动。

“爷爷还说了别的。他希望你别把这事看得太重，还要我好好照顾你，别让你累着。”

那么爱德华是知道了，他知道我怀孕了。他已经跟伯特兰谈过了。父子之间也许谈了很久吧。而且，伯特兰现在也知道一九四二年夏天发生在圣通日大街公寓里的所有事情了。

佐伊的声音把我从爱德华身上拽了回来。

“给威廉打电话吧，妈妈。跟他约个时间。”

我在床上坐了起来。

“你说得对，宝贝儿。”

我拿出玛拉抄给我的威廉的电话号码，用旅馆的旧电话拨了出去。我的心怦怦直跳，觉得这真跟做梦一般——我来到了这样一个地方，正在给莎拉的儿子拨电话。

我听见一两声不规则的铃声，然后是录音电话的嗡嗡声，接着传来了女人的声音，说的是意大利语，语速很快。我感觉有点傻，便赶忙挂了电话。

“这可不好。”佐伊说，“不要一听是留言机就挂电话，这可是你告诉过我千百遍的基本礼貌哦。”

佐伊似乎对我越来越不满意。我对她笑了笑，重拨了电话。这次电话嘟嘟响过之后我说话了。我措辞恰当，语言流畅，就像练习了好几天一样。

“你好，我是朱莉娅·嘉蒙德。玛拉·兰斯福德太太向你提起过我。我和女儿现在在卢卡，住在菲朗戈大街的卡萨·乔凡娜旅店。我们会在这里住几天。期待你的回音。谢谢。再见。”

我把话筒放回了黑色底座，松了一口气，又有些失望。

“好样的，”佐伊说，“现在你继续休息，我过一会儿再来看你。”

她吻了一下我的前额便离开了。

晚饭我们是在旅馆后面的一个有趣的小餐厅吃的。这个餐厅位于安菲戴阿德罗广场附近，周围是一圈古楼房，几个世纪前的一些运动项目就在中间的区域进行。休息之后我觉得精神恢复了，开始欣赏起身边形形色色的游客、卢切斯球队的球迷、摊贩、孩子和鸽子。我发现意大利人很喜欢孩子。服务员和店主都称佐伊为小公主。他们称赞她，冲她微笑，捏捏她耳朵，拧拧她鼻子，摸摸她头发。起初我有些紧张，但佐伊很喜欢这样的待遇。她还热情地试着使用一些简单的意大利语："我叫佐伊，来自美国。"热浪渐渐退去，取而代之的是习习凉风，但我知道，我们位于楼房高层的小房间里还很闷热。和法国人一样，意大利人也不会让空调一直开着。今天晚上，我不介意对着机器吹冷风。

因为时差的缘故，回到卡萨·乔凡娜旅店时，我们的脑袋晕晕乎乎的。我们发现门上有张纸条，上面写着："请给威廉·兰斯福德打电话。"

我直直地站在那里，像被雷击中一般。佐伊喔喔地欢呼着。

"现在就打吗？"我问道。

"嗯，现在才八点三刻。"佐伊说。

"行。"我说着，用颤抖的手打开了门。我把黑色的话筒贴在耳边，第三次拨了他的电话号码。是自动应答机，我用口型告诉佐伊。说话啊，佐伊也用口型回复我。哔哔声之后，我咕哝着报了自己的名字，犹豫间正想放下电话，电话里传来了一个男性的声音："你好。"

美国口音。是他！

"你好，"我说，"我是朱莉娅·嘉蒙德。"

"你好，"他说，"我正在吃饭。"

"哦，抱歉……"

"没关系。明天午饭前见个面行吗？"

"好。"我说。

"城墙上有一个很不错的咖啡馆，就在曼西宫后边。中午在那里见面吧？"

"好的。"我说，"呃……我们怎样认出对方呢？"

他哈哈笑了。

"别担心。卢卡是个小地方，我会找到你的。"

一阵沉默。

他说："再见。"然后就挂断了电话。

第二天早晨，我腹部又痛了。虽然不是特别厉害，却不依不饶地不肯退去。我决定不予理会，如果午饭后还痛，再叫乔凡娜请医生也不迟。去咖啡馆的路上，我一直在想该如何跟威廉谈。以前我一拖再拖，现在才明白，早点想清楚就好了。我将唤起他悲伤、痛苦的记忆。或许他根本不想谈他妈妈的事，或许他已经为此事画了句号。他远离了罗克斯伯利，远离了圣通日大街，来到这里，过一种平静的田园生活。现在我却要重提过去，重提尘封的往事。

我和佐伊发现，环绕这座小城的中世纪城墙很厚，人可以在上面行走。城墙高而宽，上面有一条大道，被旁边一排浓密的栗树遮蔽着。我们融入了大道上川流不息的人群——有跑步的，有散步的，有骑自行车的，有滑旱冰的，有带着小孩的母亲，有大声讲话的老人，有玩滑行车的年轻人，还有游客。

我们走了好长一段路才看到那个咖啡馆，它位于枝叶茂密的树荫之中。和佐伊渐渐走近咖啡馆时，我突然感到一阵奇怪的眩晕，几乎要失去知觉。咖啡馆外的露台上很空，只有一对中年夫妇在吃冰激凌，还有几位在查看地图的德国游客。我拉低帽子遮住了眼睛，理了理有点皱的裙子。

我正在给佐伊报菜名的时候，听到他叫了我的名字。

“朱莉娅·嘉蒙德。”

抬头一看，他四十五岁左右，身材高大魁梧。他在我和佐伊的对面坐了下来。

“你好。”佐伊打了声招呼。

我却说不出话来，只是盯着他看。他的头发是赤金色的，中间夹着丝丝银发，发际线已经开始后退，方形下巴，还有一个漂亮的鹰钩鼻。

“你好，”他对佐伊说，“尝尝提拉米苏，你会喜欢的。”

然后，他把墨镜推过前额架在头顶。他的眼睛和他母亲的一样，蓝绿色，有点斜。他微笑着问：

“你是记者？在巴黎工作？我在网上查到了一些你的信息。”

我咳嗽了两声，手指紧张地拨弄着手表。

“嗯，我也搜索过你的信息。你最近的著作，《托斯卡纳的盛宴》，写得很不错。”

威廉·兰斯福德叹了口气，拍了拍自己的肚子。

“啊，为了写那本书，我的体重增加了十镑，而且到现在也没能减掉。”

我灿然一笑。这样的话题轻松愉快，把它转向我们要谈的话题是很困难的。佐伊意味深长地看着我。

“很高兴你能来这里和我们见面……感谢……”

我的声音越来越不自然，越来越小。

“这没什么。”他咧嘴一笑，向服务员打了个响指。

我们帮佐伊点了一份提拉米苏和一杯可乐，另外叫了两杯卡布奇诺咖啡。

“你第一次来卢卡？”他问道。

我点点头。服务员来到我们旁边，威廉·兰斯福德用快速、流利的意大利语跟他说了什么，两人都呵呵笑了。

“我经常来这家咖啡馆。”他解释道，“我喜欢来这里逛，哪怕是在今天这么热的天气里。”

佐伊吃着提拉米苏，她的勺子碰在小玻璃碗上，发出了叮当的声音。突然间，我们陷入沉默。

“我能为你做什么？”他爽快地问道，“玛拉跟我说跟我母亲有关。”

我暗暗表扬了玛拉，她让事情变得似乎容易了些。

“我不知道你妈妈已经过世了。”我说，“抱歉。”

“没关系。”他耸耸肩，往咖啡里放了一块糖，“很久之前的事了。那时我还是个孩子。你认识她？看起来你的年龄好像年轻了一点。”

我摇摇头。

“不，我从来没有见过你母亲。那次战争期间她所住的公寓碰巧是我将要搬进去住的那套，在巴黎的圣通日大街。我还认识一些跟她关系很近的人，这也是我来这儿见你的原因。”

他放下咖啡，静静地看着我。从他清澈、平静的眼神中可以看出他在思考。

桌子底下，佐伊将她湿乎乎的手放在了我裸露着的膝盖上。我看着几个人骑着自行车飘然而过。闷热再一次袭来，我做了一个深呼吸。

“我不知道该怎么开始，”我支吾着，“我也知道重提此事对你来说肯定很痛苦，但我还得提。一九四二年，我丈夫家——泰泽克家——在圣通日大街和你妈妈有过接触。”

我以为泰泽克这个姓氏会有所触发，但他仍旧不为所动。圣通日大街这个地名似乎也没激起他什么反应。

“事情发生之后，我指的是一九四二年七月的悲剧，还有你舅舅的死，我想让你知道泰泽克一家从来没有忘记你母亲，特别是我公公，天天都在牵挂着她。”

一阵沉默。威廉·兰斯福德的瞳孔似乎在收缩。

“对不起，”我快速说道，“我知道这对你来说很痛苦，对不起。”

他最终开口说话时，声音听起来怪怪的，似乎快要窒息。

“你说的悲剧指什么？”

“第十五区冬季赛车场大圈押事件。”我结结巴巴地说，“一九四二年七月，犹太家庭被圈押在巴黎……”

“接着说。”他说。

“集中营……那些家庭被从德朗西送往奥斯威辛集中营……”

威廉·兰斯福德伸开手掌，摇摇头。

“对不起，我并没发现这些事跟我母亲有什么关系。”

我和佐伊看了对方一眼，感到颇为尴尬。

漫长的一分钟过去了。我感到极度的不舒服。

“刚才你说我有一个舅舅死了？”他终于又说话了。

“是的……叫迈克，是你母亲的弟弟，死在圣通日大街的公寓里。”

沉默。

“迈克？”他似乎有些疑惑，“我母亲没有叫迈克的弟弟，而且，我也从来没有听说过圣通日大街。嗯，我觉得我们说的好像不是同一个人。”

“但你母亲名叫莎拉，不对吗？”我喃喃说道，自己也有些糊涂了。

他点点头。

“嗯，没错，莎拉·杜弗尔。”

“是的，莎拉·杜弗尔，就是她，”我急切地说，“或者应该叫做莎拉·斯达任斯基。”

我本以为他会眼睛一亮。

“你说什么？”他说，眉毛向上一挑，“莎拉什么？”

“斯达任斯基。你母亲的娘家姓。”

威廉·兰斯福德抬起下巴，瞪着眼睛看我。

“我母亲的娘家姓杜弗尔。”

我猛地警觉起来。不对劲，有些东西他不知道。

我现在离开还来得及，赶紧走吧，否则这个男人的宁静生活将被我击成碎片。

我挤出一丝笑容，轻声说了句搞错了之类的话，然后把椅子往后挪了几英寸，温柔地对佐伊说别吃点心了，我们得走了。我不能再浪费他的时间了，我真的非常抱歉。我从坐椅上站了起来，他也站了起来。

“估计我母亲不是你要找的莎拉。”他笑着说，“不要紧，在卢卡好好玩玩吧。不管怎么说，很高兴认识你。”

我还没来得及说话，佐伊把手伸进我包里，掏出一样东西递给了他。

威廉·兰斯福德低头看照片。照片上，一个小女孩戴着一颗黄色星星。

“这是你母亲吗？”佐伊小心地问道。

我们身边的世界似乎一下子安静了下来。旁边繁忙的大道上没了声音，甚至连鸟儿也似乎停止了鸣叫，只剩下了闷热，还有沉默。

“天哪。”他说。

然后，他沉重地坐了下来。

照片躺在我们之间的桌子上。威廉·兰斯福德的视线不停地在照片和我之间移动。他看了照片背后的文字好几次，一脸愕然。

“不可否认，这女孩看起来真的很像我妈妈小时候。”他最后承认道。

佐伊和我都没说话。

“我想不通。这怎么会，这怎么可能。”

他紧张地揉搓着双手。我发现他戴了一枚银质的结婚戒指，他的手指很修长。

“那颗星星……”他不断地摇头，“她胸前的星星……”

有没有可能这个男人根本不知道她母亲真实的过去，不知道她的宗教信仰？有没有可能莎拉根本没有把这些告诉兰斯福德家？

看到他一脸疑惑，焦急不安，我想我知道是怎么回事了。她没有告诉他们。她没有告诉他们她的童年经历，她的种族和宗教信仰。她已经和自己惨痛的过去一刀两断了！

我想离开，离这个城镇、这个国家、这个不知情的男人远远的。我怎么这么盲目？我怎么能没有预见到这种情况？我曾不止一次想到过，她的遭遇太悲惨了，她可能会保守这些秘密。所以，她没再给杜弗尔家写信，没有把自己的真实身份告诉儿子。她想在美国开始新的生活。

现在，我，一个陌生人，却跑来向这个男人，这个不堪承受的男人，揭露冷酷的事实。

威廉·兰斯福德把照片推给我，他的嘴唇绷得紧紧的。

“你来这里到底是为了什么？”他的声音很轻。

我的喉咙有些发干。

“来告诉我我妈妈还有另外一个名字？来告诉我她有一段悲惨的过去？这就是你来这里的目的？”

我感到自己桌下的双腿在发抖。这不是我所想象的。我想象过他会痛苦，会难过，但没想过会这样。我没想到他会生气。

“我以为你知道事情的真相。”我鼓起勇气说，“我来这儿是因为我的家人一直还记得她一九四二年是怎样度过的。这就是我来这里的原因。”

他又摇了摇头，激动地用手指爬犁似的抓挠着头发。他的墨镜啪地掉到了桌上。

“不，”他喘着气说，“不，不，不。这太离谱了。我母亲是法国人，姓杜弗尔。她出生在奥尔良，在战争中失去了父母。她没有兄弟，没有家人。她从来没在巴黎住过，也没住过那个圣通日大街。这个犹太小女孩不可能是她。你肯定是搞错了。”

“对不起，”我温和地说，“请听我解释。让我把整件事告诉你……”

他扬起手，好像要把我推开。

“我不想知道。把这‘整件事’留给你自己吧。”

腹内的那种熟悉的疼痛又来了，熟练地侵扰着我的子宫。

“求你了，”我虚弱地说，“请听我说完。”

威廉·兰斯福德站了起来。对于他那样高大的男人来说，他那个动作显得非常快速、敏捷。他低头看我，铁青着一张脸。

“我已经想得很清楚了。我不想再见到你。我不想再谈这件事。请不要再打电话给我。”说完后他就走了。

我和佐伊眼睁睁看着他离开。我们付出了那么多，却一无所获。大老远跑过来，吃了那么多苦，却得到这样一个结果，一条死胡同。我不相信莎拉的故事这么快就以这样的方式结束了。她的故事不能就这样蒸发了。

我们静静地坐了许久。尽管天很热，付账时我却在颤抖。佐伊也没说话。她似乎惊呆了。

我站起身,每个动作似乎都很费力气。接下来干什么？去哪里？回巴黎？还是回查拉家？

我步履沉重，脚好像灌了铅一样。我听见佐伊在叫我，但我不想回头。我想快点回到旅馆，去理清思绪，做出安排，去给我妹妹、爱德华和加斯帕德打电话。

佐伊的叫喊声更大了，而且很焦急。她想干吗？为什么还带着哭腔？我发现路人都在盯着我看。我刷地一转身，气急败坏地叫她动作快点。

她冲到我身边，抓住了我的手。她脸色苍白。

“妈妈……”她叫道，估计是因为紧张，声音显得很低。

“什么？出了什么事？”我恶声恶气地问道。

她指指我的腿，然后像小狗一样呜呜哭开了。

我低头一看，我白色的裙子上浸满了血水。再看刚才坐过的座位，上面有个半月形的深红色印记。黏稠的红色液体顺着我的大腿直往下流。

“你受伤了吗，妈妈？”佐伊抽噎着问。

我捂着自己的肚子。

“我的小宝宝。”我惊骇万分。

佐伊瞪大眼睛看着我。

“小宝宝？”她尖叫道，手指掐进了我的手臂，“妈妈，什么宝宝？你在说什么？”

她尖尖的脸渐渐模糊了。我两腿一软，向前扑倒在滚烫的路面上。

然后，一片静寂，一片黑暗。

我一睁眼便看到了佐伊的脸，离我的脸只有几英寸的距离。我闻到的气味显然是医院的味道。我们在一间小小的绿色房间里。我前臂上有一支静脉注射器。一个穿白大褂的女人正在图板上写着什么。

“妈妈……”佐伊抓着我的手低声说，“妈妈，一切都还好。别担心。”

那个年轻女人走到我旁边，微笑着拍拍佐伊的头。

“你会没事的，夫人。”她说。她的英语好得让人吃惊。“你流了大量的血，但现在已经没事了。”

我的声音就好像在哼哼。

“婴儿呢？”

“没事。我们刚刚做了扫描，胎盘有点问题。你现在需要休息。近期得多卧床。”

她离开了房间，顺手轻轻地带上了门。

“你把我的‘屁’都吓出来了。”佐伊说，“今天我可以说‘屁’吧，你不会骂我吧？”

我把她拉进怀里紧紧抱着，也不管手臂上还扎着静脉注射器。

“妈妈，你为什么不告诉我你怀孕的事？”

“宝贝儿，我会告诉你的。”

她抬头看着我。

“你跟爸爸闹矛盾，是不是就因为这个孩子？”

“是的。”

“你想要这个孩子，但爸爸不想要，对吗？”

“差不多吧。”

她温柔地揉着我的手。

“爸爸正在赶过来。”

“哦，天哪！”我说。

伯特兰要来这儿，来收拾这个烂摊子！

“我打电话给他的，”佐伊说，“再过几个小时就到了。”

泪水慢慢爬出眼眶，顺着脸颊淌了下来。

“妈妈，别哭。”佐伊恳求道，一边不断地用手擦去我脸上的泪水，“没事了。现在一切都没事了。”

我虚弱地笑笑，点点头来宽她的心，但我的世界空空如也。我不断想起威廉·兰斯福德离开时的情形。“我不想再见到你。我不想再谈这件事。请不要再打电话给我。”他宽厚的肩膀向下耷拉着，嘴角绷得紧紧的。

接下来的数日，数星期，甚至数月将平淡无奇，阴郁而灰暗。我从来没有觉得这么沮丧过，这么迷茫过。我的精神支柱被抽走了。我还剩下什么呢？一个快要变成我前夫的男人不想要的孩子，我将不得不独自抚养的孩子，还有一个即将进入青少年时期的女儿。或许她会发生变化，不再是一个非凡的小女孩了。突然之间，我似乎没什么好指望的了。

伯特兰来了，冷静、能干、温和。我听由他处理一切，听他跟医生谈，看他偶尔用温暖的眼神让佐伊安心。他考虑到了一切细节。我将待在医院里，直到血完全止住。然后我将飞回巴黎，安心静养到秋天，届时将是我怀孕的第五个月。伯特兰没有提到莎拉，一次也没有。他没有问任何问题。我蜷缩进了一种舒适的沉默之中。我不想谈论莎拉的事。

我开始像一个小老妇人一样，一会儿被送到这里，一会儿被送到那里，就跟玛玫一样，而且也是在她熟悉的“家庭”界限内移动，得到同样温和的笑容，同样乏味的慈爱。听从别人的安排，你的生活就变得容易多了。再者，除了腹中的孩子，我也没有多少东西要跟别人争抢。

至于这个孩子，伯特兰再也没提起过。

我们回到巴黎时，虽说只隔了短短几个星期，却恍若经年。我仍然感到疲惫和伤感。我每天都会想起威廉·兰斯福德，好几次伸手去拿电话或笔和纸，想跟他谈谈，想给他写信，向他解释，总得说些什么，比如说声抱歉，但我一直没敢付诸行动。

我任由日子悄悄溜走，夏去秋来。我躺在床上看书，在便携式电脑上写文章，打电话跟乔舒亚、班贝尔、亚利桑德拉以及我的家人和朋友聊天。我就在卧室里工作，刚开始头绪有些乱，但后来进展得还比较顺利。我的朋友伊莎贝拉、霍莉和苏珊娜轮流来看我，给我做午饭。我的两个小姑子每周一次轮流陪佐伊去附近的英诺超市或弗兰品克斯超市采购一些日用品。丰满、性感的赛茜尔会做淌着黄油的绒状馅饼。美丽、骨感的罗芮则会做式样奇特的低热能沙拉，而且味道出奇的好。我婆婆来的次数一般较少，但她会叫她的清洁工——精力充沛、身上有股味儿的莱克利尔太太——来为我们打扫房子。她干活的动静特别大，害得我不能专心工作。我父母也来巴黎待了一星期，住在他们喜欢的德朗贝尔街的一家小旅馆里。当他们得知自己又要当外公外婆时，感到欣喜万分。

爱德华每星期五会带着一束粉红色的玫瑰花来看我。他坐在我床边的扶手椅上，让我描述跟威廉在卢卡的谈话。他会摇头叹息，反复说他本该料到威廉的那种反应的，我们俩怎么会没想到威廉不知情呢？怎么会没想到莎拉守口如瓶呢？

“我们不能给他打电话吗？”他问我，眼神里充满了期盼，“我能打电话向他解释吗？”他看看我，然后喃喃自语，“是的，当然不行。我不能那样做。我也太愚蠢、太荒谬了。”

我问我的医生，可否举办小型聚会，我就躺在客厅的沙发上。她同意了，但让我答应不搬重物，而且要保持平躺的姿势，躺在卧榻上。夏末的一个晚上，加斯帕德和尼古拉斯来看望爱德华。娜塔莉·杜弗尔也来了，我还邀请了吉尧姆。那是一个动人的、神奇的时刻。三位老人的生命中出现过同一个令人难以忘怀的小女孩。我看他们神情专注地看着莎拉的那张照片和那些信。加斯帕德和尼古拉斯问了我一些关于威廉的事，娜塔莉一边听着，一边帮着佐伊为大家递送饮料和食物。

尼古拉斯——活脱脱加斯帕德的年轻版，两人有着同样的圆脸和细细的白发——跟大家讲述着他跟莎拉的独特关系。当时莎拉不大说话，他觉得很痛苦，所以经常逗她。莎拉的任何回应，不管是耸耸肩，骂他一句，还是踢他一脚，他都看做是自己的胜利，因为那一刻她脱离了心中的隐秘，跳出了那种与世隔绝的状态。他跟大家讲了莎拉第一次去海里游泳时的情形。那是在五十年代初，在特鲁维尔。她惊奇地看着大海，张开双臂，欢快地呼喊着，迈开瘦削的双腿冲向海水。她开心地叫喊着，一头扎进了清凉的蔚蓝色海浪里。他们跟在她身后，也大声叫喊着。他们感到惊喜不已，因为他们看到了一个全新的莎拉。

“她很漂亮，”尼古拉斯回忆道，“一个十八岁的漂亮姑娘，浑身闪耀着青春与活力。那天也是我第一次感受到她内心的快乐，第一次感到她的未来还有希望。”

我记得是两年之后，莎拉永远地离开了杜弗尔家，带着她的秘密去了美国。二十年后，她去世了。她在美国的那二十年是怎样度过的？我在心里默默想着。她结了婚，生了儿子。她在罗克斯伯利过得快乐吗？估计只有威廉知道答案，只有威廉能告诉我们这些。我和爱德华四目交接，可以看出他也在想同样的问题。

我听到伯特兰的钥匙在锁中扭动的声音。接着，我的丈夫出现了。他的皮肤晒成了茶褐色，英俊无比，身上散发着娇兰男士满堂红的香水味。他温和地微笑着，亲切地和客人们握手。我不由得想起了让查拉想到伯特兰的卡利·西蒙的那首歌的歌词："你现身舞会，舞步翩翩。"

因为我有孕在身，伯特兰决定推迟搬进圣通日大街的公寓。在这种我依然没能适应的怪异的新生活中，他总出现在我们身旁，态度友善，帮我做这做那，但他的心不在我们这里。他出远门的次数比以前多了，平时则早出晚归。我们仍然共睡一张床，但那已不再是婚姻之床了，床的中央已竖起了一堵柏林墙。

佐伊似乎并没有把这一切放在心上。她经常提到我腹中的婴儿，说她非常看重这个婴儿，她感到很兴奋。我父母来看望我的时候，她经常和我母亲出去购物。她们在学府街的帮波特儿童用品专卖店里近乎疯狂地买东西。那里的东西精致，但贵得出奇。

大多数人的反应跟我女儿、我父母、妹妹、我公公一家和玛玫他们一样，为我腹中的新生命感到非常激动。就连不喜欢小孩，讨厌员工请病假的乔舒亚似乎也颇感兴趣。“我以前不知道中年人居然也能生小孩。”他不无揶揄。没有人提到过我的婚姻正面临的危机，似乎没人发现到我的婚姻出了问题。难道他们私下里以为，一旦孩子出生，伯特兰就会醒悟过来，会张开双臂欢迎这孩子？

我意识到，伯特兰和我已陷入一种麻木的僵持状态。我们不跟对方说话，有事也不告诉对方。两人都在等孩子的出生，到那时事情就清楚了。我们的生活将向前迈进，我们将作出决定。

一天清晨，我感觉到腹中胎儿在动。他用小脚踢我，一般的孕妇会误以为是胎气涌动。我希望宝宝快出来，快到我的怀抱中来。

我讨厌这种慵懒的状态，讨厌这种等待。我感觉自己被困住了。我盼望冬天快点到来，下一年年初——我的宝宝出生的时候——快点到来。

我厌恶徘徊不前的夏末，厌恶日渐消退的燥热，厌恶空气中的尘埃和蜗牛般爬行的时间。我讨厌听到收音机里、电视上、报纸上一遍又一遍重复提到“九月初”这个法语词汇，它意味着师生重返校园，意味着暑假后新的开始。我讨厌人们总问我宝宝将来取什么名字。羊膜穿刺术已经显示了他的性别，但我让医生不要告诉我。宝宝还没有名字，这并不意味着我没有为他的降生做好准备。

我一天一天划去日历上的日子。九月消逝，十月来临，我的腹部已隆了起来。我能下床了。有时候我会去办公室看看，去学校接佐伊，和伊莎贝拉一同看电影，和吉尧姆一起在精英饭店吃午饭。

我的日子虽然过得更充实，更忙碌了，但心里的空虚与疼痛依然存在。

我经常想起威廉·兰斯福德，想起他的脸、他的眼睛，他低头看那个胸前戴着星星的小女孩时的表情，他说“上帝呀”时的语气。

他现在的生活怎么样？他转身离开我和佐伊时的所有念头是否已被抹得一干二净？他回到家时是否就把所有的东西忘掉了？

要么是截然相反的情形？由于我把事实告诉了他，他的生活彻底改变，现在他天天受着地狱般的煎熬？在他眼中，母亲变成了陌生人，他对母亲的过去一无所知。

我心想，他会不会把跟我见面的事告诉他的妻子和女儿——一个美国女人带着一个小孩来到卢卡，给他看了一张照片，告诉他他的母亲是一位犹太人，她在那次战争期间被关押，遭受了极大的痛苦与折磨，失去了弟弟和父母——对此他从未听说过。

我心想，他会不会去搜索关于第十五区冬季赛车场圈押事件的相关信息，会不会去看关于一九四二年七月发生在巴黎市中心的事件的文章和书籍。

我不知道他晚上会不会睡不着，躺在床上想他的母亲，想他母亲的过去，想所发生的事实，想是否还有被笼罩在黑暗之中、尚无人提起的秘密。

圣通日大街的公寓已基本完工了。伯特兰打算让我和佐伊在二月份小宝宝出生之后搬进去。公寓看起来很漂亮，跟以前大不一样了。他的团队活儿干得很漂亮，已经看不出玛玫留下的痕迹了。我估计它跟莎拉所熟悉的样子也大不相同了。

但是，当我漫步在粉刷一新的空房间、新厨房和我新的私人办公室里时，我问我自己是否能忍受住在这里，住在莎拉的弟弟死去的地方。那个秘密壁橱已经没有了，两间房屋合二为一时被拆掉了，但不知何故，这种改变在我眼里毫无用处。

这里就是惨剧发生的地方，我无法将它从我的记忆中抹去。我并没有把迈克的死告诉我女儿，但情感丰富、细腻的她已经感觉到了。

十一月一个潮湿的清晨，我去公寓装窗帘、贴墙纸、铺地毯。伊莎贝拉给了我极大的帮助，陪着我去小店或商场购买材料。佐伊很开心，因为我决定放弃我过去喜欢的安静、平和的色调，转而选用清新、鲜亮的色彩。伯特兰曾随意地一挥手说："房屋的布置问题你们自己决定，反正是你们住。"佐伊决定，她的卧室将采用橙绿色与淡紫色。我不禁笑了——她的品味跟查拉真像。

光秃秃的锃亮的地板上堆着一堆材料目录等着我看。我正在仔细翻看时，手机响了。号码我认识，是玛玫所在的疗养院的。近来，玛玫时常感到累、易怒，有时候让人无法忍受。想让她笑很困难，即使佐伊也很难做到。她对每一个人都感到厌烦。近期去看她几乎是自讨苦吃。

“嘉蒙德女士吗？我是疗养院的维罗妮卡。恐怕我得告诉您一个不好的消息，泰泽克太太的情况不大好，她中风了。”

我的腰一下子直了起来，震惊袭遍全身。

“中风？”

“现在好些了，罗奇医生正在给她看，但您得过来。我们已经跟您的公公取得了联系，但无法联系到您的丈夫。”

我挂断了电话，心里感到一阵阵惊慌。屋外，雨水刷刷地击打在玻璃窗上。伯特兰去哪里了？我拨通了他的号码，听到的却是语音信息。他的办公室在玛德莲教堂附近，办公室里的人没人知道他去了哪里，连安东尼都不知道。我告诉安东尼我在圣通日大街的公寓里，我叫他让伯特兰尽快给我打电话，有急事。

“夫人，是小宝宝的事吗？”他结结巴巴地问道。

“不，安东尼，不是宝宝的事，是伯特兰的祖母出事了。”回答之后我挂断了电话。

我看了看外面，雨下得很大，如同一挂银灰色的幕帘。出去的话我会浑身湿透的。太糟糕了，我心想。不管了，那可是玛玫啊，招人喜欢的玛玫，我的玛玫。不，玛玫不会现在就离开的，我需要她。意外来得太快了，我丝毫没有心理准备。但是我又想到，对于她的离开，我又如何能准备好呢？我环顾四周，视线落在了客厅——当初我和她的第一次见面就是在这里。当时的一幕幕重现脑海，我不堪承受，难以摆脱。

我决定给赛茜尔和罗芮打电话，把此事告诉她们，让她们赶往疗养院。罗芮话语不多，显得很干练，她说已经在车里了，一会儿在疗养院见。赛茜尔则情感化一些，显得比较脆弱，她的话语中带着哭腔。

“哦，朱莉娅，一想到玛玫，我就受不了。你知道……太可怕了……”

我告诉她我无法联系到伯特兰，她显得很惊讶。

“我刚和他通过话呀。”她说。

“你打的是他的手机吗？”

“不，不是的。”她回答道，声音吞吞吐吐。

“打的是他办公室的电话？”

“他就快来接我了，我坐他的车去疗养院。”

“可我根本联系不上他。”

“哦？”她小心翼翼地说道，“我知道了。”

我一下子明白了，一股怒火腾地燃了起来。

“他在艾米丽那儿，对吧？”

“艾米丽？”她故作茫然。

我不耐烦地一顿足。

“哦，行了，赛茜尔，你很清楚我说的是谁。”

“门铃响了，可能是伯特兰到了。”她急匆匆地说道。

她挂断了电话。我站在空荡荡的屋子中央，使劲捏着手里的电话，仿佛那是一件武器。我把额头抵在凉凉的玻璃窗上。我很想揍伯特兰一顿。让我难受的倒不是他和艾米丽断不掉的关系，而是她的妹妹们都有那个女人的号码，有突发情况时知道如何找到他，就像现在一样，而我却没有。另外，我们的婚姻就快解体了，他仍然没有勇气告诉我他还在和那个女人见面。跟往常一样，什么事都是我最后一个知道。我是永远被耍弄、被伤害的一方。

我久久地站在那里，一动不动。腹中的胎儿在踢我，我不知道应该笑还是哭。

我依旧在意伯特兰，所以才会觉得受伤？或者这只是个自尊心受到伤害的问题？艾米丽，巴黎人，妩媚十足，无可挑剔；她位于特罗卡迪罗的住处个性鲜明，非常时髦；她的孩子彬彬有礼，“你好，女士”经常挂在嘴边；她用的香水强劲有力，久久驻留在伯特兰的头发里、衣服上。如果伯特兰爱她，不再爱我，那他为什么害怕告诉我？怕我受伤？怕佐伊受伤？他为什么如此害怕？他何时才能明白，我无法忍受的不是他的不忠，而是他的怯懦？

我走进厨房，口干得要命。我拧开水龙头，直接喝了起来，笨重的肚子顶在了水槽上面。我又看了看外面，雨似乎小了。我套上雨衣，抓起钱包，向门口走去。

有人敲门，嘭嘭嘭三下。

是伯特兰，我冷冷地想道，可能是安东尼或赛茜尔让他打电话或回家的。

赛茜尔一定在下面的车里。等我坐进那辆奥迪，她一定会感到尴尬，气氛也会变得紧张与不安。

很好，我就要让他们看看。我要直言不讳，不再扮演低眉顺眼的法国好太太。从现在开始，我要让伯特兰一切都实话实说。

我猛地拉开门。

站在门口的不是伯特兰。

我立即认出了来人——他的个子高高的，肩膀宽宽的，被雨淋湿的灰白金发显得黑了一些，紧紧地贴在头皮上。

威廉·兰斯福德。

我吃了一惊，向后退了几步。

“我来得不是时候？”他问道。

“不。”我稳住了自己的情绪。

他为什么来这儿？想干什么？

我们吃惊地看着对方。跟上次相比，他脸上的神色已经不一样了。他变得憔悴了，似乎一直受着什么折磨，不再是一位俊美、悠然的美食家了。

“我想和你谈谈，”他说，“很抱歉，事情紧急，我又没有你的号码，所以就直接跑过来了。昨晚你不在，我想今天早上你应该在，所以就来了。”

“你是怎么知道这里的地址的？”我疑惑地问，“这个地址还没有登在电话簿上，我们还没有搬进来。”

他从夹克的口袋里取出了一个信封。

“这上面有地址，圣通日大街，跟你在卢卡提到的街名相同。”

我摇摇头。

“我没明白。”

他把信封递给我。信封很旧，角都磨破了。信封上什么也没写。

“打开。”他说。

我从信封中抽出了一个薄薄的破旧笔记本和一张已经退色的画，还有一把长长的铜钥匙。黄铜钥匙当的一声滑落到地板上。他弯腰拾了起来，放在手掌上给我看。

“这些是什么东西？”我小心地问道。

“你离开卢卡后，我一直感到很震惊。那张照片一直在我脑海中出现，挥之不去。我没法不想它。”

“是吗？”我说，心跳开始加速。

“我飞回了罗克斯伯利去看望父亲。他病得很重，我估计你应该知道。癌症，快不行了。他已经不能说话了。我在屋里找了找，在他的书桌抽屉里发现了这个信封。这些年来他一直保存着这个信封，却从未给我看过。”

“那你来这儿干什么？”我轻声问道。

他的眼睛里流露着痛苦——痛苦与恐惧。

“我想让你告诉我到底发生了什么。我母亲小的时候都遭遇了些什么事情。我要知道全部的经过。你是唯一能帮助我的人。”

我低头看他手中的钥匙，还扫了一眼那幅画。画显得有些笨拙，上面是一个小男孩，头发金黄、卷曲。他好像坐在橱柜里，膝上有一本书，旁边有个玩具熊。画的背面有退色的潦草字迹，“迈克，圣通日大街二十六号”。我翻了翻笔记本。里面没有写日期，句子都很简短，像诗歌一样，用法语写的，很难辨认出来，可以认出一些词语：营房、代号、永不忘记、死。

“笔记本里的东西你看了么？”我问道。

“看了。我的法语不好，只能看懂一小部分。”

我口袋里的手机再次响起，吓了我一跳。掏出一看，是爱德华打来的。

“朱莉娅，你在哪里？”他温和地问道，“她的情况不大好。她想见你。”

“我就来。”我回答道。

威廉·兰斯福德低头看我。

“你要出去？”

“是的。紧急家务事，我丈夫的奶奶突然中风了。”

“抱歉听到这样的消息。”

他犹豫了一下，然后把手放在我肩上。

“什么时候能再见你？我想和你谈谈。”

我打开前门，转过身，看着他放在我肩上的手。看着他站在门口，站在带给他母亲那么多痛苦与悲伤的公寓的门口，他却不知道这些，不知道这里所发生的事，发生在他的家人、他的外公外婆、他舅舅身上的事情。一时间我感觉时空错乱，思绪万千。

“和我一起去吧，”我对他说，“我想让你见一个人。”

玛玫一脸倦意，面容枯槁。她像是睡着了，我跟她说话都不知道她是否听到，却又突然感到她的手抓住了我的手腕，而且抓得很紧，她知道我到了。

在我身后，泰泽克一家——伯特兰、他母亲科莱特、爱德华、罗芮和赛茜尔——围站在病床旁边。他们身后的走廊里，威廉·兰斯福德犹犹豫豫，不知进退。伯特兰看了他一两眼，颇感疑惑。他大概以为威廉是我的新男朋友。换了其他场合，我肯定会忍俊不禁，笑出声来。爱德华也看了他好几次，先是觉得好奇，后来神情一振，定定地看着我。

后来，我们一行鱼贯走出疗养院时，我挽了公公的手臂。刚才，罗奇医生告诉我们，玛玫的病情已经稳定下来了，但她仍然非常虚弱。他没说接下来会怎么样，但让我们做好心理准备。我们都努力地想让对方相信，玛玫的大限真的到了。

“爱德华，我真的很难过，很抱歉。”我轻声说道。

他轻抚我的脸庞。

“朱莉娅，我母亲爱你，爱得很深。”

伯特兰走了过来，一脸阴郁。我瞥了他一眼，艾米丽在我脑子里一闪而过。我本想说几句夹枪带棒的话，但最后还是作罢了，反正今后有时间来讨论此事。当前这不算要紧事，玛玫才是最该关注的，还有就是站在走廊里的那个高大的身影。

“朱莉娅，”爱德华扭头看了一眼，问道，“那个人是谁？”

“莎拉的儿子。”

爱德华一脸敬畏，盯着那个高大的身影看了好几分钟。

“你给他打电话了？”

“没有。他近日发现了一些他父亲长久珍藏着的东西，莎拉写的东西。他想知道整件事情，所以就过来了。今天才过来的。”

“我想和他聊几句。”爱德华说。

我走到威廉身边，告诉他我公公想见他。他跟着我走了过来，他高高的个子使伯特兰、爱德华、科莱特和她的两个女儿都显得很矮小。

爱德华·泰泽克抬头看着威廉。他很平静，很镇定，但眼睛有些湿润。

他伸出手，威廉握住了他的手。这一刻寂静无声，却憾人心魄。周围的人都默不做声。

“莎拉·斯达任斯基的儿子。”爱德华喃喃说道。

我扫了科莱特、赛西尔和罗芮一眼，她们在一旁看着，彬彬有礼却一脸的不解。他们不知道这是怎么回事，只有伯特兰明白，只有他知道整件事。但是，自从那晚他发现了有关“莎拉”的红色文件夹以来，他从未跟我谈起过此事。甚至是几个月前在我们的公寓里见了杜弗尔一家之后，他也没有提起过此事。

爱德华清了一下嗓子。他们的手仍然紧握着。他说的是英语，很正统的英语，带着浓重的法国腔。

“我叫爱德华·泰泽克。现在见你不是很合适，因为我母亲命在旦夕。”

“是的，我感到很遗憾。”威廉回答道。

“朱莉娅会把整件事告诉你的，但你的母亲，莎拉她……”

爱德华说不下去了，他的声调变了。他的妻子和女儿们惊讶地看着他。

“这到底是怎么回事？”科莱特低声问道，声音中充满了关切，“莎拉是谁？”

“这都是六十年前的事了。”爱德华说道，他在努力使自己的声音平静下来。

我很想伸手揽住爱德华的肩膀安慰他，但最后还是控制住了这种冲动。爱德华深吸了一口气，脸色好转了一些。他朝威廉笑了笑，笑容淡淡的，有些羞怯，我以前没见过他这样笑。

“我永远忘不掉你的母亲，永远忘不掉。”

他的脸扭曲了，笑容消失了。我看见他脸上露出了痛楚和悲伤，他的呼吸再次变得困难起来，就跟那天他把故事告诉我时的情形一模一样。

寂静重重地压了下来，令人难以忍受。几位女人在一旁看着，困惑不已。

“这么多年了，今天能把这些告诉你，我如释重负。”

威廉·兰斯福德点了点头。

“谢谢你，先生。”他说道，他的声音低沉，我注意到他的脸色也很苍白，“很多事情我都不知道，我来这里就是要弄个明白。我相信我母亲遭遇了很多不幸。我需要知道原因。”

“我们已经尽力帮她了，”爱德华说道，“这一点我可以向你保证。朱莉娅会告诉你的。她会告诉你事情的来龙去脉，告诉你你母亲的故事。她会告诉你我父亲为你母亲都做了些什么。再会。”

他抽回了手，突然间苍老了许多，萎缩了许多，脸色也苍白了许多。伯特兰一直看着他，有些好奇，又显得漠然。或许他从未见过他的父亲如此的情真意切。我不知道这次见面会对他产生什么影响，不知道他会怎么看这次见面。

爱德华走开了，他的妻子和女儿们尾随而去，一边轮番问着各种各样的问题。他的儿子跟在最后面，手插在裤袋里，一言不发。我心想，爱德华会不会把真相告诉科莱特和他的女儿们？很可能，我心想。可以想象，她们会非常震惊的。

疗养院的走廊上只剩下孤零零的我和威廉·兰斯福德。出了疗养院，我们来到科塞勒斯大街，雨仍在淅淅沥沥地下着。

“我们去喝杯咖啡吧？”他说。

他的笑容很迷人。

我们冒着蒙蒙细雨，走进了最近的咖啡馆。我们坐了下来，点了两杯爱斯普利索咖啡。之后的好一会儿，我们都默默无语。

然后，他问道：“你跟那位老太太很亲么？”

“是的，”我说，“非常亲。”

“看得出。你又要当妈妈了？”

我拍了拍圆鼓鼓的腹部说：“二月份就要生了。”

最后，他慢慢说道：“给我讲讲我母亲的事吧。”

“那可不是件容易的事。”我说。

“是的，但我有必要知道。请你告诉我吧，朱莉娅。”

慢慢地，我开始讲述。我声音低沉，偶尔抬头看看他。讲述的过程中我想到了爱德华，或许他也坐在学府街别致的粉红色客厅里，跟他妻子、儿子和女儿们讲述着相同的故事。围捕，第十五区冬季赛车场大圈押，集中营，逃离，小女孩冒死回家，死在壁橱里的小男孩，被死亡和一个秘密联系在一起的两个家庭，被不幸联系在一起的两个家庭。一方面，我想把全部事实都告诉眼前这个男人；另一方面，我又渴望保护他，不想他被冷酷的事实伤害。我不想让一个小女孩的凄惨形象和她的不幸遭遇进入他的大脑，不想让他了解她的痛苦和她所失去的东西，不想他感到痛苦和迷失。我讲得越多，越详细，回答的问题越多，就越感到我的话像利刃一样刺进他的身体，割得他鲜血淋漓。

讲完之后我抬头看他，他的脸和嘴唇惨白如纸。他默默地从信封中取出笔记本递给我。那把黄铜钥匙躺在我们之间的桌上。

我双手捧起笔记本,两眼看着他的眼睛。他的眼神中透着鼓励。

我打开笔记本，默看了第一句，然后把文字大声读了出来，将法语直接翻译成了我们的母语。我译得很慢，因为笔记本上的字笔墨细淡，而且是斜体，很难辨认。

你在哪里，我的小迈克？我漂亮的迈克。

你现在在哪里？

你还记得我吗？

迈克。

我，莎拉，你的姐姐。

那个再没回来的人。那个把你留在壁橱里的人。那个以为你藏在里面很安全的人。

迈克。

岁月流逝，但我仍然保留着那把钥匙，

打开我们的秘密之所的钥匙。

你看，我仍保留着它，触摸它，回想你，日复一日。

自一九四二年七月十六日起，它就从未离开过我。

这里没有人知道。没有人知道关于这把钥匙的事，关于你

的事，

关于藏在壁橱里的你，

关于母亲、父亲，

关于集中营，

关于一九四二年的夏天，

关于我的真实身份。

迈克，

没有哪一天我不想你，

不想圣通日街二十六号。

我背负着你的死亡的重负，

自孩童，至命终。

有时候，我想去死，

我无法承受你的死、

母亲的死和父亲的死的沉重，

无法承受牛车把他们载向死亡的场景。

那牛车的声音在我脑中时时响起，整整三十年。

我无法承受我的过去的沉重。

但我无法丢弃你藏身的壁橱的钥匙。

除却你的坟墓，这是唯一联系你我的具体物件。

迈克。

我怎么能假装我是另外一个人。

我怎么能让他们相信我是另一个女人。

不，我忘不了，忘不了运动场、集中营、火车，

忘不了朱尔斯和吉纳维芙、艾伦和亨丽塔，
忘不了尼古拉斯和加斯帕德。

有了孩子以后，我依然忘不了过去。
我爱他，我的儿子。
我丈夫不知道我是谁，
不知道我的过去，
但我无法忘却。
来这里是一个可怕的错误。
我以为会有所改变，
我以为可以把一切抛诸脑后，
但是，我做不到。

他们去了奥斯威辛，被杀害了。
我的弟弟，死在了壁橱里。
我，一无所有。
我以为还有，但我错了。
孩子和丈夫，不够。
他们一无所知，
不知道我是谁，
永远也不会知道。

迈克。
在梦里，你来接我。
你牵着我的手，领着我往前走。

这样的生活我已无法忍受，

全赖那把钥匙，对你和过去的思念，

对战前轻松惬意生活的回忆，

支撑着我活下去。

我现在知道，我的伤疤再也无法愈合。

我希望我的儿子能原谅我。

他永远也不会知道。

没有人会知道。

记住了，永不忘记。

记住了，永不忘记。

咖啡馆里热闹非凡，生机勃勃，但我和威廉似乎被罩在一个寂静的气场里。

我放下笔记本，新了解到的事情让我沮丧不已。

“她是自杀的，”威廉突然说道，“不是什么交通事故，她开车径直撞向了树。”

我没出声。我说不出话来，也不知道该说什么。

我想伸手去握他的手，但某种莫名的东西阻止了我。我深吸了一口气，但脑子里仍然没什么话可说。

那把黄铜钥匙躺在我们中间的桌上，它是过去以及迈克的死的无声见证者。我感觉到他在慢慢封闭，就像在卢卡，他举起手，似乎要把我推开时的情形一样。他没动，但我明确地感觉到他在离我而去。我又一次压制了想握住他的手，想安抚他的强烈冲动。我感觉自己和这个男人可以分享很多东西，怎么会这样？不知怎么，他在我眼里不是陌生人，更奇怪的是，我感觉他对我更熟悉。是什么让我们走到了一起？我的探究，对真相的渴求，还是对他母亲的同情？他对我一无所知，对我失败的婚姻，在卢卡差点流产，我的工作和生活一无所知。对于他我又知道多少？还有他的妻子和孩子，他的事业？他的近况是一个谜。但他的过去，他母亲的过去，已在我脑海中留下烙印，就像黑暗道路上燃烧的火炬一样明晰。我渴望他知道我很关注整件事情，渴望他知道发生在他母亲身上的事已经改变了我的生活。

终于，他再次开口了："谢谢你告诉我这一切。"他的声音听起来有些奇怪，不自然。我有一种意识，我希望他爆发出来，哭出来，把真实的情感表露出来。为什么？很显然，我自己也需要释放，需要用眼泪来将内心的痛苦、悲伤和空虚冲掉，想和他一起以一种特殊的、亲密的方式来分享感受。

他从桌旁站了起来，收起钥匙和笔记本准备离开。他这么快就要走，我的心一下子揪了起来。如果他现在走掉，我相信将从此失去他的消息。他不会再见我或与我交谈。我将失去与莎拉的最后一线联系。他将消失无踪。出于一种说不清道不明的原因，那一刻我只想和威廉·兰斯福德待在一起。

他一定是从我的表情中看出了什么，因为他站住了脚，踟蹰了。

"我要去这些地方，"他说，"伯恩–拉–罗兰德和奈拉顿大街。"

"如果你愿意，我陪你一起去。"

他的视线落在了我身上，我再一次感觉到了我给他带来的矛盾情感，怨恨与感激。

"不，我想一个人去，但是如果你能把杜弗尔兄弟的地址给我，我会很感激的。我也想去看看他们。"

"当然可以。"我回答道。我翻开记事本，将地址快速抄在一张纸上给他。

他突然又重重地坐下了。

"知道吗，我现在想喝点酒。"他说。

"好啊，当然可以。"我一边说一边招手叫服务员。威廉点了葡萄酒，我点了果汁。

我们默默地喝着酒时，我感觉到了和他在一起时很舒服。两个美国人静静地，很享受地对饮着。不知怎么地，我们都用不着交谈，而且不觉得尴尬。但是我知道，一旦喝完酒，他就要走了。

分手的时刻到了。

“谢谢你，朱莉娅，谢谢你为我做的一切。”

他没说保持联系，发电子邮件，偶尔打电话什么的。没有，他什么也没说。但是我知道他的沉默表达了什么，响亮而清晰——请不要打电话给我，请不要和我联系。我要规划自己的生活。我需要时间、安宁与平静。我得弄明白，现在的我是怎样的一个人。

我看着他在雨中离去，他高大的身躯渐渐消失在繁华的街上。

我双手重叠，放在圆圆的肚子上，任孤独悄悄袭来。

晚上到家时，我发现泰泽克全家都在，在等我。他们和伯特兰还有佐伊一起，坐在我们的客厅里。我立刻察觉到了气氛的凝重。

看起来他们分成了两派，爱德华、佐伊和塞茜尔是站在我这边的，支持我所做的事情，而科莱特和罗芮则持反对态度。

伯特兰一言不发，奇怪地保持着沉默。他神情悲伤，嘴角下垂。他没看我。

“怎么能这样做呢？”科莱特爆发了，“又是追寻那一家子的踪迹，又是去联系那个对自己母亲的过去一无所知的人。”

“他真可怜。”小姑子罗芮附和道，声音有些颤抖，“想想看吧，现在他知道自己的真实身世了，他母亲是犹太人，他在波兰的整个家族都被杀害了，他舅舅是饿死的。朱莉娅，你真不该告诉他。”

爱德华突然站起来，双手在空中挥舞着。

“我的天哪！”他吼道，“这个家到底是怎么啦！”佐伊躲进了我的怀抱，“朱莉娅在这件事情上表现得很勇敢，很大度。”他继续说道，浑身气得直哆嗦，“她想让那个小女孩的家人知道，让他们知道我们很在意所发生的事，我父亲费尽心机地让一个家庭好好照顾莎拉·斯达任斯基，她是有人爱的。”

“哦，父亲，”罗芮打断了他，“朱莉娅所做的事让人很难过。

重提旧事可不是件好事，尤其是重提那次战争期间所发生的事情。没人愿意再听那些事情，也没人愿意再去想那些事情。”

她没看我，但我察觉到了她深深的憎恶。我很清楚她在想什么——我做的就是美国人做的事情，不尊重过去，没有家庭秘密的概念，不懂礼仪，不会察言观色。美国人，粗俗不堪，未经教化。

“我不同意！”赛茜尔说，声音很高，近乎尖叫，“爸爸，我很高兴你把这些事告诉了我。这个故事是很可怕，那个可怜的小男孩死在了公寓里，小女孩又回来了。我认为朱莉娅做得对，应该和那家的人联系。说到底，我们没做什么丢脸的事情。”

“或许吧。”科莱特嘴唇紧绷，“但如果朱莉娅不多管闲事的话，爱德华是绝对不会提起这件事的，对吧？”爱德华面对着他的妻子，神情冷漠，声音也很冷。

“科莱特，我父亲让我承诺：不将此事说出去。过去的六十年里，我尊重了他这个愿望，我撑得很艰难。但现在，我很高兴你们都知道了。很明显，这事让你们中的几位不舒服，但起码现在我能与你们分享了。”

“感谢上帝，玛玫什么都不知道。”科莱特叹了口气，一边理了理她泛灰的金发。

“哦，玛玫知道。”佐伊的声音冒了出来。

她的脸变得通红，但她很勇敢地朝我们扬起脸。“是她告诉我这件事的。那个小男孩的事我以前没听说过，我估计是妈妈不想让我知道这部分。但是，玛玫一五一十全告诉了我。”

佐伊继续往下讲。

“事情一发生玛玫就知道了，公寓管理员告诉她莎拉回来了。她还说那个死在曾祖父房间里的孩子让她受尽了折磨。她说她太痛苦了，知道了这件事，却不能和丈夫，儿子，以及后来的其他家人谈起。她说这件事改变了我曾祖父，对他产生了某种影响，一种他没法告诉别人的影响，甚至连她也不行。”

我看着我公公，他盯着我女儿，两眼圆睁，一脸惊疑。

“佐伊，她知道？这些年来她一直都知道？”

佐伊点点头。

“玛玫说背负这个秘密让人心力交瘁，她老是想起那个小女孩，她说我现在知道这个秘密了，她很高兴。她说我们早该谈论这事了，应该做我妈妈所做的事，不该一味地等待。我们应该去找那个小女孩的家人，把这件事埋在心里是不对的。这些是她中风之前跟我说的。”

一阵长时间的痛苦的沉默。

佐伊站了起来，定定地看了科莱特、爱德华、她的两个姑姑、她父亲一阵，然后又看了看我。

“我还有些话想说。”她接着说道。她很自然地从法语转到英语，并且突出了她的美国口音。“我不在乎你们中的一些人想些什么，我也不在乎你们是否认为我妈妈错了，干了蠢事，我真的为她所做的感到骄傲。她千辛万苦找到威廉，把事情告诉他自己却受着委屈。你们不知道其中的辛苦，也不知道这事对她意味着什么，对我意味着什么，对那个男人意味着什么。知道吗？我长大以后，也要像妈妈一样，我想成为我的孩子的骄傲。晚安！”

她微微鞠了个躬，姿势有些滑稽，然后走出房间，静静地关上了门。

我们沉默了很长一段时间。我注意到科莱特板起的脸恍若岩石，几近僵硬，罗芮就着一个小镜子查看脸部妆容，赛茜尔则似乎惊呆了。

伯特兰一语未发。他面对着窗户，双手反背在身后。他没看过我一眼，或者说是没看过我们任何人一眼。

爱德华站起身，慈父般轻轻拍了拍我的头。他看着我，浅蓝色的眼睛绽放着光芒。他凑近我耳旁，说了几句法语。

“你做得对，做得好！”

但是，那天晚上，我一个人躺在床上，看不进书，无法思考，什么也做不了，只好愣愣地盯着天花板看，自己的心思却开始动摇了。

我想起了威廉，不知他在哪里，也许正试图把他新的生活碎片拼凑起来。

我想起了泰泽克一家。这次他们被迫走出自己的硬壳，被迫与人交流，将隐藏多年的哀伤秘密说了出来。我想起了对我不理不睬的伯特兰。

“你做得对，做得好！”爱德华是这样对我说的。

爱德华说得对吗？我不知道。我心里仍不确定。

佐伊开门进来，像一条小狗一样静静地爬到我床上，依偎在我身旁。她拉过我的手，缓缓地亲了亲，然后把头靠在了我的肩膀上。

从蒙帕纳斯大道上传来的车流声隐隐传入耳内。夜渐深，毫无疑问，伯特兰跟艾米丽在一起。他似乎离我非常遥远，像个陌生人，一个我几乎不认识的人。

今天，两个家庭因我聚到了一起。往后，这两个家庭将发生巨大的变化。 我做的这件事到底是对还是错？

我不知道该想什么，也不知道该相信什么。

佐伊在我身旁睡着了，她舒缓的呼吸呵得我的脸痒痒的。我想到了即将出世的孩子，一阵平和涌上心头，我得到了片刻的快慰。

但那种痛楚和悲伤并未消除。

纽约，二〇〇五年

“佐伊！”我喊道，“天哪，快抓住你妹妹的手。她要摔下来了，会摔断脖子的！”我那长脚的女儿一脸不快。

“真让人受不了，胡说什么呢。”

她抓住小宝宝肉嘟嘟的手臂，把她推回婴儿三轮车上。她在路上一阵猛蹬，佐伊手忙脚乱地在她身后追着。小不点高兴得咯咯直笑，不住地伸长脖子往后看，看我是否在看她，两岁小孩子的那点得意劲显露无遗。

中央公园，春天呼之欲出。我伸直双腿，扬起脸享受着阳光。

我旁边的男子吻了一下我的脸颊。

他叫尼尔，我的男友，年龄比我稍大，律师，离异，和他十几岁的儿子们住在弗莱泰恩区，我妹妹介绍的。我喜欢他，并不爱他，也喜欢他的陪伴。他很聪明，有教养。感谢上帝，他并不打算和我结婚，还经常迁就我的两个女儿。

自从我们迁到这里以来，我已经交了几个男朋友，没有让我上心的，也没发生什么重要的关系。佐伊称他们为我的追求者，查拉颇有斯佳丽风格，说他们是我的情人。尼尔之前的那位追求者叫彼得，他有一家画廊，后脑勺有一块他很在意的秃斑，在翠贝卡还有一间通风良好的阁楼。这些人都很体面，但也比较无趣，都是些纯粹的美国中年男子，有礼貌，待人热心，处事谨慎。他们有体面的工作，受过良好的教育，有教养，大都离过婚。他们开车来接我，开车送我回家，给我臂弯和庇护。他们请我出去吃午餐，去大都会博物馆、现代艺术馆、纽约歌剧院、纽约芭蕾舞剧院，去百老汇看展览，去吃晚餐，有时一起睡觉。我忍受着。现在我做爱完全出于必要，做爱成了机械的、乏味的事情，有些东西已经消失了。那种激情，那种兴奋，那种火热，通通没有了。

我感觉某人——我自己？——快进了我的生活胶片，我就像查理·卓别林电影里呆头呆脑的角色，匆忙又笨拙地做着每件事，仿佛别无选择，脸上挂着僵硬的笑容，让人感觉我对新的生活很满意。

有时候我的某个神色会被查拉逮住，她问我："嘿，你还好吧？"

她会用胳膊肘轻碰我一下，我则喃喃答道："哦，当然啦，我很好。"她似乎并不相信，但也不会多加追问。

还有我母亲，她的眼睛在我脸上扫来扫去，然后关切地撅着嘴问："亲爱的，一切都好吧？"

我会轻松地笑笑，打消她心头的焦虑。

纽约，灿烂、清新的早晨，这是你在巴黎绝对见不到的早晨。空气清爽，天空碧蓝，树尖之上，摩天大楼耸立四周。我们的对面，就是灰色的巨无霸达科塔大楼。阵阵微风中，浸透着热狗和椒盐卷饼的味道。

我摩挲着尼尔的膝盖，仍然闭着眼睛迎着渐炽的阳光。纽约的天气季节鲜明，暴躁刚烈，夏天骄阳似火，冬天冰天雪地。还有那普照整座城市的硬朗如银的光线，我渐渐爱上了它。巴黎的那种灰蒙蒙的细雨，仿佛属于另一个世界。

我睁开眼睛，看着女儿们尽情嬉闹。仿佛一夜之间，佐伊已经长成了一个靓丽的大姑娘，个子比我还高，四肢柔韧有力。她出落得很像查拉和伯特兰，她继承了他们的气质，他们的吸引力，他们的魅力，是嘉蒙德和泰泽克两个血统的完美结晶，让我打心眼里喜欢。

小女儿则是另一个类型，比佐伊柔，棱角圆润一些，也更娇弱，比佐伊小的时候所需要的拥抱、亲吻和呵护多。因为她父亲不在身边？还是因为她出生不久，我便带着她和佐伊离开法国来到了纽约？我不知道，也没过多地追问自己。

在巴黎生活了那么多年后回到美国生活，感觉上有些怪怪的。这种感觉现在有时候还有。这儿感觉不像家。我不知道要多久才能适应过来，这种感觉还要持续多久，但这一切已然发生，困难也经历了，当初做出回美国的决定亦非易事。

这个孩子是圣诞节后出生的，早产，比预产期提前了两个月，让我受了不少惊吓和疼痛。我在圣文森特–保罗医院的急救室里经历了漫长而又可怕的剖宫产手术。伯特兰守在旁边，显得十分紧张和感动，还不停地数落自己。是一个娇小的漂亮女婴。他失望了？我不知道，但我没失望。这个孩子对我来说太重要了。我为了她而抗争，我没有放弃，她代表着我的胜利。

孩子出生后不久，在我们搬进圣通日大街的公寓之前，伯特兰鼓足了勇气，跟我说他爱艾米丽，以后想跟她住在一起，他搬到她特罗卡迪罗大街的公寓住，他不能再对我和佐伊说谎了，我们要离婚，最好轻松、快捷地结束。就在那一刻，看着他背着双手，低垂着脑袋在房间里走来走去，听着他冗长、复杂的告白，我脑子里冒出了回美国的念头。我一直听着，直到伯特兰说完。他似乎快要虚脱了，憔悴不堪，但他终于说出来了。他终于对我说了实话，也坦诚地面对自己。我看着我英俊、性感的丈夫，对他说了声“谢谢”。他好像很惊讶。他坦言他以为我的反应会很激烈，会愤恨难消——大喊大叫，恶语相向，大吵大闹。我怀的婴儿哼哼了几声，还挥舞着她的小拳头。

“没必要大吵大闹。”我说，“也不要大喊大叫，恶语伤人，好吗？”

“好的。”他说。他亲了一下我，亲了一下孩子。

他感觉他已跟我的生活无关，就好像他早已离去。

那天晚上，我每次起来给饥饿的孩子喂奶，头脑里就想到美国。去波士顿？不，我讨厌回到过去，回到我童年待的城市。

后来，我知道该去哪儿了。

纽约。我、佐伊和小宝宝可以去纽约。查拉在那里，我父母离得也不远。去纽约，没理由不去。我对那座城市不甚了解，虽然每年都去看望妹妹，但住的时间都不长。

因为与巴黎完全不同，纽约或许是唯一一个能与巴黎相媲美的城市。我越是这么想着，去纽约的念头就越强烈。我没和朋友们谈论此事。我知道，我的离去会让赫维、克里斯托弗、吉尧姆、苏珊娜、霍莉、简和伊莎贝拉难过，但我也知道，他们会理解并接受的。

后来，玛玫去世了。自从十一月份中风以来，她虽意识清醒，却再也不能说话了。我们把她转移到了科钦医院的加护病房。我知道她将不久于人世，也在为此做着心理准备，但在她最终离去时我还是颇受打击。

葬礼——在勃艮第的那个凄凉的小墓地举行的——之后，佐伊对我说："妈妈，我们非得住在圣通日大街的公寓吗？"

"我估计你父亲希望如此。"

"但你呢，想去那儿住吗？"她问道。

"不，"我实话实说，"自从知道了那儿发生过什么事之后，我就不想去那儿住了。"

"我也不想去。"

接着，她又问："但我们能搬到哪儿去呢，妈妈？"

我轻描淡写地，半开玩笑式地回答："去纽约，怎么样？"我以为她会嗤之以鼻。

我和佐伊就这么轻易地达成了一致。伯特兰对我们的决定却不满意——他的女儿要搬到那么远的地方去。但是佐伊去意已决。她说她每隔几个月会回来一次，而且伯特兰也可以去看她和小宝宝。我向伯特兰解释，这次搬迁并非最终性的，并非一锤定音。我们先住几年，一是让佐伊的一半美国血液得以物化，二是给我们一个新的环境，让我的人生之路可以继续。他现在已经和艾米丽明确了关系，成了正式的夫妻。艾米丽的孩子几乎都是成人了，他们不在家里住，有时候也去陪陪他们的父亲。伯特兰是否也受了新的生活前景的诱惑——无须照看孩子，无论是他的，还是她的。或许吧。最终他点头答应了，之后我便着手准备了。

我们先在查拉家待了一段时间，后来她帮我找到了住处：一套简单的两卧的公寓，白色，位于西大街八十六号，在阿姆斯特丹大道和哥伦布大道之间，视野开阔，可以俯瞰整座城市，配有门卫。我是从她一个迁往洛杉矶的朋友手里转租下来的。这幢楼里住着许多父母离异的家庭，到处放着自行车、折叠式婴儿车、儿童踏板车。这是一个舒适、惬意的家，但还是缺了什么。缺什么呢？我说不清楚。

多亏乔舒亚帮忙，我被一家法国时尚网站聘为驻纽约的通讯记者。我就在家里工作，需要巴黎图片时仍请班贝尔当摄影师。

佐伊去了一所新学校——三一学院，离家只有几个街区远。“妈妈，我永远也融不进去，现在他们又叫我‘法国妞’了。”她抱怨道。我忍不住笑了起来。

纽约人让人着迷，他们步伐果断，常善意地与人说笑，待人和善。我们刚搬进来时，邻居们在电梯里碰到就打招呼，还送给我们鲜花和糖果，大家也和门卫开玩笑。这一切我早已忘记。我已习惯了巴黎人的冷漠，习惯了住对门的人在楼梯上碰到时连头都懒得点一下。

也许最讽刺的是，尽管我现在风风火火地忙活着，我仍然想念巴黎。我想念埃菲尔铁塔，它每晚准点亮起，就像浑身缀满珠宝的狐媚女子。我想念每月第一个星期三中午为训练而响彻整座城市的警报声。我想念星期六在埃德加-昆特大街上开展的户外市场，菜贩叫我“娇美太太”，而我可能是他女顾客中个子最高的。尽管我是美国人，却跟佐伊一样，感觉自己是法国人。

离开巴黎并不像我想象的那样容易。纽约很有活力，下水道出入口涌出的股股气浪如云如雾，城市蔓延无边，桥梁飞架，楼房鳞次栉比，车水马龙，但我没有家的感觉。尽管我已在这儿交了几个很好的新朋友，我还是很想念巴黎的朋友。我想念爱德华，我们变得亲近了，他每个月都写信给我。我尤其怀念法国男人盯着女人看的样子，以前霍莉把那叫做“裸”看。我在法国已经习惯了，但现在，在曼哈顿，只有热情的公共汽车司机才会对佐伊喊“哟，好身材”，对我喊“哟，金发美女”。我感觉自己成了隐身人。我时不时在想，我的生活为什么如此空虚？就好像遭受了飓风袭击，我的生活已经被从底端席卷一空。

更难熬的是夜晚。

夜晚，即便尼尔在我身边，也孤寂难耐。躺在床上，听着这座城市有节奏的脉搏，一个个人物的形象走马灯似的涌上心头，就像潮水慢慢爬上海滩。

莎拉。

她从来不曾离开过我。她永远地改变了我。她的故事，她的痛楚，我一直埋藏于心。我感觉我们似曾相识，儿时的她，当姑娘的她，四十来岁的家庭主妇，在新英格兰结冰的路上，驾车径直撞向树干的她，历历在目。我非常清楚她长什么样——眼微斜，绿色，她脑袋的形状，她的姿态，她的双手，脸上很少有笑容。我认识她。如果她还活着，如果在路上碰着，我会拦下她和她攀谈。

佐伊现在很机敏，她把我逮了个正着。

我在网上搜索威廉·兰斯福德的信息。

我没有意识到她从学校回来了。那是一个冬天的下午，她偷偷溜进了我的房间，我一点动静也没听见。

“你这样做有多久了？”她质问道，仿佛母亲无意中撞见了孩子在抽大麻一样。

我满脸通红，承认自己在过去的一年里经常上网搜索他的信息。

“结果呢？”她继续问道，双臂交叉抱在胸前，皱着眉看着我。

“嗯，他好像离开了卢卡。”我供认道。

“哦。那么他现在在哪里呢？”

“回美国了，已经有好几个月了。”

我再也受不了她的目光，就起身走到窗边，看下面繁华的阿姆斯特丹大道。

“他在纽约么，妈妈？”

现在她的声音柔和了很多，不再那么刺耳了。她走到我身后，将她可爱的脑袋靠在我的肩膀上。

我点了点头。我没有勇气当面告诉她，知道了他也在纽约之后，我感到非常激动。没想到上次见面的两年之后，我和他居然来到了同一座城市，我感到无比兴奋和惊喜。我记得他的父亲是纽约人，很可能他小时候就生活在这里。

电话簿里有他的号码。他住在西村，从这儿乘地铁只要十五分钟。好多天，数个星期，我一直处于痛苦之中，我不知道该不该给他打电话。巴黎一别后，他从来没有联系过我。自那之后，我再也没有收到他的任何音信。

没过多久，那种兴奋感就逐渐消失了。我没有勇气给他打电话。日复一日，夜复一夜，我对他的想念却没有停止。偷偷地，静静地想念。我心想，说不定哪天会在公园、百货商店、酒吧或某个饭店里遇见他。他是和妻女一起回来的吗？为什么他会和我一样回美国呢？到底发生了什么呢？

“你联系过他吗？”佐伊问道。

“没有。”

“会联系吗？”

“佐伊，我不知道。”

我的泪水开始默默地往下流。

“哦，妈妈，别这样。”她长叹了一口气。

我愤愤地将眼泪擦去，感到自己有些愚蠢。

“妈妈，他也知道你现在住在这儿。我敢肯定他知道。他也搜索过你。他知道你在这里干什么，也知道你的住址。”

我从未这样想过，威廉在谷歌上搜索我的信息，威廉在找我的住址。佐伊说得没错？他知道我住在纽约，纽约的西北角？

他想过我吗？想起我的时候是什么样的感受？

“你得放手了，妈妈。忘了过去。给尼尔打电话，多见见他，你得继续自己的生活。”

我转身面向她，大声说道：

“我做不到，佐伊。我想知道我所做的一切是否对他有所帮助。我很想知道。难道问问很过分吗？这事很难实现吗？”我的声音显得尖厉、刺耳。

在隔壁房间的小女儿哇的一声哭开了，我把她从午睡中吵醒了。佐伊走了过去，然后抱着她胖嘟嘟、不停打呃的妹妹回来了。

佐伊用小宝宝的鬈发轻轻地触碰着我的头发。

“妈妈，我估计你永远都不会知道的，我觉得他根本就不准备告诉你。要知道你改变了他的生活，你把他的生活搅得乱七八糟，很可能他这辈子都不想再见你了。”

我把孩子从她怀里夺了过来，紧紧地搂在自己怀里，贪婪地享受着她的温暖和肉感。佐伊说得对，我得把这一页翻过去，我得继续自己的生活。

怎样继续，则是另一回事了。

我让自己忙碌了起来。我没有一刻时间留给自己，因为有佐伊、她的妹妹、尼尔、我的父母、我的侄子们、我的工作，以及由查拉和她丈夫巴瑞组织的没完没了的派对。对于这些派对，我硬着头皮，一个不落地参加了。在这两年里，我结识的人比在巴黎——一个我喜欢的国际性大熔炉——所待的整个期间都多。

是的，我已永久地搬离了巴黎，但每次我因工作或看望朋友或爱德华的原因回到巴黎，我发现自己总在玛蕾区，我一次又一次被吸引去那里，仿佛我的脚步总是不由自主地将我带到那里去。蔷薇街、罗伊-德-西西里街、艾克费斯街、圣通日大街、布列塔尼街，在我眼前一一晃过。这些街道在我眼里已今非昔比，因为我知道了一九四二年里在这些地方发生过什么样的事，尽管那个时间远远早于我出生的时间。

不知道现在是谁住在圣通日大街的那套公寓里？是谁站在窗边俯视那枝叶茂密的小院？是谁的手掌轻轻滑过光滑的大理石壁炉架？不知道新的房客们有没有了解到些蛛丝马迹，他们的家中曾死了一个小男孩，一个小女孩的命运也从那天起被永远改变了？

我也曾在梦里回玛蕾区。在梦里，那些我没亲眼目睹的历史惨剧有时候会活生生地再现出来。我不得不把灯打开，才能驱散那些噩梦带来的恐惧。

正是在那些空虚之夜，我躺在床上，应酬中的交谈让我疲倦不堪，该推掉而没推掉的过多饮酒令我口干舌燥，此时，旧伤复发，让我备受折磨。

他的眼神，当我大声说出莎拉的信件内容时他的表情，都浮现在我眼前，钻入我的骨髓，令我睡意全无。

佐伊的声音将我拉回到了我们所在的中央公园，惬意的春日，尼尔的手放在我的大腿上。

“妈妈，这个怪物想吃棒冰。”

“不行，”我说，“不能吃棒冰。”

小宝宝扑通一声趴倒在地，哇哇大哭起来。

“她可不好惹，是吗？”尼尔若有所思。

二○○五年的一月让我又一次想起莎拉和威廉。解放奥斯威辛六十周年纪念的重要性成了世界各大报纸的头版头条。“大屠杀”这个词的使用频率空前高涨。

每次我一听到这个词，我的思绪便痛苦地跳跃到他和她的身上。在电视上收看奥斯威辛纪念仪式的时候，我心想，如果威廉也在看，他听到“大屠杀”这个词的时候，看到过去种种触目惊心的黑白照片在屏幕上闪过的时候，看到那堆积如山的骸骨的时候，看到焚尸炉、骨灰和所有那些恐怖事物的时候，他是否想到过我。

他的家人死在了那可怕的地方，他母亲的父母。他怎么可能忘记我们的见面，我心想。在佐伊和查拉的陪伴下，我看到电视中雪花飘落在集中营，落在铁丝网上，落在监视塔上。肃穆的人群在哀悼，人们一个接一个发表着演说，祈祷声声，烛光绰绰，俄国士兵们跳着独特的舞步。

最后的一个画面令人难忘——黄昏，铁轨熊熊燃起，如一条火龙蜿蜒进黑暗的远方，悲伤融合着铭记，强烈地冲击着人们的心房。

五月的一个下午，一个我最没料想到的时间，电话来了。

我正坐在办公桌前，在电脑上尝试着一个新玩意儿。我拿起电话“喂”了一声，自己都觉得那声“喂”有些不耐烦。

“嗨，我是威廉·兰斯福德。”

我刷地站直了身体，心如鹿撞。我努力让自己保持平静。

威廉·兰斯福德。

我呆住了，一句话也说不出来，只是将听筒紧紧地贴在耳边。

“朱莉娅，你在听吗？”

我咽了咽口水。

“在听。刚才电脑出了点故障，脑子里还没绕出来。你还好么，威廉？”

“我很好。”他说。

一阵沉默。但我并没有感觉紧张或尴尬。

“好久没联系了。”我有些笨嘴拙舌。

“是的，有一阵子了。”他答道。

又一阵沉默。

“我知道你现在已经是纽约人了，”他终于又说话了，“我搜索过你的信息。”

看来佐伊猜得没错。

“嗯，聚一聚怎么样？”他问道。

“今天？”我问道。

“如果你能出得来。”

我想了想，小女儿还在隔壁房间睡觉。她今天早晨去了日托所，我可以带她一起去，但吵了她的午觉，她肯定会不高兴的。

“我出得来。”我说。

“太好了。我开车去你那个位置。在哪里碰头好呢？”

“你知道莫扎特咖啡馆么，在西七十大街和百老汇大街交会处？”

“我知道那里，好吧，半小时后见？”

我挂了电话，心跳快得几乎不能呼吸了。我叫醒了小宝宝，没理会她的哭闹，把她穿戴停当，放进婴儿车便匆匆出发了。

我们赶到时，他已经在那里了。我先看到他的背影，他有力的肩膀和他的头发，厚厚的，已变成了银色，看不到丁点金色了。他正在看报纸，但当我靠近时，他的身体刷地转了过来，似乎感觉到了我的目光。接着他站了起来，那一刻我们有些尴尬，不知道该握手还是行亲吻礼。我们相视一笑。最后他拥抱了我，一个结结实实的拥抱，我的下巴啪地碰在了他的锁骨上，他的手轻轻拍了拍我的后背。然后，他弯下腰来夸赞我的女儿。

“多漂亮的小囡囡。”他柔声说道。

小女儿郑重其事地将她最喜爱的橡胶长颈鹿递给了他。

“你叫什么名字？”他问道。

“露西。”她的口齿还不大清楚。

“那是长颈鹿玩具的名字……”我刚要解释，威廉已经捏响了那个玩具，响亮的吱吱声淹没了我的声音，小女儿则高兴得直叫唤。

我们找了张桌子坐下来，小女儿坐在她的婴儿车里。他看着菜单。

“吃过阿马迪厄斯芝士蛋糕么？”他问道，一道眉毛向上挑起。

“是的，”我答道，“绝对让人难忘。”

他咧嘴笑了。

“嘿，茱莉亚，你看上去气色不错，看来纽约很适合你。”

我的脸少女般腾地变得通红，脑子里想象着佐伊骨碌碌转着眼珠看着我。

此时他的手机响了。他接了。从他的表情可以看出，对方是一个女人。我揣度着那会是谁。他妻子？或者是他的女儿？电话继续着，他显得颇为兴奋。我俯下身子逗小女儿，和她玩长颈鹿。

“不好意思，”他边说边把电话收起，“是我女朋友打来的。”

“哦。”

我的声音中肯定透着不解，因为他呵呵笑着说道：

“朱莉娅，我离婚了。”

他直直地看着我，脸上平静了下来。

“知道吗，你把实情告诉我之后，一切都改变了。”

终于，他终于把我想知道的东西告诉我了——那个秘密所带来的后遗症，所引发的结果。

我不知道该说点什么，我怕我一开口，他就会停止。我忙着照顾女儿，递给她水，看着她以免把水洒到身上，拿餐巾纸给她擦擦这儿擦擦那儿。

女服务员过来取我们点的东西——两份阿马迪厄斯芝士蛋糕，两杯咖啡，一份给小女儿吃的薄煎饼。

威廉说：“一切都支离破碎了，简直是地狱般的生活，糟糕透顶的一年。”

有好几分钟，我们一句话也没有说，只是看着周围餐桌上的忙碌情景。这个咖啡馆比较嘈杂，光线明亮，古典音乐从隐蔽的扬声器中缓缓流出。小女儿咿咿呀呀地自说自话，有时候仰头冲我和威廉笑笑，一边挥舞着她的玩具。女服务员给我们送来了我们点的东西。

“现在你好点了么？”我试探性地问道。

“是的，”他迅速回答道，“是的，我很好。我花了很长时间才适应过来。我理解并接受了我母亲的遭遇，承受住了其中的痛苦。有时候我仍觉得难以忍受，我在努力。我做了一些该做的事情。”

“什么样的事情？”我边问边将弄碎的黏糊糊的薄饼喂给我女儿吃。

“我意识到我无法独自承受这些。我感到孤独、无助。我妻子不理解我所处的困境，我又无法解释，我们之间几乎没有交流。去年，在六十周年纪念活动之前，我带着我的女儿们去了奥斯威辛。我要告诉她们发生在她们曾祖父母身上的事。那可不是件容易的事，但我别无他法。我只能让她们亲眼去看。那次旅途让人泪流不止，肝肠寸断，但后来我的内心终于安宁了，而且我觉得我的女儿们终于理解了。”

他满脸悲凄，思绪万千。我没有说话，全听他说。我给孩子擦了擦脸，又让她喝了些水。

“今年一月，我做了最后一件事情。我又去了一趟巴黎。或许你也知道，玛蕾区新建了一个大屠杀纪念馆。”我点了点头。我听说过，打算下次去巴黎时去看看。“一月底，希拉克出席典礼并宣布该馆落成。在纪念馆的入口处，有一堵刻满名字的墙壁。一堵巨大的灰色岩石墙，上面刻有七万六千个名字，那是所有被法国移送出境的犹太人的名字。”

我看着他用手指抚弄着咖啡杯的杯口。我不忍正眼看他的脸了。

“我去那里查找他们的名字，真的被我找到了，瓦拉迪斯罗·斯达任斯基和洛卡·斯达任斯基，我的外公外婆。当时，我的感受跟在奥斯威辛的一样，既有痛苦，也有安宁。人们没有忘记他们，我很感激。我很感激法国人记住了他们，并用这种方式来祭奠他们。朱莉娅，人们在那堵墙前面失声痛哭，有老人，年轻人，和我一样年纪的人。他们抚摩着那座墙，痛哭流涕。”

他停顿了一会儿，嘴里轻微地吁着气。我一直盯着他的咖啡杯和他的手指看。小女儿的长颈鹿吱吱地叫着，但我们几乎没有在意。“希拉克作了演讲。当然，我没有听明白。后来我在网上找到了这篇演讲，并阅读了译文。讲得不错，要人们铭记法国人在十五区冬季赛车场大圈押事件及后续事件中该负的责任。希拉克的演讲中用了我母亲在她那封信的末尾部分所写的话，希伯来语，‘记住了，永不忘记’。”

他弯下腰，从脚边的背包里取出了一个很大的牛皮纸信封递给我。

“这些是我保存的她的相片，我想给你看看。朱莉娅，我突然发现连我都不知道我母亲是什么样的人。我的意思是说，我知道她长什么样子，我知道她的相貌，她的笑容，但对她的内心世界一无所知。”

我擦掉手指上的枫糖，接过了照片。结婚当天的莎拉，高挑的个子，单薄的身材，淡淡的笑容，深邃的眼神；给婴孩威廉摇摇篮的莎拉；手把手教威廉走路的莎拉；三十多岁的莎拉，身穿一件翠绿色的舞会裙；临终前的莎拉，大帧的彩照。我注意到她的头发是灰白的。白得太早了，但很奇怪，跟她人很相称，就跟他现在一样。

“在我印象中她个子很高，身材苗条，沉默寡言，”我看着一张张照片，对莎拉的感情越来越深，这时威廉又说，“她很少放声大笑，但她待人热情，是位慈爱的母亲。她去世后，从来没有人说她是自杀，从来没有，我父亲也没这样说过。我估计父亲从未看过那个笔记本。没有人看过。或许母亲去世很久之后父亲才发现那个笔记本。我们都以为那是一场意外。朱莉娅，没有人了解我母亲，连我都不了解，这个事实我到现在都难以接受。那个冰冷的下雪天，是什么让她走向死亡；她是怎样做出那个决定的；为什么我们对她的过去一无所知；她为什么不告诉父亲；为什么她把自己的遭遇和痛苦都闷在心里。”

“这些照片很漂亮，”我终于开了口，“谢谢你带过来给我看。”

我停顿了一下。

“我有件事情必须得问你。”我将照片放到一边，终于鼓起勇气看他的脸。

“请讲。”

“你不怨恨我吧？”我怯怯地笑着问道，“一直以来我都感觉我毁了你的生活。”

他咧嘴一笑。

“朱莉娅，我不恨你。我只是需要时间去想，去明白，去把那些碎片拼成整体。费了我很长时间，所我很久没有联系你。”

如释重负的感觉涌遍全身。

“但我一直知道你的行踪。”他笑了，“我花了不少时间来查找你的行踪。”

“妈妈，他知道你现在住在这儿。他也搜索过你的信息。他知道你在这里干什么，知道你的住址。”我想起了佐伊的话。

“你具体是什么时候搬到纽约来的？”他问道。

“二〇〇三年的春天，这个孩子出生后不久。”

“如果你不介意，能否告诉我你为什么要离开巴黎？

我很勉强地笑了笑。

“我的婚姻破裂了，又刚刚生了这个孩子，而圣通日大街的公寓里发生过那些事，我没法搬进去住，而且我也想回到美国来。”

“事实上你又是怎么做到的呢？”

“刚开始我们住在我妹妹家，在东北角，然后她帮我从她的朋友手里转租了一套公寓，我的前任老板又帮我找到了一份很好的工作。你又是怎么回来的呢？”

“和你一样。卢卡的生活似乎无法继续下去了。我妻子和我……”他的声音渐渐低了下去。他伸开手指微微晃了晃，像是再见，拜拜的手势，“我家搬去罗克斯伯利镇之前住在纽约，当时我还是个小男孩。有一阵子老想回纽约，后来终于成行了。起初我住在布鲁克林区的一个老朋友那里，后来我在西村找到了住处。我现在干的还是老本行，美食评论。”

威廉的电话响了，又是他女朋友打来的。我转过身，想让他方便讲电话。过了好一会儿，他终于把电话放下了。

“她的占有欲稍稍有些强，”他不好意思地说道，“我还是把它关掉一会儿好了。”

他笨手笨脚地关掉了手机。

“你们在一起多久了？”

“几个月了吧。”他看着我，“你呢？有约会对象吗？

“有，有的。”我的脑海里浮现出了尼尔温文尔雅的笑容，轻柔的动作，我们之间程式化般的性爱。我差点补充了一句，说那不是什么重要人士，那只是一个伴，因为我受不了那种孤独，因为我每晚都会想起他，威廉，和他母亲，过去的两年半中，没有一晚不想，但是，我没说出口。我说：“他人不错，离过婚，是个律师。”

威廉又点了一杯咖啡。他给我倒咖啡的时候，我再次发现，他的手很漂亮，十指纤细修长。

“上次见面的六个月之后，”他说，“我去了一趟圣通日大街。我想见你，想和你谈谈。我不知道在哪里能找到你，又没有你的电话，也想不起你丈夫叫什么了，所以连电话簿也没法查。我以为你还住在那里，没想到你已经搬走了。”

他停住了，一只手插入了厚厚的灰白头发里。

“我看了所有关于十五区冬季赛车场大圈押事件的材料，去过伯恩–拉–罗兰德镇，去过赛车场昔日所在的位置。我去拜访了加斯帕德·杜弗尔和尼古拉斯·杜弗尔。他们领我去了我舅舅的坟墓，在奥尔良公墓里。他们人很好，但那个过程让人难过至极。我曾经希望你在身边。如果只有我一个人，我是肯定无法做完那些事情的。你说要陪我去的时候我该答应的。”

“或许当时我也该再坚持坚持。”我说。

“我应该听取你的建议，一个人根本承受不了。后来，我再次去圣通日大街的公寓，却发现开门的是陌生人，我感觉你抛弃我不管了。”

他垂下了眼睛。我把咖啡杯放回杯碟中，心里感到阵阵不满。我心想，我为他做了那么多，费了那么多时间，付出了那么多的努力，经历那么多的痛苦和空虚，他怎么能说这样的话？

他肯定从我脸上察觉了些什么，因为他急切地伸手放在我衣袖上。

“对不起，我不该那么说。”他低声说道。

“威廉，我从未抛弃过你。”

我的声音有些生硬。

“我知道，朱莉娅，对不起。”

他声音低沉，颇为动情。

我心下释然，脸上挤出了一丝笑意。我们没再说话，各自轻啜慢饮地喝着咖啡。有时候我们桌下的膝盖会碰到一起。我感觉很自然，因为是和他在一起，仿佛这种情形已持续多年了，仿佛这并不是我们这一生中的第三次见面。

“你跟孩子来这里住，你的前夫不介意吗？”他问道。

我耸了耸肩。我低头看时，小女儿已经在婴儿车里睡着了。

“费了些力，但他移情别恋了，而且已经有一段时间了，给了我一个很好的理由。他见女儿们的时间也不多，偶尔会来看看，佐伊假期里也去法国。”

“我前妻也一样。她又生了一个孩子，一个男孩。我有机会就去卢卡看望我的女儿，要么她们来我这里，但相对少一些。几乎变成大人了。”

“多大了？”

“丝蒂芬妮二十一岁，吉斯蒂娜十九岁。”

我打了声唿哨。

“生她们的时候你还很年轻吧。”

“或许是太年轻了。”

“我不知道，”我说，“我现在带孩子有时候感觉力不从心。她早点到来就好了，她和佐伊的年龄差距太大了。”

“她很可爱啊。”他边说边咬了一大口芝士蛋糕。

“是的，她很可爱，是妈妈的掌上明珠。”

我们都哈哈笑了。

“没生男孩，你感到遗憾吗？”他问道。

“不，我不遗憾。你呢？”

“我也不。我爱我的女儿们，但她们有可能生儿子的。你女儿叫露西，对吗？”

我抬头看了他一眼，而后又看了看小女儿。

“不，露西是她的玩具长颈鹿的名字。”我说道。

我稍稍停顿了一下。

“她叫莎拉。”我轻声说道。

他停止了咀嚼，放下了叉子。他的眼神变了。他看着我，又看看熟睡的孩子，一句话也没说。

然后，他双手捂脸，持续好几分钟时间。一时间我手足无措。我轻轻摩挲着他的肩膀。

一片静寂。

我再次感到内疚，觉得自己好像做了什么不可原谅的事情。但是，将给这个孩子取名莎拉的念头一直在我脑海之中。在她出生的那一刻，当护士告诉我她是个女孩子的时候，我就为她取好了名字。

我女儿不可能叫别的名字，她就叫莎拉，我的莎拉。这是对另一个莎拉的应和，对那个戴着黄色星星，改变了我一生的女孩的应和。

他终于把手挪开了，我看见了他的脸，无比沧桑，却难掩标致。他眼里悲伤如云，情愫万端。他无意在我面前掩饰什么，也没有强忍泪水，似乎想让我看到这些，看到他生命中的美与痛，看到他的谢忱，他的感激和痛楚。

我抓过他的手紧紧地握在手里。我不敢直视他，就闭了双眼，将他的手贴在我的脸颊上。我和他一起哭了。我感觉到自己的泪水浸湿了他的手指，但我并没松开他的手。

我们在那儿坐了很久，直到周围的人纷纷离去，直到太阳西斜，日光暗淡，直到我们觉得能抬眼相望，泪不再流。

图书在版编目（CIP）数据

莎拉的钥匙 / （法）罗斯奈著；章于红，龙飞译．—北京：新星出版社．2012.4

ISBN 978-7-80225-922-5

Ⅰ.①莎… Ⅱ.①罗…②章…③龙… Ⅲ.①长篇小说－法国－现代 Ⅳ.①I565.45

中国版本图书馆CIP数据核字（2010）第059469号

莎拉的钥匙

（法）塔季雅娜·德·罗斯奈 著；章于红 龙飞 译

责任编辑：党敏博
责任印制：韦 舰
装帧设计：

出版发行：新星出版社
出 版 人：谢 刚
社　　址：北京市西城区车公庄大街丙3号楼 100044
网　　址：www.newstarpress.com
电　　话：010-88310888
传　　真：010-88310899
法律顾问：北京市大成律师事务所

读者服务：010-88310800 service@newstarpress.com
邮购地址：北京市西城区车公庄大街丙3号楼 100044

印　　刷：三河市南阳印刷有限公司
开　　本：910×1230 1/32
印　　张：10.625
字　　数：160千字
版　　次：2010年7月第一版 2012年4月第八次印刷
书　　号：ISBN 978-7-80225-922-5
定　　价：26.00元